WITHDRA
P9-CKB-037
2005
7X 8/10 4/11

Hija de una enfermera y un policía, Ann Patchett nació en Los Angeles en 1963 y a los pocos años se mudó con su familia a Nashville, Tennessee. Fue alumna de Russell Banks en el Colegio Sarah Lawrence. En 1990 obtuvo una beca para estudiar en el Centro de Bellas Artes de Provincetown, Massachussets, gracias a la cual escribió su primera novela: *The Patron Saint of Liars*, que recibió el premio James A. Michener y luego fue adaptada para la televisión por la cadena CBS. Su segunda novela, *Taft*, obtuvo el premio Janet Heidinger Kafka a la mejor obra de ficción de 1994. La tercera, *The Magician's Assistant*, la hizo merecedora de la codiciada beca de la Fundación Guggenheim. *Bel Canto* la proyectó a la fama internacional gracias a los entusiastas comentarios de la crítica y a la obtención del renombrado premio P.E.N. Club William Faulkner, y ha sido traducida a varios idiomas. Patchett es colaboradora habitual de relevantes publicaciones periódicas, entre las que cabe mencionar: the *New York Times Magazine*, the *Village Voice*, *Paris Review*, *Vogue* y *GQ*.

Para estar en el mundo

bel canto

El día siguiente

bel canto

Ann Patchett

SAN DIEGO PUBLIC LIBRARY
MISSION VALLEY BRANCH

OCEANO

EDITOR: Rogelio Carvajal Dávila

BEL CANTO

Título original: BEL CANTO

Tradujo STELLA MASTRANGELLO de la edición original en inglés
de Harper Collins Publishers

© 2001, Ann Patchett

Publicado por primera vez por HarperCollins Publishers Inc.

D. R. © 2004, EDITORIAL OCEANO DE MÉXICO, S.A. de C.V.
Eugenio Sue 59, Colonia Chapultepec Polanco
Miguel Hidalgo, Código Postal 11560, México, D.F.
☎ 5279 9000 📠 5279 9006
✉ info@oceano.com.mx

PRIMERA EDICIÓN

ISBN 970-651-786-3

Quedan rigurosamente prohibidas, sin la autorización escrita del editor, bajo las sanciones establecidas en las leyes, la reproducción parcial o total de esta obra por cualquier medio o procedimiento, comprendidos la reprografía y el tratamiento informático, y la distribución de ejemplares de ella mediante alquiler o préstamo público.

IMPRESO EN MÉXICO / PRINTED IN MEXICO

Para
Karl VanDevender

Fonti e colline chiesi agli Dei;
m'udiro alfine pago io vivrò,
nè mai quel fonti co' desir miei,
nè mai quei monti trapasserò.

"Fuentes y colinas pedí a los Dioses;
me escucharon por fin. Viviré satisfecho,
y jamás con mis deseos iré más allá de esas fuentes
ni pasaré esos montes."

—*Sei Ariette*, I: "Malinconia, ninfa gentile"
Vincenzo Bellini/Ippolito Pindemore

Sprecher: Ihr Fremdlinge! was sucht oder fordert ihn von uns?
Tamino: Freundschaft und Liebe.
Sprecher: Bist du bereit, es mit deinem Leben zu erkämpfen?
Tamino: Ja.

Narrador: Extranjero, ¿qué buscas o quieres de nosotros?
Tamino: Amistad y amor.
Narrador: ¿Estás preparado para ganártelo con la vida?
Tamino: Sí.

UNO

Cuando se apagaron las luces el pianista la besó. Quizá se había vuelto hacia ella justo antes de que oscureciera, o quizá estaba levantando las manos. Debe de haber habido algún movimiento, un gesto, porque todas las personas presentes en la sala recordarían después un beso. Nadie *vio* un beso, eso hubiera sido imposible. La oscuridad que sobrevino fue sorpresiva y completa. No sólo todos estaban seguros de que había habido un beso, sino que afirmaban poder identificar el tipo de beso: fuerte y apasionado, y a ella la tomó por sorpresa. Todos estaban mirándola directamente a ella cuando las luces se apagaron. Aún aplaudían todos de pie, en plena emoción de manos que palmotean y codos que se levantan. Los italianos y los franceses gritaban "*Brava! Brava!*" y los japoneses apartaban la vista de ellos. ¿La habría besado de la misma manera si las luces hubieran estado encendidas? ¿Acaso su mente estaba tan llena de ella que extendió las manos en el mismo instante en que las luces se apagaron?, ¿habrá pensado tan rápido? O quizá era que todos la deseaban, todos los hombres y las mujeres presentes en la sala, y por eso lo imaginaron de manera colectiva. Estaban tan cautivados por la belleza de su voz que querían cubrir su boca con la propia, beberla. Tal vez la música podría transferirse, devorarse, poseerse. ¿Qué significaría besar los labios que habían contenido tales sonidos?

Algunos de ellos la amaban desde hacía años. Tenían todas sus grabaciones. Llevaban un cuaderno en el que registraban cada lugar donde la habían visto, anotando la música, los nombres del elenco, el director de orquesta. Esa noche había otros que jamás habían oído su nombre, que si se les preguntara habrían dicho que la ópera es una serie de aullidos gatunos sin sentido y que preferirían pasar una hora en el sillón del dentista. Ésos eran los que ahora lloraban abiertamente, los que habían estado en el error.

Nadie se asustó de la oscuridad. Apenas se dieron cuenta. Siguieron aplaudiendo. Las personas que la amaban en otros países supusieron que estas cosas debían suceder aquí todo el tiempo. Las luces se prenden y se apagan. Las personas del país sabían que así era. Además, el momento de la falla eléctrica parecía ser consecuente y correcto desde el punto de vista dramático, como si las luces hubieran dicho: *No necesitan la vista. Escuchen*. Lo que nadie se detuvo a pensar fue por qué las velas de todas las mesas también se apagaron, quizá al mismo tiempo o un instante antes. La sala se llenó del agradable olor de las velas recién apagadas, un humo dulce y para nada amenazante. Un olor que significaba que ya era tarde, hora de irse a dormir.

Siguieron aplaudiendo. Supusieron que ella continuaba en su beso.

Roxane Coss, soprano lírica, era la única razón por la que el señor Hosokawa había ido a ese país. El señor Hosokawa era la razón por la que todos los demás habían ido a la fiesta. No era el tipo de reunión al que uno asistía. La razón por la que el país anfitrión (un país pobre) gastaba una suma irracional en una fiesta de cumpleaños para un extranjero al que casi hubo que sobornar para que asistiera, consistía en que ese extranjero era el fundador y presidente de Nansei, la mayor empresa de electrónica en Japón. El más profundo anhelo del país anfitrión era que el señor Hosokawa le sonriera, lo ayudara en alguna de las cien formas diferentes en que necesitaba ayuda. Podía ser a través de la capacitación o del comercio. Se podría construir una fábrica (y éste era un sueño tan acariciado que casi no se podía pronunciar su nombre) aquí donde la mano de obra barata podía significar beneficios para todos los involucrados. La industria podría apartar a la economía del cultivo de hojas de coca y amapolas de corazón negro, creando la ilusión de que el país se apartaba del mundo vil de la cocaína y la heroína a fin de impulsar la ayuda extranjera y hacer menos atractivo el tráfico de esas mismas drogas. Pero en el pasado el plan nunca había llegado a arraigar porque los japoneses, por naturaleza, exageraban las precauciones. Creían en los peligros y los rumores de peligro que presentaban países como éste, de manera que tener sentado a la mesa al propio señor Hosokawa, no a un vicepresidente ejecutivo ni a un político, era prueba de que existía una posibilidad de que tendiera la mano. Y tal vez fuera necesario suplicar y coaccionar esa mano. Tal vez fuera preciso arrancarla de su propio y profundo bolsillo. Pero esa visita, esa gloriosa cena de cumpleaños completa con una estrella de la ópera, con varias reuniones planeadas y visitas, al día siguiente, a posibles sitios para una fábrica, estaba muchísimo más cerca que todo lo logrado hasta ese momento, y el aire de la sala estaba azucarado de promesas. A la fiesta asistían representantes de más de una docena de países, equívocamente informados sobre la índole de las intenciones del señor Hosokawa, inversionistas y embajadores que quizá no alentaran a sus gobiernos a invertir un centavo en el país anfitrión pero que apoyarían cualquier iniciativa de Nansei, y ahora recorrían el salón en traje de etiqueta y corbata negra, brindando y riendo.

Por lo que concierne al señor Hosokawa, el propósito de su viaje no eran los negocios, ni la diplomacia, ni la amistad con el presidente, como se diría más tarde. Al señor Hosokawa no le gustaba viajar y no conocía al presidente. Había manifestado sus intenciones, o su falta de intenciones, con total claridad: no pensaba construir una planta. Jamás habría aceptado un viaje a un país desconocido para celebrar su cumpleaños con personas desconocidas. De hecho, tampoco le interesaba celebrar su cumpleaños con las personas que conocía, y ciertamente no el cincuenta y tres, que le parecía un número del todo insignificante. Había rechazado media docena de insistentes solicitudes de esas mismas personas para esa misma fiesta, hasta que le prometieron como regalo la presencia de Roxane Coss.

Y si ella estaba presente ¿quién iba a rechazar la invitación? Por muy lejana, por muy inapropiada, por muy equívoca que resultara ¿quién iba a decir que no?

Pero hay que recordar primero otro cumpleaños, el número once, el cumpleaños en que Katsumi Hosokawa oyó por primera vez ópera, *Rigoletto* de Verdi. Su padre lo llevó a Tokio en tren y juntos caminaron hasta el teatro bajo una lluvia torrencial. Era el 22 de octubre y, por lo tanto, se trataba de una fría lluvia de otoño y las calles estaban cubiertas por una fina cubierta de hojas rojas empapadas. Cuando llegaron al teatro Metropolitano del Festival de Tokio estaban mojados hasta la ropa interior, por debajo de suéteres y chaquetas. Los boletos que esperaban en la billetera del padre de Katsumi Hosokawa estaban húmedos y descoloridos. Sus asientos no eran particularmente buenos, pero nada obstruía la vista del escenario. En 1954 el dinero era precioso: los boletos de tren y de la ópera eran cosas inimaginables. En otro momento semejante exageración hubiera parecido demasiado complicada para un niño, pero esto era apenas unos años después de la guerra y en esa época los niños tenían muchas más probabilidades de entender infinidad de cosas que podrían parecer imposibles para los niños de hoy. Ascendieron las largas escaleras hasta sus lugares, cuidando de no mirar el vacío aterrador debajo de ellos, inclinándose y pidiendo disculpas a cada una de las personas que se levantaron para permitirles llegar hasta sus asientos. Llegaron temprano, pero otros lo habían hecho desde antes, porque parte del lujo incluido en el precio de la entrada era el derecho a sentarse en silencio a esperar en ese hermoso lugar. Padre e hijo aguardaron sin hablar hasta que por fin cayó la oscuridad y, debajo de ellos, se agitó el primer aliento de la música. Personas diminutas, insectos en realidad, aparecían deslizándose desde atrás de las cortinas, abrían la boca y sus voces doraban las paredes con sus anhelos, sus sufrimientos, sus amores ilimitados y temerarios que llevarían a cada uno de ellos a su propia ruina.

Fue durante esa representación de *Rigoletto* que la ópera marcó a Katsumi Hosokawa, como un mensaje escrito en la parte interna de sus párpados que él leía mientras dormía. Muchos años más tarde, cuando los negocios lo eran todo, cuando trabajaba más que nadie en un país cuyos valores están estructurados en torno al trabajo arduo, él creía que la vida, la verdadera vida, era algo que se almacenaba en la música. La verdadera vida estaba guardada de seguro en los compases de *Eugenio Onieguin* de Tchaikovski mientras uno salía al mundo a enfrentar las obligaciones requeridas. Ciertamente él sabía (aunque no lo entendía del todo) que la ópera no era para todo el mundo, pero tenía la esperanza de que hubiera algo para cada uno. Los discos que amaba, las raras oportunidades de ver una representación en vivo, eran las marcas por las que medía su capacidad de amar. No eran su mujer, sus hijas o su trabajo. Nunca pensó que quizá había transferido a la ópera lo que debía haber llenado su vida cotidiana. En cambio sabía que sin la ópera esa parte de él se habría desvanecido por completo. Fue al principio del segundo acto, cuando Rigoletto y Gilda cantan juntos, cuando sus voces brincan y se trenzan, que extendió su mano hacia la de su padre. No tenía idea de lo que estaban diciendo, ni tampoco sabía que representaban a un padre y su hija, sólo sabía que necesitaba agarrarse de algo. Lo atraían con tanta fuerza que se sentía caer hacia delante desde aquellos asientos altos y distantes.

Un amor semejante genera lealtad, y el señor Hosokawa era un hombre leal. Nunca olvidó la importancia de Verdi en su vida. Como cualquier persona, se aficionó a ciertos cantantes. Reunió colecciones especiales de Schwarzkopf y de Sutherland. Creía en el genio de la Callas por encima de todo lo demás. Nunca había mucho tiempo libre en sus días, no el tipo de tiempo que ese interés, evidentemente, merecía. Su costumbre era, después de cenar con clientes y terminar con sus papeles, pasar media hora escuchando música y leyendo libretos antes de dormirse. Muy raras veces, quizá cinco domingos por año, lograba encontrar tres horas seguidas para escuchar una ópera de principio a fin. Una vez, ya cerca de los cincuenta años, comió una ostra descompuesta y sufrió una grave intoxicación que lo mantuvo en su casa por tres días. Recordaba ese periodo con tanta alegría como unas vacaciones, porque estuvo tocando la *Alcina* de Haendel una y otra vez, incluso mientras dormía.

Fue su hija mayor, Kiyomi, quien le compró su primer disco de Roxane Coss para un cumpleaños. Era muy difícil regalarle a su padre, y por eso cuando vio el disco con un nombre que no reconoció pensó probar suerte. Pero lo que la atrajo no fue el nombre desconocido, sino la cara de la mujer. A Kiyomi le resultaban irritantes los retratos de sopranos: siempre estaban mirando por encima de un abanico o a través de delicados velos. Pero Roxane Coss la miraba directamente, con el mentón levantado y los ojos bien abiertos. Kiyomi tendió la mano hacia ella aun antes de ver que se trataba de *Lucia di Lammermoor*. ¿Cuántas versiones de *Lucia di Lammermoor* poseía su padre? No tenía importancia. Entregó su dinero a la joven del mostrador.

18

Cuando el señor Hosokawa puso el CD en su aparato y se sentó en su sillón a escuchar, no volvió a trabajar esa noche. Fue de nuevo el niño en aquel asiento tan alto del teatro de Tokio, con la mano grande y cálida de su padre rodeando la suya. Escuchó el disco una y otra vez, saltando con impaciencia todo lo que no fuera la voz de Roxane. Volaba muy alto esa voz, cálida y sin complicaciones, sin ningún temor. ¿Cómo podía ser a la vez tan controlada y tan temeraria? Llamó a Kiyomi y ella vino y se paró en la puerta de su estudio. Fue ella quien empezó a decir algo —¿sí? o ¿qué? o ¿señor?— pero antes de formar las palabras oyó la voz, era la mujer de la fotografía. Su padre ni siquiera habló, tan sólo hizo un gesto hacia una bocina con la mano abierta. Ella se alegró enormemente de haber hecho bien algo. Esa música era un juicio favorable para ella. El señor Hosokawa cerró los ojos y soñó.

En los cinco años transcurridos desde entonces había visto dieciocho representaciones en las que aparecía Roxane Coss. La primera fue una feliz coincidencia, las otras él fue a la ciudad donde ella iba a estar, inventando negocios que lo llevaran allí. Vio *La sonnambula* tres noches seguidas. Jamás la había buscado ni se había visto a sí mismo como alguien distinto de cualquier otro miembro del público. No creía apreciar su talento más que cualquier otro. Más bien tendía a pensar que sólo un tonto no sentiría por ella lo mismo que él. No había nada que desear más que el privilegio de sentarse y escuchar.

Hay que ver un perfil de Katsumi Hosokawa en cualquier revista de empresarios. No hablan en términos de pasión, porque la pasión es asunto privado, pero la ópera siempre aparece, el ángulo de interés humano para mostrarlo de un modo más accesible. Otros altos ejecutivos aparecían fotografiados pescando con carnada artificial en Escocia o piloteando su propio Learjet hacia Helsinki; el señor Hosokawa se mostraba en su casa, en el sillón de piel donde se sentaba a escuchar, con un sistema Nansei EX-12 a sus espaldas. Las inevitables preguntas sobre preferencias. Y las inevitables respuestas.

Por un precio notablemente superior al costo total de la noche (incluyendo comida, servicio, transporte, flores, seguridad) fue posible convencer a Roxane Coss de que asistiera a la fiesta, que caía justo entre el final de su temporada en La

Scala y el inicio de sus presentaciones en el teatro Colón de Buenos Aires. No asistiría a la cena (nunca comía antes de cantar), pero llegaría al final y cantaría seis arias con su pianista acompañante. El señor Hosokawa fue informado por carta de que si aceptaba asistir podía hacer una petición, y si bien los anfitriones no podían prometer nada, la entregarían a la señorita Coss para su consideración. El aria de *Rusalka*, que había pedido el señor Hosokawa, era lo que acababa de terminar cuando se apagaron las luces. Debía de ser el final del programa, aunque es imposible saber si no habría cantado otra aria, incluso dos, si las luces no se hubieran apagado.

El señor Hosokawa escogió *Rusalka* en función de su respeto por la señorita Coss. Era la pieza central de su repertorio y no exigiría de ella ninguna preparación extra, era una pieza que de seguro habría sido incluida en el programa aun si él no la hubiera solicitado. No buscó nada particularmente oscuro, quizá un aria de *Parténope*, para demostrar que era un verdadero aficionado. Sólo deseaba oirla cantar *Rusalka* mientras estaba cerca de ella en un salón. *¡Si un alma humana llega a soñar conmigo, que me recuerde al despertar!* Su traductor se lo había escrito años antes, vertiéndolo del checo.

Las luces seguían apagadas. El aplauso empezó a mostrar una mínima tendencia a declinar. La gente parpadeaba y se esforzaba por verla de nuevo. Pasó un minuto, luego dos, y el grupo seguía sin preocuparse. Entonces Simon Thibault, el embajador francés, a quien antes de ir a ese país le habían ofrecido el puesto mucho más deseable de España (que a última hora le dieron injustamente a otra persona en pago de un complicado favor político cuando Thibault y su familia ya estaban haciendo las maletas), observó que las luces de la cocina continuaban encendidas. Fue el primero que comprendió. Sintió que había despertado con sobresalto de un sueño profundo, borracho de alcohol, carne de cerdo y Dvořák. Tomó la mano de su esposa, alzando la suya para buscarla en la oscuridad porque ella seguía aplaudiendo, y la arrastró hacia la multitud, cuerpos oscuros que no podía ver pero entre los que trataba de meterse. Fue en dirección a las puertas de vidrio que recordaba haber visto en un extremo más alejado del salón, estirando el cuello en un esfuerzo por captar algo de luz de las estrellas para orientarse. Lo que vio fue el rayo fino de una linterna, una y después otra, y sintió que el corazón se le hundía en el pecho, un sentimiento que sólo puede describirse como tristeza.

"¿Simon?", murmuró su esposa.

Ya estaba armada, sin que él hubiera notado nada, la red se había tejido y ajustado alrededor de la casa, y aunque su primer impulso, el impulso natural, era seguir adelante y ver si conseguía derrotar a la suerte, la lógica lo detuvo. Mejor no llamar la atención. Mejor no convertirse en un ejemplo. Allá, al frente del salón, el pianista besaba a la cantante de ópera, y también el embajador Thibault atrajo a su esposa, Edith, a sus brazos.

"Cantaré en la oscuridad", dijo en voz alta Roxane Coss, "si alguien me da una vela."

Con esas palabras la sala entera quedó inmóvil y el último momento del aplauso se convirtió en silencio a medida que todos comprobaban que las velas también estaban apagadas. Estaban al final de la velada. A esa hora los guardaespaldas dormían dentro de los automóviles como grandes perros alimentados en exceso. Por todo el salón los hombres metieron la mano al bolsillo y sólo encontraron pañuelos bien planchados y algún dinero. Se oyeron voces, hubo algunos movimientos y después, como por arte de magia, las luces se encendieron.

Había sido una fiesta hermosa, aunque nadie recordaría eso. Espárragos en salsa holandesa, un plato de pescado con cebollas dulces asadas, costillitas diminutas, de tres o cuatro bocados cada una, en un *glacé* de arándano. En general los países que se esforzaban por impresionar a los directores de empresas extranjeras importantes confiaban en el champaña francés y el caviar ruso. Ruso y francés, ruso y francés, como si no hubiera otro modo de demostrar prosperidad. Sobre cada mesa un racimo de orquídeas amarillas, cada flor del tamaño de una uña, flores cultivadas allí mismo, que temblaban y oscilaban como móviles, reordenándose con cada suspiro de un invitado. Todo el esfuerzo dedicado a esa velada, la colocación de cada tallo, la elegante caligrafía de las tarjetas que indicaban los lugares, se habían perdido sin un solo instante de reconocimiento. Se habían pedido prestados algunos cuadros al museo nacional: sobre la chimenea había una virgen de ojos oscuros que sostenía en las puntas de los dedos a un Cristo diminuto de rostro extrañamente adulto y sabio. El jardín, que los invitados sólo verían por un instante mientras andaban la corta distancia desde sus automóviles hasta la puerta del frente, o si acertaban a mirar por una ventana mientras todavía había luz, estaba compuesto y arreglado con aves del paraíso, lirios y helechos. No estaban muy lejos de la selva y hasta en el jardín más domesticado las flores se esforzaban por cubrir cada aburrido tramo de césped. Varios jóvenes habían trabajado desde muy temprano en la mañana, quitando el polvo a cada hoja con paños húmedos, recogiendo las flores de bugambilia caídas que se pudrían bajo los setos. Tres días antes habían cubierto de otra capa de pintura blanca la alta pared que rodeaba la casa del vicepresidente, cuidando que ni una gota de ésta cayera sobre el pasto. Cada detalle estaba pensado: saleros de cristal, *mousse* de limón, *bourbon* estadunidense. No había baile ni orquesta: la única música sería, después de cenar, Roxane Coss con su pianista, un hombre de menos de cuarenta años oriundo de Suecia o Noruega con fino cabello rubio y hermosos dedos alargados.

Dos horas antes de empezar la fiesta de cumpleaños del señor Hosokawa, el presidente Masuda, nacido en el país de padres japoneses, había enviado una nota para disculparse: importantes asuntos fuera de su control le impedirían asistir al acto.

Se especuló mucho sobre esa decisión después de que se arruinó la noche. ¿Fue la buena suerte del presidente? ¿La voluntad divina? ¿Un aviso, una conspiración, un complot? Lamentablemente no era nada tan imprevisto: la fiesta debía comenzar a las ocho y prolongarse hasta más allá de la medianoche. La telenovela del presidente empezaba a las nueve. Entre los miembros del gabinete y sus asesores era un secreto a voces que era imposible tratar asuntos de Estado de lunes a viernes por una hora a partir de las dos de la tarde y los martes de noche también por una hora, a partir de las nueve. Ese año el cumpleaños del señor Hosokawa había caído en martes. Sobre eso no había nada que hacer. Y nadie pudo imaginar una fiesta que empezara a las diez de la noche o que terminara a las ocho y media, dando tiempo al presidente de regresar a su casa. Alguien sugirió grabar el programa, pero el presidente detestaba las grabaciones. Ya tenía que soportar bastante de eso cuando viajaba fuera del país. Todo lo que pedía al mundo era que le dejaran libre, fuera de toda discusión, algunas horas de la semana. Las discusiones en torno al inoportuno cumpleaños del señor Hosokawa duraron días. Después de muchas negociaciones el presidente capituló y declaró que asistiría. Horas antes del comienzo de la fiesta, por una razón no dicha pero obvia, cambió de opinión en forma firme e irrevocable.

La dedicación del presidente Masuda a sus programas era bien conocida y reconocida por su círculo político íntimo, pero de alguna manera lograba ser totalmente ignorada por la prensa y el pueblo. El país anfitrión enloquecía por las telenovelas, y sin embargo la inquebrantable devoción del presidente por su serie favorita podía resultar tan embarazosa que su gabinete se habría alegrado de que la cambiara por una amante indiscreta. Hasta los miembros del gobierno que eran conocidos seguidores de ciertos programas tenían dificultades para aceptar la obsesión que su jefe de Estado manifestaba con tanta intensidad. Por eso muchos de los invitados a la fiesta que trabajaban con el presidente notaron su ausencia con desaliento, pero sin sorprenderse en realidad. Todos los demás preguntaron si había habido alguna emergencia o si estaba enfermo.

"Los asuntos de Israel", se les respondió confidencialmente.

"Israel", susurraban, impresionados. Nunca habían imaginado que el presidente Masuda fuera consultado sobre los problemas de Israel.

Entre los casi doscientos invitados de esa noche había una clara división: los que sabían dónde estaba el presidente y los que no lo sabían, y así quedó hasta que ambos grupos lo olvidaron por completo. El señor Hosokawa apenas si notó su ausencia. No tenía mayor interés por encontrarse con el presidente. ¿Qué importancia podía tener un presidente la noche en que uno iba a conocer a Roxane Coss?

Ante el vacío presidencial, el vicepresidente, Rubén Iglesias, se adelantó para ser el anfitrión de la fiesta. No era algo muy difícil de imaginar. La fiesta iba a ser en su casa. Durante los cocteles y los bocadillos, la cena y la dulce música, su mente estuvo junto al presidente. Ahora era muy fácil representarse a su compañero de campaña como Iglesias lo había visto cien veces antes: sentado en la oscuridad al borde de su cama en la suite principal del palacio presidencial, el saco del traje doblado sobre el brazo de un sillón, las manos juntas y apretadas entre las rodillas. Estaría mirando un pequeño televisor colocado sobre una cómoda mientras su esposa veía el mismo programa en una pantalla grande abajo, en la sala. En sus lentes se reflejaba la imagen de una hermosa jovencita amarrada a una silla. La joven retorcía las muñecas una y otra vez hasta que de pronto una parte de la soga se aflojaba y una mano quedaba en libertad. ¡María estaba en libertad! El presidente Masuda se echó hacia atrás y aplaudió en silencio. ¡Y pensar que había estado a punto de perdérselo, después de esperar semanas! La joven echó una rápida mirada alrededor y después se inclinó hacia delante para desatar la tosca cuerda que sujetaba sus tobillos.

Y de repente la imagen de María desapareció y Rubén Iglesias alzó el rostro hacia las luces que habían vuelto súbitamente a su sala. Había empezado a darse cuenta de que había una bombilla quemada en la lámpara de una mesita cuando, de pronto, comenzaron a entrar hombres por todas las puertas y ventanas. Por doquiera que el vicepresidente volvía los ojos parecía que las paredes de la sala los empujaban hacia dentro, gritando. Pesadas botas y culatas de rifles entraban por las ventanas y las puertas. Las personas se juntaban de repente y se separaban con la misma rapidez, en estado de pánico animal. La casa pareció levantarse como un barco atrapado por el amplio brazo de una ola y volteado de lado. Los cubiertos volaban por el aire, los dientes de los tenedores chocaban contra los filos de los cuchillos, y los floreros se rompían contra los muros. Las personas se resbalaban, caían, corrían, pero sólo por un instante, sólo hasta que sus ojos se adaptaron de nuevo a la luz y vieron la total inutilidad de su lucha.

Era fácil ver quién estaba al mando: los mayores, los que gritaban órdenes. No se presentaron en ese momento y por eso durante algún tiempo no fueron conocidos por sus nombres, sino por sus rasgos más distintivos. Benjamín: herpes violento. Alfredo: bigote y la falta de dos dedos de la mano izquierda.

Héctor: lentes con aros de oro que habían perdido una patilla. Con los generales venían quince soldados cuyas edades oscilaban entre los catorce y los veinte años. Ahora había en la fiesta dieciocho personas más. Ninguno de los presentes pudo contarlos en ese momento. Se movían, se desplegaban. Se duplicaban y triplicaban mientras andaban por el salón, aparecían de atrás de las cortinas, bajaban por las escaleras, desaparecían en la cocina. Era imposible contarlos porque parecían estar en todas partes, porque todos eran tan parecidos que hubiera sido como tratar de contar las abejas de un enjambre que vuela alrededor de la cabeza. Usaban ropas desteñidas en colores oscuros, muchos del verde apagado de los estanques superficiales y sucios, otros iban de negro o de mezclilla. Sobre las ropas llevaban una segunda capa de armas, cartucheras llenas de balas, vistosos cuchillos en el bolsillo de atrás, armas de fuego de todas clases, revólveres pequeños enfundados junto al muslo o encajados de manera ostentosa en el cinturón, armas más grandes acunadas como bebés o blandidas como garrotes. Usaban gorras con la visera bajada, pero nadie estaba interesado en sus ojos, sólo en sus armas, sólo en sus cuchillos como dientes de tiburón. Un hombre con tres armas se registraba subconscientemente como si fuera tres hombres. Entre ellos había otras semejanzas: estaban flacos, ya sea por falta de alimento o por el trabajo de crecer; sus hombros y rodillas se veían puntiagudos bajo la ropa. Además, estaban bastante sucios. Aun en la confusión del momento todos pudieron ver que estaban cubiertos de manchas y suciedad, brazos y caras moteados de tierra como si hubieran llegado a la fiesta cavando por entre jardines y levantando un trozo del piso.

Esa entrada no debió de haber llevado más de un minuto, y sin embargo pareció durar más que los cuatro platos de la cena. Hubo tiempo para que cada uno de los invitados considerara una estrategia, la revisara exhaustivamente y la abandonara. Hubo hombres que encontraron a sus esposas que, en el desorden, habían aparecido del otro lado del salón, otros buscaban a sus compatriotas para organizarse en bloques, hablando con rapidez entre ellos. El consenso del grupo era que habían sido secuestrados no por La Familia de Martín Suárez (un niño de diez años muerto por el ejército mientras distribuía volantes para una reunión política), sino por los mucho más famosos terroristas de La Dirección Auténtica, un grupo de revolucionarios asesinos que habían construido su reputación a lo largo de cinco años de brutalidad de amplio espectro. Todos los que conocían a esa organización y el país anfitrión estaban convencidos de que habían llegado al fin de sus vidas, aunque en realidad eran los terroristas los que no sobrevivirían a la prueba. Después el terrorista al que le faltaban dos dedos y que llevaba pantalones verdes arrugados y una chaqueta diferente alzó su gran calibre .45 y disparó dos ráfagas hacia el techo. Una lluvia de yeso salpicó e hizo desplazarse a un grupo de invitados, entonces varias mujeres gritaron, tal vez por los disparos o porque algo inesperado les tocó los hombros desnudos.

"Atención", dijo en español el hombre del revólver. "Esto es un arresto. Exigimos su atención y cooperación absolutas."

Alrededor de dos tercios de los invitados se veían asustados, pero el otro tercio lograba aparecer a la vez asustado y perplejo. Eran los que se inclinaban hacia el hombre del arma en lugar de apartarse de él. Eran los que no hablaban español. Susurraban rápidamente con sus vecinos. La palabra *atención* fue repetida en varios idiomas: era bastante clara.

El general Alfredo había anticipado que su anuncio provocaría una especie de silencio punzante, pero no hubo silencio. Los murmullos lo impulsaron a disparar de nuevo, ahora al descuido, dándole a una lámpara que estalló. La sala quedó en penumbra y los trocitos de vidrio cayeron sobre cuellos de camisas y cabelleras. "¡Arresto!" repitió: "¡Deténganse!".

Podía parecer sorprendente que hubiera tanta gente que no hablaba la lengua del país, pero después uno recordaba que era una reunión destinada a promover intereses extranjeros y que los dos invitados de honor no sabían diez palabras de español entre ambos, aunque Roxane Coss captó el sentido de "arresto", que para el señor Hosokawa no significaba nada. Se inclinaron hacia delante como para facilitar la comprensión. La señorita Coss no se inclinaba mucho porque su pianista acompañante se había enroscado alrededor de ella como un muro de protección, con el cuerpo listo, ansioso, para colocarse ante cualquier bala que pudiera desviarse hacia ella.

Gen Watanabe, el joven que trabajaba como intérprete del señor Hosokawa, se inclinó hacia su patrón y le repitió las palabras en japonés.

De todos modos no le hubiera servido de mucho en tales circunstancias, pero el señor Hosokawa había tratado de aprender italiano con una serie de cintas que escuchaba en los aviones. Para fines empresariales debía haber estudiado inglés, pero estaba más interesado en ampliar su comprensión de la ópera. *"Il bigliettaio mi fece il biglietto"*, decía la cinta. *"Il bigliettaio mi fece il biglietto"*, repetía él silenciosamente, para no molestar a los demás pasajeros. Pero sus esfuerzos, en el mejor de los casos, eran mínimos y al final no hizo ningún progreso. El sonido de la lengua hablada le hacía sentir nostalgia de la lengua cantada y pronto estaba, en cambio, escuchando *Madama Butterfly*.

Cuando era más joven el señor Hosokawa veía la gran ventaja que representan los idiomas. Ya más viejo deseaba haberse comprometido a estudiarlos. ¡Los traductores! Siempre estaban cambiando todo, algunos buenos, algunos rígidos como escolares, algunos irremediablemente estúpidos. Algunos apenas podían hablar su nativo japonés y, una y otra vez, interrumpían las conversaciones para buscar palabras en el diccionario. Había algunos que hacían su trabajo bastante bien pero no eran la clase de persona con quien uno desearía viajar. Algunos lo abandonaban en el instante en que se pronunciaba la última palabra de la reunión, dejándolo mudo si hacían falta ulteriores negociaciones. Otros eran dependientes, querían estar con él en todas las comidas, acompañarlo en sus paseos y contarle cada detalle de sus propias y aburridas infancias. Lo que tuvo que soportar por un poco de francés, por unas cuantas frases claras en inglés... Lo que tuvo que soportar antes de Gen...

Gen Watanabe le había sido asignado en Grecia, en una conferencia sobre la distribución mundial de bienes. Por norma el señor Hosokawa trataba de evitar el elemento sorpresa que con tanta frecuencia aportaban los traductores locales, pero su secretaria no había podido encontrar un traductor del griego que pudiera viajar de inmediato. Durante todo el vuelo hacia Atenas el señor Hosokawa no habló con los dos vicepresidentes y tres gerentes de ventas que lo acompañaban: en cambio en su equipo Nansei escuchó a Maria Callas interpretando una selección de canciones griegas, mientras pensaba filosóficamente que si la reunión le resultaba incomprensible, por lo menos habría visto el país que ella consideraba su patria. Después de esperar en la fila para que le sellaran el pasaporte y le revisaran el equipaje, el señor Hosokawa vio a un hombre joven con un letrero en el que estaba escrito con pulcritud *Hosokawa*. El joven era japonés, lo cual, en realidad era un alivio. Era más fácil lidiar con un compatriota que sabía un poco de griego que con un griego que supiera un poco de japonés. Este traductor era alto para ser japonés. Tenía el cabello abundante y largo adelante, y siempre caía sobre la parte superior de sus pequeños lentes redondos, aunque trataba de mantenerlo partido a un lado. Parecía ser muy joven. Era el cabello. El cabello indicaba al señor Hosokawa falta de seriedad, o quizá lo que lo hacía parecer menos serio fuera sólo el hecho de que el joven estaba en Atenas y no en Tokio. El señor Hosokawa se acercó a él e hizo una mínima inclinación de reconocimiento, que incluía apenas el cuello y la parte superior de los hombros, un gesto que decía: aquí estoy.

El joven tendió la mano y tomó el portafolios del señor Hosokawa, inclinándose desde la cintura al hacerlo. También se inclinó con seriedad, aunque algo menos profundamente, ante los dos vicepresidentes y los tres gerentes de ventas. Se presentó como el traductor, les preguntó si el viaje había sido cómodo, y les informó el tiempo que tardarían en llegar al hotel y la hora de comienzo de la primera reunión. En el atestado aeropuerto de Atenas, donde uno de cada dos hombres parecía tener un gran bigote y una Uzi, entre el estruendo de gritos y anuncios, el señor Hosokawa oyó algo familiar y tranquilizante en la voz de ese joven. No era una voz musical y, sin embargo, lo tocaba como la música. Hablaron otro poco.

"¿De dónde es usted?", preguntó el señor Hosokawa.

"De la ciudad de Nagano, señor."

"Muy hermosa, y las olimpiadas..."

Gen asintió con la cabeza, sin aportar información sobre las olimpiadas.

El señor Hosokawa se esforzó por pensar en algo más. El vuelo había sido largo y aparentemente durante ese tiempo se le había olvidado cómo conversar. Sintió que el esfuerzo de la conversación debía corresponder a Gen. "¿Y su familia todavía vive allí?"

Gen Watanabe hizo una pausa como si estuviera pensando. Un enjambre de adolescentes australianos pasó entre ellos, cada uno con una mochila a la espalda. Sus gritos y risas llenaron el ambiente. "¡Wombat!", gritó una chica, y los demás respondieron "¡Wombat! ¡Wombat! ¡Wombat!" Riendo, tropezaban y se agarraban unos de otros. "Están todos allá", dijo Gen, mirando con cautelosa desconfianza las espaldas de los adolescentes. "Mi padre, mi madre y dos hermanas."

"¿Y sus hermanas están casadas?" Al señor Hosokawa no le importaba nada de las hermanas, pero la voz era algo que casi podía ubicar, como las notas iniciales del primer acto de...

Gen lo miró directamente: "Casadas, señor."

De pronto esa pregunta insignificante adquirió el filo de algo inapropiado. El señor Hosokawa desvió la vista mientras Gen tomaba su equipaje y guiaba al grupo a través de las puertas de vidrio hacia el calor aplastante de Grecia al mediodía. La limusina esperaba, fresca, y los hombres se metieron en ella.

Durante los dos días siguientes, todo lo que Gen tocaba se convertía en una superficie lisa. Escribía a máquina las notas garabateadas por el señor Hosokawa, se ocupaba de los horarios, y consiguió boletos para una representación de *Orfeo y Eurídice,* pese a que se habían agotado dos meses antes. En la conferencia habló en griego por el señor Hosokawa y sus asociados, habló en japonés con ellos, y en todo se mostró inteligente, rápido y profesional. Pero lo que atraía al señor Hosokawa no era su presencia, sino su falta de presencia. Gen era una extensión, un ser invisible que siempre anticipaba sus necesidades. Sentía que Gen recordaría cualquier cosa que él hubiera olvidado. Una tarde, durante una reunión privada sobre intereses navieros, mientras Gen traducía al griego algo que él acababa de decir, el señor Hosokawa, finalmente, reconoció la voz. Tan familiar como había pensado: era su propia voz.

"Yo no hago muchos negocios en Grecia", le dijo a Gen esa noche, mientras tomaban unas copas en el bar del Atenas Hilton. El bar estaba en la azotea del hotel con vista hacia la Acrópolis, y más aún daba la impresión de que la Acrópolis, pequeña y blanca a la distancia, había sido construida justo para eso, para proporcionar un agradable entretenimiento visual a los clientes del bar. "Estaba pensando en las otras lenguas que usted conoce." El señor Hosokawa lo había oído hablar inglés por teléfono.

Gen le hizo una lista, deteniéndose de vez en cuando para ver si se le había olvidado alguna. Dividió las lenguas en categorías: aquellas en que tenía total dominio, las que dominaba bien, las que manejaba pasablemente y las que sólo podía leer. El número de lenguas que conocía era mayor que el de los cocteles mencionados en la lista de especialidades colocada sobre la mesa en un marco de plexiglás. Ambos ordenaron una bebida llamada areópago, y brindaron.

Gen tenía dominio total del español.

A medio mundo de distancia, en un país doblemente extranjero, el señor Hosokawa recordaba el aeropuerto de Atenas, todos los hombres de grandes bigotes y Uzis que le evocaba ahora el hombre armado. Ése fue el día que conoció a Gen, hacía cuatro o cinco años. Después de eso Gen regresó a Tokio a trabajar para él de tiempo completo. Cuando no había nada que traducir, Gen parecía ocuparse sólo de las cosas antes de que alguien se diera cuenta de que necesitaban atención. Gen había llegado a ser tan esencial para su pensamiento que muchas veces el señor Hosokawa olvidaba que él mismo no sabía las lenguas, que la voz que los otros escuchaban no era la suya. Él no había entendido lo que dijo el hombre del arma, y sin embargo le había quedado perfectamente claro. En el peor de los casos, estaban muertos. En el mejor, estaban en el comienzo de una larga prueba. El señor Hosokawa había ido a un lugar al que nunca debió haber ido, había permitido a los extraños creer algo que no era cierto, todo por escuchar cantar a una mujer. Miró a Roxane Coss al otro lado del salón. Apenas podía verla, porque su pianista la había metido bien a resguardo entre él y el piano.

"Presidente Masuda", dijo el hombre de bigotes y revólver.

Hubo un movimiento incómodo entre los elegantes invitados, porque ninguno quería ser el que diera la noticia.

"Presidente Masuda, adelántese."

La gente siguió con los ojos vacíos, esperando, hasta que el hombre del revólver bajó el arma de modo que ahora apuntaba a la multitud, aunque en particular parecía apuntar a una mujer rubia de más de cincuenta años llamada Elise, una banquera suiza. Ella parpadeó unas cuantas veces y después cruzó las manos bien abiertas sobre el corazón, como si fuera ése el lugar con más probabilidades de recibir una bala. Ofrendaría sus manos si con ellas pudiera obtener un milisegundo de protección para su corazón. Eso provocó algunos sonidos ahogados del público, pero poco más. Hubo una embarazosa espera que eliminaba cualquier noción de heroísmo o incluso caballerosidad, y finalmente el vicepresidente del país anfitrión dio un pequeño paso adelante y se presentó.

"Soy el vicepresidente Rubén Iglesias", dijo al hombre del arma. El vicepresidente parecía muy cansado. Era un hombre muy pequeño, tanto de estatura como de volumen, y había sido escogido como compañero de campaña tanto por su tamaño como por su posición política. El pensamiento predominante en el gobierno era que un vicepresidente más grande haría aparecer al presidente débil, remplazable. "El presidente Masuda no pudo asistir a la fiesta. No está aquí." La voz del vicepresidente era grave. Le tocaba una carga excesiva.

"Mentira", afirmó el hombre del revólver.

Rubén Iglesias sacudió la cabeza tristemente. Nadie deseaba más que él que el presidente Masuda estuviera allí en ese momento, en lugar de estar acostado en su propia cama repasando tranquilamente en la cabeza el argumento de la telenovela de esa noche. El general Alfredo giró con rapidez el arma en su mano de modo que ahora la sostenía por el cañón. La levantó de nuevo en el aire y golpeó al vicepresidente en el pómulo chato, junto al ojo derecho. Hubo un sonido sordo, un sonido mucho menos violento que el acto, cuando la empuñadura del arma golpeó la piel sobre el hueso y el hombrecillo cayó al suelo. Sin pérdida de tiempo su sangre empezó a manar, brotando de un corte de tres centímetros cerca del nacimiento del cabello. Parte de ella se abrió camino hasta la oreja y emprendió el viaje de regreso hacia el interior de la cabeza. Sin embargo, todos, incluso el vicepresidente (que ahora yacía semiconsciente sobre la alfombra de la sala de su propia casa donde menos de diez horas antes se revolcaba simulando luchar con su hijo de tres años), se alegraron y se sorprendieron de que no estuviera muerto de un tiro.

El hombre del arma miró al vicepresidente en el suelo y entonces, como si le gustara verlo allí, ordenó a todos los demás echarse al suelo. Para los que no hablaban español eso quedó claro cuando, uno por uno, los invitados empezaron a arrodillarse y después a acostarse en el suelo.

"Boca arriba", agregó.

Los pocos que lo habían hecho al revés ahora se volvieron. Dos de los alemanes y un hombre de Argentina no quisieron acostarse hasta que los soldados fueron y los golpearon fuerte con los rifles por detrás de las rodillas. Los invitados ocupaban mucho más espacio acostados que de pie, y por eso algunos se instalaron en el vestíbulo y otros en el comedor. Ciento noventa y un invitados se acostaron, veinte camareros se acostaron, siete ayudantes y chefs de cocina se acostaron. Trajeron a los tres hijos del vicepresidente con su institutriz de su dormitorio del piso de arriba —donde todavía no dormían, pese a lo avanzado de la noche, porque desde lo alto de las escaleras habían estado viendo cantar a Roxane Coss— y también ellos se acostaron. Desperdigados por el piso como alfombritas quedaron unos cuantos hombres y mujeres importantes y unos pocos muy importantes, embajadores y diplomáticos varios, miembros del gabinete, presidentes de bancos y empresas, un obispo y una estrella de la ópera que, acostada en el suelo, parecía mucho más pequeña. Y el pianista se empezó a mover centímetro a centímetro para quedar encima de ella, tratando de enterrarla bajo sus amplias espaldas. Ella se agitó un poco. Las mujeres que pensaban que eso iba a terminar temprano y para las dos de la mañana estarían en sus camas, tuvieron cuidado de acomodar sus faldas debajo de ellas para que se arrugaran lo menos posible. Las que creían que su fusilamiento era inminente dejaron que las sedas se arrugaran con libertad. Una vez que todos estuvieron extendidos en el suelo, la habitación quedó en un absoluto silencio.

Ahora las personas estaban claramente divididas en dos grupos: los acostados y los parados. Se dieron instrucciones: los que estaban acostados debían permanecer inmóviles y callados, los que estaban de pie debían revisar a los acostados en busca de armas y también del presidente si estaba escondido.

Se podría pensar que estar acostado en el suelo lo haría a uno sentirse más vulnerable, más atemorizado. Cualquiera podría pisarlo, o patearlo. Cualquiera podría dispararle sin darle siquiera la oportunidad de correr. Y, sin embargo, todos los que se acostaron en el suelo, sin excepción, se sintieron mejor. Ya no tenían que pensar en cómo dominar a los terroristas ni considerar una carrera desesperada hacia la puerta. Había mucho menos posibilidades de que los acusaran de hacer algo que no habían hecho. Eran como perritos tratando de evitar una pelea, volviendo en forma deliberada cuellos y barrigas hacia los dientes afilados: *tómame*. Hasta los rusos, que minutos antes estaban susurrándose un plan para un arranque sorpresivo, experimentaron el alivio de la resignación. No pocos de los invitados cerraron los ojos. Era tarde. Había habido vino y pescado y una costillita deliciosa, y además de aterrorizados, estaban muy cansados. Las botas que andaban alrededor y por encima de ellos eran viejas y estaban cubiertas de lodo que se desprendía poco a poco sobre los complicados dibujos de la alfombra Savonnière (que felizmente tenía debajo un excelente acolchado). Las botas tenían hoyos por los que podían verse las puntas de los dedos, porque ahora los dedos de los pies estaban muy cerca de los ojos. Algunas botas estaban rotas y sostenidas por cinta aislante plateada ya muy sucia y despegada en los bordes. Los jóvenes se acuclillaron junto a los invitados. No sonreían pero tampoco había nada amenazador en sus rostros. Era fácil imaginar lo que habría ocurrido si todos hubieran estado de pie: el hombre de menor estatura pero con varios cuchillos tendría que establecer su autoridad sobre un hombre mayor y más alto, vestido con un traje elegantísimo. Pero ahora las manos de los muchachos se movían con presteza entrando y saliendo de bolsas y bolsillos, alisando piernas de pantalón con los dedos extendidos. Para las mujeres era apenas un contacto muy ligero sobre las faldas. A veces un muchacho se inclinaba, vacilaba y después se apartaba. No encontraron casi nada de interés, puesto que era una cena.

El muy callado general Héctor registró en una libreta los siguientes artículos: seis cortaplumas de plata en bolsillos de pantalones y cuatro cortadores de puros en cadenas de reloj, una pistola con cachas de nácar apenas mayor que un peine en un bolso de noche. Al principio pensaron que era un encendedor y al tratar de accionarlo dispararon accidentalmente una ráfaga que dejó una fina huella en la mesa del comedor. Un abridor de cartas con mango *cloisonné* que había en el escritorio y cuchillos y tenedores grandes de todas clases de la cocina, la pala y demás herramientas de la chimenea y un romo Smith & Wesson .38 que estaba en la mesa de noche del vicepresidente, arma que éste tranquilamente admitió poseer cuando se le preguntó. Todo eso fue guardado bajo llave en un armario de ropa blanca del primer piso. No tomaron relojes, ni billeteras, ni joyas. Un muchacho tomó una pastilla de menta de la bolsa de satén de una señora, pero primero se la mostró de modo discreto pidiendo su aprobación. Ella asintió con un gesto mínimo de la cabeza y él sonrió abriendo el papel celofán.

Un muchacho estudió con atención a Gen y al señor Hosokawa, examinando sus caras una y otra vez. Miraba al señor Hosokawa y después se levantó, pisando la mano de uno de los camareros, quien hizo una mueca y la apartó. "General", dijo el muchacho, en voz demasiado alta para una habitación tan silenciosa. Gen se acercó más a su patrón, como para expresar con la posición de su cuerpo que ellos iban juntos, como si se tratara de un paquete.

El general Benjamín llegó pasando sobre los cuerpos cálidos de los invitados. A primera vista daba la impresión de que por mala suerte había nacido con una enorme mancha color vino, pero a la segunda mirada quedaba claro que lo que tenía en la cara era algo vivo y ardiente. El río rojo brillante del herpes empezaba en algún lugar profundo bajo su cabello negro y se extendía sobre toda la sien izquierda deteniéndose apenas al borde del ojo. Era imposible verlo sin sentirse mal por compasión. El general Benjamín siguió el dedo indicador del muchacho y también él estuvo mirando al señor Hosokawa por un buen rato. "No", le dijo al muchacho. Empezó a darse vuelta para alejarse pero se detuvo y, en tono de conversación, le dijo al señor Hosokawa: "Él creyó que usted era el presidente."

Gen repitió en voz baja las palabras en japonés y el señor Hosokawa inclinó levemente la cabeza. Había ahí otra media docena de japoneses con lentes que tenían entre cincuenta y sesenta años.

El general Benjamín bajó su rifle hacia el pecho de Gen y apoyó allí el cañón, como si fuera un bastón. El agujero circular era apenas más grande que cualquiera de los botones de la camisa del traductor y creaba un punto de presión pequeño y marcado. "No hable", le dijo a Gen.

Gen formó con los labios, en silencio, la palabra *traductor*. El general pensó la cuestión por un momento, como si acabaran de decirle que el hombre con quien acababa de hablar era sordo o ciego. Después alzó su rifle y se alejó. Seguramente, pensó Gen, debe de haber alguna medicina que pueda ayudarlo. Al inhalar sintió un pequeño dolor penetrante donde se había apoyado la punta del rifle.

No muy lejos, cerca del piano, dos muchachos usaron sus armas para empujar al pianista hasta que quedó más al lado que encima de Roxane Coss. Ella llevaba el cabello enrollado sobre la nuca en un peinado complicado y, por lo tanto, casi no podía acostarse boca arriba. Con disimulo había ido quitándose los pasadores del cabello, apilándolos sobre su estómago por si alguien quería llevárselos como armas. Ahora su cabello largo y rizado se esparcía alrededor de su cabeza y todos los jóvenes terroristas se acercaron a verlo; algunos tuvieron la osadía de tocarlo, no la profunda satisfacción de una caricia, sino apenas el leve contacto de un dedo con los rizos del final. Inclinándose así sobre ella podían oler su perfume, que era diferente del de las demás mujeres que habían revisado. De alguna manera la cantante de ópera había logrado duplicar el aroma de las diminutas flores blancas que habían visto al atravesar el jardín hacia los ductos del aire acondicionado. Incluso esa noche, con la posibilidad de su propia muerte y la de la liberación ominosamente presentes en su mente, habían notado el aroma de esa diminuta flor en forma de campanilla que crecía junto al muro, y encontrarlo de nuevo en el cabello de esa hermosa mujer parecía una señal de buena suerte. La habían oído cantar mientras esperaban agachados dentro de los ductos del aire acondicionado. Cada uno de ellos tenía una tarea, instrucciones detalladas. Debían cortar la luz después de la sexta canción, porque nadie les había explicado nunca la idea de un *encore*. Nadie les había explicado nunca la ópera, ni el canto más allá de lo que se tararea al descuido en voz baja mientras uno acarrea madera a la casa o trae agua del pozo. Nadie les había explicado nada nunca. Hasta los generales, que ya antes habían estado en la capital y eran educados, contuvieron el aliento para oirla mejor. Los jóvenes terroristas que esperaban en los ductos de ventilación eran seres humanos sencillos y sus creencias también eran simples. En sus pueblos, cuando una muchacha tenía bonita voz las viejas decían que se había tragado un pájaro, y eso era lo que trataban de decirse a sí mismos mientras contemplaban la pila de prendedores sobre el *chiffon* color pistache del vestido: *se tragó un pájaro*. Pero sabían que no era verdad. Con toda su ignorancia y su desconocimiento del mundo, sabían que nunca había habido un pájaro semejante.

De entre el río constante de muchachos que se aproximaban, uno se agachó al lado de ella y le tomó la mano. La sostuvo con delicadeza, poco más que apoyando la palma de ella sobre la suya, de modo que ella podría haberla retirado en cualquier momento, pero no lo hizo. Roxane Coss sabía que cuanto más tiempo sostuviera su mano más la amaría, y si la amaba era más probable que tratara de protegerla de los otros, de él mismo. Ese muchacho en particular parecía imposiblemente joven, con huesos muy delicados bajo la visera de su gorra. Llevaba una cartuchera llena de balas cruzada sobre su pecho pequeño y su cuerpo se curvaba bajo el peso. Por el borde de una de sus botas asomaba el tosco mango de madera de un rudimentario cuchillo de cocina y tenía una pistola que medio se le caía del bolsillo. Roxane Coss pensó en Chicago y las heladas noches de fines de octubre. Si ese muchacho viviera en otro país, una vida por completo diferente, todavía podría salir a pedir dulces la próxima semana. Podría haberse disfrazado de terrorista con unas botas viejas del jardinero y una cartuchera con balas hecha con cartón y lápices labiales de su madre. El muchacho no la miraba a la cara, sólo la mano. En cualquier otra circunstancia ella la habría retirado, pero debido al curso extraordinario de los acontecimientos de la velada la dejó inmóvil y permitió que fuera estudiada.

El pianista levantó la cabeza y lanzó una mirada furiosa al muchacho, quien entonces volvió a colocar la mano de Roxane Coss sobre su vestido y se alejó.

Dos hechos: ninguno de los invitados estaba armado, ninguno de los invitados era el presidente Masuda. Se despacharon grupos de muchachos con armas listas a diferentes rincones de la casa, al sótano, a la buhardilla, afuera contra el alto muro del jardín, a ver si no había aprovechado la confusión para esconderse. Pero una y otra vez la respuesta fue que no estaba allí. Por las ventanas abiertas entraba el ruido ronco de los insectos. En la sala de la residencia del vicepresidente todo estaba inmóvil. El general Benjamín se agachó junto a éste, que sangraba profusamente en la servilleta que su esposa, acostada junto a él, sostenía apoyada en su cabeza. Ahora tenía un anillo morado de aspecto siniestro alrededor del ojo, aunque no se veía tan doloroso como su mejilla. "¿Dónde está el presidente Masuda?", preguntó el general, como si acabara de darse cuenta de que no estaba presente.

"En su casa", contestó el vicepresidente. Tomó la servilleta ensangrentada de manos de su esposa y, con un gesto, le indicó que se apartara.

"¿Por qué no vino esta noche?"

Lo que el general quería saber era si en su organización había un espía, alguien que había informado al presidente del ataque planeado. Pero el vicepresidente estaba aturdido por el golpe y además se sentía amargado, y la amargura es prima hermana de la verdad. "No quiso perderse la telenovela", dijo Rubén Iglesias, y su voz llegó a todos los oídos en la sala silenciosa y obediente. "Quería ver si María lograba liberarse esta noche."

"¿Por qué nos dijeron que estaría aquí?"

El vicepresidente respondió sin vacilación ni remordimiento. "Había aceptado venir y después cambió de opinión." Varios cuerpos se movieron incómodos en el suelo. Los que no sabían quedaron indignados al oirlo y los que sabían también. La carrera política de Rubén Iglesias, por supuesto, había terminado en ese mismo momento. Nunca había habido mucho amor entre él y Masuda, y ahora esto lo arruinaría. El vicepresidente trabajaba mucho porque pensaba que algún día le tocaría el cargo, como una propiedad heredada de padre a hijo. Mientras tanto se mordía los labios y hacía el trabajo sucio, los funerales de ceremonia, las visitas a los sitios de un terremoto. Y daba su aprobación durante los interminables discursos del presidente. Pero esa noche ya no pensaba que algún día sería presidente. Esa noche creía que lo iban a fusilar junto con algunos de sus invitados, o posiblemente con todos, quizá con sus hijos, y si así era, él quería que el mundo supiera que Eduardo Masuda, un hombre que medía apenas un centímetro más que él, estaba en su casa viendo televisión.

Los curas católicos, nietos de aquellos asesinos misioneros españoles, adoraban decirle al pueblo que la verdad los haría libres, y en ese caso estaban perfectamente en lo correcto. El general Benjamín amartilló su revólver y estaba listo para dar un ejemplo despachando al vicepresidente al otro mundo, pero la historia de la telenovela lo detuvo. Le indignaba saber que cinco meses de planeación para esta única noche con el fin de secuestrar al presidente y tal vez acabar con todo el gobierno habían sido inútiles, y ahora tenía en sus manos a doscientos veintidós rehenes acostados en el suelo, pero creyó la historia del vicepresidente sin vacilar. Nadie podría inventar eso. Si Iglesias le hubiera dicho que el presidente estaba resfriado, lo habría matado. Si le hubiera dicho que el presidente había sido llamado a otra parte por asuntos urgentes de seguridad nacional, lo habría matado. Si le hubiera dicho que todo había sido una treta y que el presidente nunca había pensado asistir a la fiesta, *bang*. Pero hasta en la selva donde los televisores eran raros, la electricidad incierta y la recepción desastrosa, María era tema de conversación. Hasta Benjamín, que no pensaba en otra cosa más que la liberación de los oprimidos, sabía quién era esa María. La telenovela se transmitía de lunes a viernes por la tarde, y los martes por la noche había un episodio especial que más o menos resumía lo que había pasado en la semana para los que tenían que trabajar durante el día. Si María había de liberarse no sería raro que ocurriera un martes por la noche.

Había un plan, y el plan era apoderarse del presidente y marcharse en menos de siete minutos. A estas horas debían de haber estado fuera de la ciudad, acelerando por los peligrosos caminos que llevaban de vuelta a la selva.

Por las ventanas entró el resplandor de grandes faros rojos giratorios, acompañados por el chillido agudo de una sirena. Era un sonido molesto y acusatorio. No se parecía en nada a una canción.

Dos

El mundo exterior siguió mugiendo toda la noche. Los carros patinaban y partían aceleradamente. Se acercaban sirenas, se alejaban, se encendían y volvían a apagarse. Se colocaron barreras de madera y, detrás de ellas, fueron acomodados los curiosos. Era sorprendente cuánto más podían oir ahora que estaban acostados. Tenían tiempo de concentrarse: sí, allá eran pies que se deslizaban, ése era el ruido de una cachiporra policial golpeando contra una palma abierta. Ya se habían aprendido de memoria el cielorraso (azul celeste, con una moldura tan elaborada que resultaba de mal gusto, con cartuchos y espirales y cada centímetro recubierto de hoja de oro, salvo los tres hoyos de las balas) y, por lo tanto, los invitados cerraron los ojos para dedicarse a escuchar. Voces exageradas y distorsionadas por los amplificadores gritaban instrucciones hacia la calle y exigencias hacia la casa. No aceptarían nada menos que la rendición inmediata e incondicional.

"Coloquen sus armas en el suelo afuera de la puerta", clamaba la voz, alta y distorsionada como si ascendiera desde el fondo del oceano. "Después abran la puerta y salgan antes de los rehenes, con las manos en la nuca. Luego, que los rehenes salgan por la puerta del frente. Por razones de seguridad, los rehenes deben mantener las manos sobre la cabeza."

Cuando una voz se agotaba le pasaba el amplificador a otra, que empezaba todo de nuevo con sutiles variaciones en las amenazas. Hubo una serie de chasquidos fuertes y de pronto una luz artificial blanquiazulada entró como leche por la ventana del salón e hizo pestañear a todos. ¿En qué momento habían descubierto sus problemas? ¿Quién había llamado a esa gente?, ¿cómo era posible que tantos de ellos se hubieran juntado así de rápido? ¿Acaso estaban todos juntos en el sótano de alguna delegación de policía, esperando precisamente una noche como ésta? ¿Acaso practicaban las cosas que dirían, gritando para nadie por sus altavoces, elevando el tono cada vez más? Hasta los invitados sabían que nadie iba a dejar su arma en el suelo ni salir por la puerta por el solo hecho de que así se lo dijeran. Hasta ellos comprendían que cada vez que se repetía la exigencia disminuían las posibilidades de obtener una respuesta favorable. Cada uno de los invitados soñaba con tener un arma secreta, y si la hubieran tenido es seguro que no la habrían arrojado al porche.

Después de un rato estaban tan cansados que se olvidaron de desear que eso no hubiera ocurrido nunca, o de desear no haber ido a la fiesta. Todo lo que deseaban era que los hombres de afuera se marcharan, apagaran sus altavoces y les permitieran dormir allí en el suelo. De vez en cuando había momentos en los que nadie hablaba, y en esa quietud falsa y transitoria se hacía presente un ruido de otro tipo, ranas de árbol, grillos y el chasquido metálico de armas cargadas y amartilladas.

Más tarde el señor Hosokawa afirmó que no había cerrado los ojos en toda la noche, pero Gen lo oyó roncar después de las cuatro. Era un ronquido suave y parecido a un silbido, como el viento que entraba por debajo de una puerta, y Gen se sintió consolado por ese sonido. En el salón hubo otros ronquidos cuando alguien se dormía por diez o veinte minutos, pero aún dormidos seguían siendo obedientes y se mantenían boca arriba. El pianista logró salir de su chaqueta con movimientos tan lentos que no parecía moverse, y la enrolló formando una almohada para que Roxane Coss apoyara la cabeza. Y toda la noche las botas enfangadas estuvieron pasando por encima de ellos, entre ellos.

La noche anterior, cuando los invitados se acostaron, había sido un momento dramático, y el dramatismo sirvió para distraerlos de lo que podía ocurrir, pero por la mañana el miedo revestía el interior de todas las bocas. Habían estado despiertos pensando en las alternativas, que no se veían buenas. Durante la noche había asomado la dura maleza de las barbas y el maquillaje de los ojos se había corrido con las lágrimas. Los vestidos y trajes de etiqueta estaban arrugados, los zapatos apretaban los pies. Las espaldas y caderas dolían por la dureza del suelo y los cuellos casi no podían volverse a los lados. Sin excepción, todos los ocupantes del suelo necesitaban ir al baño.

Además de sufrir lo que sufrían los demás, el señor Hosokawa soportaba la terrible carga de la responsabilidad. Todas esas personas habían venido por su cumpleaños. Al aceptar una fiesta por lo que sabía que era un pretexto falso, él había contribuido a poner en peligro todas las vidas presentes en el salón. Habían venido varios empleados de Nansei, incluyendo a Akira Yamamoto, director de desarrollo de proyectos, y Tetsuya Kato, vicepresidente principal. También habían venido los vicepresidentes del Banco Sumitomo y del Banco de Japón, Satoshi Ogawa y Yoshiki Aoi, respectivamente, a pesar de los pedidos personales y reiterados del señor Hosokawa de que no vinieran. El país anfitrión también los había llamado, explicando que se trataba de una fiesta de cumpleaños para el más preciado de sus clientes y, por supuesto, ellos no querrían perdérsela. Quien había hecho la llamada era el embajador del Japón. Ahora estaba acostado sobre el felpudo de la entrada.

Pero el rehén que más preocupaba al señor Hosokawa (y aunque sentía eso, también sabía que era un error atribuir más valor a una vida que a otra) era Roxane Coss. La habían traído a esta selva horrenda para que cantara para él. Qué vanidad la suya al pensar que era un regalo apropiado. Era suficiente con escuchar sus grabaciones. Había sido más que suficiente verla en el Covent Garden, en el Metropolitan. ¿Qué le hizo pensar que sería mejor si podía estar suficientemente cerca para oler su perfume? No era mejor. Si era por completo honesto, la acústica del salón no favorecía su voz. Y le había provocado cierta incomodidad observar el sublime atletismo de su boca, ver con claridad su húmeda lengua rosada cuando abría la boca más y más. Los dientes inferiores no estaban bien alineados. Había sido un honor, pero nada que valiera el daño que le sobrevendría, como a todos ellos. Trató de levantar la cabeza apenas un par de centímetros para verla. Estaba casi al lado de él, puesto que él había estado de pie al frente del salón mientras ella cantaba. Ahora tenía los ojos cerrados, pero él imaginó que no dormía. Viéndola así, en forma objetiva, acostada en el piso de una sala, no era una mujer muy hermosa. Cada una de sus facciones parecía quizá demasiado grande para la cara: la nariz era demasiado larga, la boca demasiado ancha. Los ojos, sin duda, eran más grandes y más redondos que los de la mayoría, pero nadie podría quejarse de ellos. A él le recordaban las flores azules de *rindo* que crecían junto al lago Nagano. Al pensar en eso sonrió y quiso voltear para decírselo a Gen, pero en lugar de eso miró a Roxane Coss, cuyo rostro había estudiado incansablemente en programas de mano y *booklets* de discos compactos. Sus hombros caían oblicuos. El cuello, quizá, habría podido ser un poco más largo. ¿Cuello más largo? Se maldijo a sí mismo. ¿En qué estaba pensando? No tenía la menor importancia. Nadie podía verla con objetividad, además. Aun los que la veían por primera vez, antes de que abriera la boca para cantar, la encontraban radiante, como si su talento no pudiera estar contenido en su voz y, por consiguiente, brotara como luz a través de su piel. Y después todo lo que se podía ver era el peso y el brillo de su cabello y el rosa pálido de sus mejillas y sus bellas manos. El pianista divisó la cabeza medio levantada del señor Hosokawa y éste la volvió a apoyar rápidamente en el suelo. Los terroristas empezaron a tocar en el hombro a algunos de los invitados indicándoles que se levantaran y los siguieran. Para el señor Hosokawa fue fácil fingir que sólo había alzado la cabeza por eso.

Para las diez de la mañana se habían iniciado unos cuantos murmullos. No era difícil deslizar una palabra o dos con todo el ruido que entraba por las ventanas y el constante incorporarse y acostarse de los invitados que eran guiados hacia el vestíbulo. Eso fue lo que inició los murmullos. Al principio todos creían que los iban a sacar en grupos para fusilarlos, tal vez en el jardín detrás de la casa. Victor Fyodorov palpó el paquete de cigarrillos que tenía en el bolsillo de la chaqueta y se preguntó si lo dejarían fumar un minuto antes de dispararle. Podía sentir las gotas de sudor que se deslizaban entre sus cabellos. Casi valdría la pena que lo fusilaran si lo dejaban fumar un cigarrillo. La sala estaba dolorosamente inmóvil mientras esperaban los disparos, pero cuando ese primer grupo regresó, sonriendo y asintiendo con la cabeza, murmuraron hacia los más cercanos "baño, *toilet*, WC". La palabra corrió.

Todos fueron llevados afuera con escolta: para cada invitado, un terrorista joven y sucio de tierra con varias armas. Algunos de los jóvenes simplemente caminaban al lado de los invitados, mientras otros aferraban al escoltado por el brazo con diversos grados de agresividad. El muchacho que vino a buscar a Roxane Coss le tomó la mano en lugar del brazo y la sostuvo como un enamorado en busca de un área de playa desierta. No era guapo como el que había sostenido su mano antes.

Había muchos que pensaban que los matarían, que veían una y otra vez la película de cómo los sacaban por la puerta durante la noche y les disparaban en la nuca, pero Roxane Coss no pensaba nada de eso. Quizá el desenlace sería trágico para otros, pero nadie mataría a una soprano. Estaba dispuesta a ser dulce, a permitir que le tomaran la mano, pero cuando llegara el momento era ella quien se salvaría. Estaba segura de eso. Cuando el muchacho abrió la puerta del baño ella le sonrió, y casi esperaba que se metiera detrás de ella. No lo hizo y ella echó llave, se sentó en la taza y lloró, con grandes sollozos. Se envolvió el cabello alrededor de los dedos y se cubrió los ojos. ¡Maldito el agente, que dijo que por ese dinero valía la pena! Tenía el cuello rígido y sentía que estaba por resfriarse, pero quién no se va a resfriar durmiendo en el suelo. ¿Acaso ella no era Tosca? ¿No había saltado noche tras noche de la muralla del Castel Sant'Angelo? Tosca era peor que esto. Después de eso sólo cantaría en Italia, Inglaterra y Estados Unidos. Italia, Inglaterra y Estados Unidos. Repitió esos tres nombres una y otra vez hasta que logró controlar su respiración y dejar de llorar.

César, el muchacho con arma que esperaba en el corredor, no golpeó a la puerta para que se apresurara, como hacían con los otros invitados. Estaba afuera, apoyado contra la pared, y la imaginaba inclinándose hacia las doradas llaves de agua para enjuagarse la boca. La veía lavándose la cara y las manos con los pequeños jabones en forma de concha. Todavía podía oir en su cabeza las canciones que ella cantara, y para pasar el tiempo canturreaba suavemente las partes que recordaba: *Vissi d'arte, vissi d'amore, non feci mai male ad anima viva!* Es extraño cómo esos sonidos permanecían tan claros en su cabeza. No era rápida en el baño, pero ¿qué se le puede pedir a semejante mujer? Ella era una obra maestra. Nada relacionado con ella podía apresurarse. Cuando por fin salió tenía la mano húmeda y de una frescura conmovedora al contacto. Él quería decirle *Vissi d'arte*, pero no sabía lo que significaba. Cuando llegaron de regreso a su sitio junto al piano, el pianista había desaparecido, pero un momento después él también regresó. Se veía notablemente peor que los demás. La cara del pianista era blanca como la luna, y sus ojos estaban rodeados por círculos rojo sangre. A ambos lados lo sostenían con firmeza Gilberto y Francisco, dos de los muchachos más fornidos, y emplearon las dos manos para arrastrarlo hacia delante. Al principio parecía que el pianista había tratado de correr hacia una ventana o una puerta y habían tenido que dominarlo, pero cuando lo llevaron de vuelta a su lugar, las rodillas se le doblaban como si fueran dos hojas de papel a las que se pedía soportar todo el peso del cuerpo. Se deslizó hacia el suelo como un bulto desmayado; uno de los terroristas dio a Roxane un consejo o una información en español, pero ella no hablaba español.

Se incorporó un poco, insegura sobre si le estaba permitido sentarse o no, y estiró las piernas de él. Era un hombre grande, no gordo pero sí alto, y ella luchó con la disposición antinatural de sus miembros. Al principio pensó que él fingía; había oído hablar de rehenes que se hacían pasar por ciegos para facilitar su liberación, pero nadie podía fingir ese color de piel. Lo sacudió y su cabeza caía flojamente de un lado al otro. Uno de los meseros que estaba cerca de ella se inclinó y colocó a los lados del cuerpo los brazos de él, que antes estaban presos debajo.

"¿Qué te pasa?", murmuró ella. Pasó un par de botas enlodadas. Ella se tendió al lado del pianista y tomó la muñeca de él entre los dedos.

Por fin el pianista se movió, suspiró y se volvió hacia ella, parpadeando con rapidez como si tratara de despertarse de un sueño profundo y agradable. "No te va a pasar nada", le dijo a Roxane Coss, pero aun con sus labios azulados tocando la cabeza de ella, su voz sonaba lejana, agotada.

"Van a pedir rescate", le dijo el señor Hosokawa a Gen. Ahora los dos estaban mirando a Roxane Coss y su pianista, y en varias ocasiones pensaron que él había muerto, pero entonces él se movía o suspiraba. "La política de Nansei es pagar rescate, cualquier rescate. Pagarán por los dos." Podía hablar con su mínima voz, demasiado pequeña para ser considerada, incluso, un murmullo, y sin embargo Gen le entendía perfectamente. "Pagarán por ella también. Es lo apropiado. Ella está aquí por mí." Y el pianista, en especial si estaba enfermo, no debería ser obligado a quedarse. El señor Hosokawa suspiró. En realidad en algún sentido todos los que estaban en la sala estaban allí por él, y se preguntaba a cuánto podría ascender semejante rescate. "Siento que yo provoqué esto."

"Usted no tiene ningún arma", dijo Gen. El sonido del japonés, que hablaban con tanta suavidad que nadie los habría de oir a doce centímetros de distancia, los consolaba a ambos. "Al que querían agarrar anoche era al presidente."

"Ojalá lo hubieran agarrado", dijo el señor Hosokawa.

Al otro lado del salón, cerca del borde inferior de un sofá tapizado con brocado de oro, Simon y Edith Thibault se daban la mano. No se habían unido al resto de los franceses, sino que estaban solos. Se veían del todo como una pareja, casi hermanos, con su cabello oscuro y lacio y sus ojos azules. Estaban acostados en el suelo de la fiesta con tanta dignidad y calma que no parecían dos personas obligadas a acostarse en el suelo a punta de revólver, sino que sólo se habían cansado de estar de pie. Mientras que todos los demás estaban rígidos o temblaban, los Thibault se inclinaban ligeramente el uno hacia el otro, la cabeza de ella sobre el hombro de él, la mejilla de él apretada contra la parte superior de la cabeza de ella. Él no pensaba tanto en los terroristas como en el hecho extraordinario de que el cabello de su mujer olía a lilas.

En París, Simon Thibault amaba a su esposa, aunque no siempre le era del todo fiel o le dedicaba mucha atención. Llevaban casados veinticinco años. Habían tenido dos hijos, cada año pasaban un mes en la playa con amigos, trabajos diversos, varios perros de la familia, grandes navidades familiares que incluían a muchos parientes ancianos. Edith Thibault era una mujer elegante en una ciudad con tantos miles de mujeres elegantes que en el curso de los años él la olvidaba con frecuencia. Pasaban días enteros sin que ella cruzara por su mente. No se detenía a pensar qué estaría haciendo ni a preguntarse si ella era feliz, por lo menos no Edith por sí misma, Edith como su esposa.

Después, en una oleada de promesas gubernamentales hechas y violadas, fueron enviados a este país, al que entre ellos siempre llamaban *ce pays maudit*, "este país maldito". Los dos habían enfrentado el nombramiento con terror y un estoicismo práctico, pero a los pocos días de su llegada ocurrió algo muy notable: él la encontró de nuevo, como algo que nunca había sabido que le faltaba, como una canción que hubiera conocido en su juventud y olvidado después. De pronto, con toda claridad, podía verla como la había visto a los veinte años, no su ser físico a esa edad, porque en todos sentidos ahora ella era más bella para él, pero experimentaba aquella sensación antigua, el salto del corazón y el flujo temerario del deseo. La encontraba en la casa cortando papel nuevo para forrar los estantes o echada boca abajo atravesada en la cama escribiendo cartas a las hijas de ambos, que estaban estudiando la universidad, en París, y quedaba sin aliento. ¿Era posible que ella hubiera sido siempre así y él no lo hubiera sabido nunca? ¿O lo había sabido y después, de alguna manera, por descuido, lo había olvidado? En este país, con sus caminos de tierra y su arroz amarillo, descubrió que la amaba, que él *era* ella. Tal vez eso no habría ocurrido si lo hubieran nombrado embajador en España. Sin estas circunstancias específicas, sin este lugar específico y horrible, él quizá nunca se hubiera dado cuenta de que el único amor verdadero de su vida era su esposa.

"No parecen tener prisa por matar a nadie", susurró Edith Thibault a su marido, tocándole la oreja con los labios.

Hasta donde alcanza la vista no hay más que arenas blancas y agua azul brillante. Edith, que entra al mar caminando, se vuelve hacia él mientras el agua lame sus caderas. "¿Quieres que te traiga un pez?", grita, y desaparece zambulléndose bajo una ola.

"Después nos separarán", dijo Simon.

Ella dobló mejor su brazo alrededor del suyo y le tomó la mano de nuevo. "Que lo intenten."

El año pasado había habido un seminario obligatorio en Suiza, protocolo para obtener una embajada. Suponía que las mismas reglas se aplicarían a cenas secuestradas. Sacarían a las mujeres. Y además... Ahí se detuvo. Honestamente no podía recordar qué venía después. Se preguntó si cuando se llevaran a Edith él podría conservar algo suyo. ¿Un arete? ¡Qué pronto nos resignamos!, pensó Simon Thibault.

Lo que al principio habían sido focos aislados de cuidadosos murmullos se convirtió en un zumbido constante, a medida que las personas regresaban de los baños. Después de ponerse de pie y estirar los músculos ya no se sentían tan obedientes como cuando estaban acostados en el suelo. La gente inició conversaciones tentativas, en voz baja, y del suelo se elevó un zumbido y después un diálogo, hasta que el salón se convirtió en una reunión en la que, simplemente, todos estaban acostados boca arriba. El general Alfredo sintió necesidad de disparar otra bala contra el techo, que puso fin a las pláticas: algunos grititos en tonos agudos y luego silencio. Menos de un minuto después del disparo sonó un golpe a la puerta.

Todos se volvieron hacia la puerta. Entre tantas exigencias, desplazamiento de público, ladridos de perros y ruido de helicópteros arriba, nadie había llamado a la puerta, y todos se tensaron en la casa, como se tensa uno cuando está en su casa y no quiere que lo molesten. Los jóvenes terroristas se miraron entre ellos con nerviosismo, respiraban hondo y deslizaban los dedos hacia las curvas guardas de los gatillos como para demostrar que ahora estaban dispuestos a matar a alguien. Los tres generales conferenciaron entre ellos y luego señalaron con el dedo hasta que tuvieron dispuesta una fila de hombres jóvenes a cada lado de la puerta. El general Benjamín sacó su propia arma y, con la punta redonda de su bota, empujó al vicepresidente por el hombro para que éste se levantara a atender la puerta.

Era evidente que quien quiera que estuviese al otro lado de la puerta tenía la intención de entrar disparando y mejor que Rubén Iglesias encarara ese error. El vicepresidente se levantó del nido que había hecho junto a la chimenea con su esposa y sus tres hijos, dos niñas de ojos brillantes y un niño pequeño, con la cara roja y sudorosa por el esfuerzo de dormir tanto. Con ellos estaba la institutriz, Esmeralda. Era del norte y no vacilaba en mirar abiertamente a los terroristas. El vicepresidente, más bien, miraba hacia el techo, temeroso de que esa última bala hubiera tocado alguna tubería. Sería inconcebible tener que lidiar ahora con eso. El lado derecho de la cara iba cambiando y creciendo por minuto: en ese momento era una gran hinchazón roja que le impedía abrir el ojo, y la herida seguía sangrando. Dos veces tuvo que buscar otra de las servilletas de la cena. En su infancia, Rubén Iglesias oraba largas horas de rodillas en una iglesia católica pidiendo a Dios el don de una elevada estatura, don que Él no había querido conceder a ningún miembro de su extensa familia. "Dios sabrá qué darte", le dijeron los sacerdotes sin el menor interés, y tenían razón. Su corta estatura lo había llevado al segundo cargo más importante del gobierno, y ahora tal vez lo había salvado de una herida peor, el golpe le hubiera dado más de lleno en la superficie firme del cráneo que en la articulación relativamente débil de la mandíbula. Su cara servía para recordarle que no todo había salido bien la noche anterior, otro mensaje bueno para los de afuera. Cuando el vicepresidente se puso de pie, envarado y dolorido, el general Benjamín colocó el esbelto cañón del rifle entre sus omoplatos y lo empujó hacia delante. Su propio mal, siempre exacerbado por la tensión nerviosa, había empezado a aflorar en una pústula diminuta al final de cada nervio y él soñaba con una compresa caliente casi tanto como anhelaba la revolución. El llamado se repitió.

"Ya voy", dijo Rubén Iglesias, no a la puerta, sino al hombre armado a sus espaldas. "Yo sé dónde está la puerta." Sabía que quizá su vida estaba a punto de acabar, y el reconocimiento de ese hecho le daba una temeridad que le parecía útil.

"Despacio", ordenó el general.

"Despacio, despacio, sí, dígame, por favor. Yo nunca he abierto una puerta", dijo el vicepresidente en voz baja, y abrió la puerta a su manera, ni rápida ni lenta.

El hombre que esperaba en el porche era muy rubio, y llevaba su cabello casi blanco cuidadosamente partido y cepillado hacia atrás. La camisa blanca con corbata negra y pantalones negros lo hacía parecer el más serio representante de alguna religión de Estados Unidos. Uno imaginaba que existía un saco negro que había dejado como concesión al calor, o quizá fuera para que se viera bien el brazalete de la Cruz Roja que llevaba. Rubén Iglesias quería que el hombre entrara para protegerse del fuerte sol: la frente y los pómulos ya se le veían de un color rojo ardiente. El vicepresidente miró más allá de él, por el sendero que atravesaba su propio jardín, o lo que había llegado a considerar como su propio jardín. En realidad la casa no era suya, ni tampoco el jardín, el personal, las camas blandas ni las gruesas toallas. Todo venía con el cargo y sería inventariado después de su partida. Sus propios bienes estaban guardados y hubo una época en la que pensó, esperanzado, que esas cosas se quedarían donde estaban cuando él y su familia hicieran la inevitable mudanza hacia la mansión presidencial. A través de la estrecha abertura del portón del frente vio a un airado grupo de oficiales de policía, personal militar y periodistas. En algún punto de un árbol brilló un instante la poderosa luz de un flash.

"Joachim Messner", dijo el hombre tendiéndole la mano. "Soy de la Cruz Roja Internacional." Hablaba en francés, y cuando el vicepresidente lo miró de lado repitió su declaración en un mediocre español.

Se veía tan sereno, tan aparentemente ignorante del caos que los rodeaba, como si hubiera venido de mañana un domingo a pedir una donación. La Cruz Roja siempre está ahí para ayudar a las víctimas de los terremotos y las inundaciones, los mismos a los que el vicepresidente Iglesias tenía que ir a consolar y evaluar. Rubén Iglesias estrechó la mano del hombre y después alzó un dedo, indicándole que debía esperar. "La Cruz Roja", dijo hacia las armas detrás de él.

De nuevo los tres generales conferenciaron y acordaron que eso era permisible. "¿Está seguro de que quiere entrar?", preguntó el vicepresidente en inglés, en voz baja. Su inglés era imperfecto, quizá a la altura del español de Messner. "No es seguro que lo dejen salir."

"Me dejarán salir", dijo él mientras entraba. "El problema es que tienen demasiados rehenes. Ahora no necesitan más." Miró a su alrededor, a los terroristas, y después de nuevo al vicepresidente: "Su cara se ve mal".

Rubén Iglesias se encogió de hombros para indicar que lo tomaba con filosofía, ya que le había tocado el extremo menos malo del arma, pero Messner pensó que quería decir que no había entendido la pregunta.

"Yo hablo inglés, francés, alemán e italiano", dijo en inglés. "Soy suizo. Y hablo un poquito de español." Con el índice y el pulgar separados apenas por un centímetro, indicó que todo el español que sabía cabría en ese espacio. "Ésta no es mi región. Yo estaba de vacaciones ¿se imaginan? Me fascinan las ruinas de aquí. Estoy de turista y me llaman para trabajar." Joachim Messner parecía demasiado informal, como un vecino que viene a pedir un huevo y se queda demasiado tiempo a conversar. "Si voy a trabajar en español debería traer a un traductor. Tengo uno afuera."

El vicepresidente asintió con la cabeza pero francamente no había entendido ni la mitad de lo que Messner había dicho. Él sabía un poco de inglés pero sólo si le decían las palabras una por una y sólo cuando no le habían dado un poco antes un golpe en la cabeza con un arma. Pensó que tenía algo que ver con un traductor, y de todos modos a él le gustaría tener un traductor. "Traductor", le dijo al general.

"Traductor", dijo el general Benjamín, recorriendo el piso con los ojos mientras buscaba un vago recuerdo de la noche anterior. "¿Traductor?"

Gen, que por naturaleza era servicial pero no heroico, permaneció un momento inmóvil recordando la fuerte presión del arma contra su pecho. Aunque no dijera nada, tarde o temprano recordarían que el traductor era él. "¿Me permite?", preguntó al señor Hosokawa.

"Adelante", respondió él, tocando el hombro de Gen.

Hubo un momento de silencio y entonces Gen Watanabe alzó tímidamente la mano.

El general Alfredo le hizo señas para que se acercara. Gen, como la mayoría de los hombres, se había quitado los zapatos y ahora se inclinaba para ponérselos, pero el general le hizo un gesto de impaciencia. Gen, incómodo, en calcetines, se abrió camino entre los invitados, pensando que sería terrible pisar a alguno. Mientras caminaba pedía disculpas en voz baja. "Perdón, perdonatemi, pardon me."

"Joachim Messner", dijo en inglés el hombre de la Cruz Roja, estrechando la mano de Gen. "Inglés, francés ¿qué prefiere usted?"

Gen sacudió la cabeza.

"Entonces francés, si es igual. ¿Están todos bien?", preguntó Messner en francés. Su cara mostraba una sorprendente combinación de colores: el azul muy intenso de los ojos, el blanco muy blanco de la piel, el rojo donde el sol le había quemado las mejillas y los labios, y el cabello como el trigo blanco que Gen había visto una vez en Estados Unidos. Todo era colores primarios, pensó Gen. Con esa cara cualquier comienzo era posible.

"Estamos bien."

"No han sido maltratados?"

"Español", dijo el general Alfredo.

Gen explicó y después repitió, desviando un instante los ojos hacia el vicepresidente, que todos estaban bien. El vicepresidente no parecía estar nada bien.

"Dígales que yo seré el enlace", dijo Messner en francés, y luego pensó un instante y repitió la frase en un español bastante correcto, pero después le sonrió a Gen y dijo en francés: "No debería intentarlo. Cometeré algún error terrible y meteré a todos en un gran lío."

"Español", dijo el general Alfredo.

"Dice que se esfuerza por hablar español."

Alfredo asintió con la cabeza.

"Lo que nosotros queremos, por supuesto, es la liberación incondicional de todos los rehenes, sanos y salvos. Por el momento nos conformaremos con algunos extras." Messner miró alrededor a sus pies, la alfombra cubierta de invitados bien vestidos y meseros de chaqueta blanca que estiraban el cuello hacia él. Todo el cuadro era en extremo antinatural. "Son demasiadas personas. Probablemente ya les hacen falta alimentos, o les faltarán muy pronto. No necesitan tantos. Yo digo que suelten a las mujeres, los empleados, todo el que esté enfermo, todo el que no haga falta. Empecemos por ahí."

"¿Y a cambio?", dijo el general.

"A cambio, comida suficiente, almohadas, cobijas, cigarrillos. ¿Qué necesitan?"

"Tenemos demandas."

Messner asintió con la cabeza. Era serio pero estaba cansado, como si ésta fuera una conversación que él tuviera diez veces al día antes de desayunar, como si la mitad de las fiestas de cumpleaños acabaran en situaciones como ésa. "Estoy seguro de que las tienen y también de que serán escuchadas. Lo que yo le digo es que esto —extendió el brazo para indicar con claridad que se refería a todas las personas acostadas en el suelo— es insoportable para todos. Suelten a los extras ahora, a los que no necesitan, y será visto como un gesto de buena voluntad. Se les considerará como personas razonables."

"¿Quién dice que somos razonables?", le preguntó el general Benjamín a Gen, que transmitió el mensaje.

"Ustedes llevan doce horas en control de esta propiedad y nadie ha muerto. Nadie ha muerto ¿verdad?", dijo Messner a Gen. Éste sacudió la cabeza una vez y tradujo la primera mitad de la respuesta. "En mi opinión eso los hace razonables."

"Dígale que nos mande al presidente Masuda. Vinimos aquí por el presidente y a cambio de él dejaremos irse a todos los demás." Hizo un amplio gesto indicando a todo el salón. "¡Mire a toda esa gente! Ni siquiera sé cuántas personas hay aquí. ¿Doscientas? ¿Más? Dígame si un hombre por doscientas no es un intercambio razonable."

"No le van a entregar al presidente", dijo Messner.

"Pero vinimos por él."

Messner suspiró y, serio, asintió con la cabeza. "Bueno, yo vine aquí de vacaciones. Al parecer nadie consigue lo que quiere."

Todo ese tiempo Rubén Iglesias había estado de pie al lado de Gen, escuchando pasivamente la conversación como si no tuviera interés alguno en su resultado. Era el funcionario político más importante que ahí había y, sin embargo, nadie veía en él a un líder, ni siquiera a un rehén valioso o un posible sustituto del presidente. Si uno saliera a preguntar a los ciudadanos comunes de este hermoso país tan pobre en medios masivos de información quién es el vicepresidente, lo más probable es que se encogieran de hombros y cambiaran de tema. Los vicepresidentes son tarjetas de visita, cosas que se envían en sustitución de lo que en realidad se esperaba. Jamás se ha librado o ganado una guerra por las palabras de inspiración pronunciadas por un vicepresidente, y nadie entendía eso mejor que el propio vicepresidente del país anfitrión.

"Entréguenlos", dijo Rubén con tranquilidad a los generales. "Este hombre tiene razón. Masuda jamás vendrá aquí." Y curiosamente en ese momento estaba pensando "no vendrá aquí" en el sentido de "a mi casa". Masuda siempre había excluido a Rubén. No conocía a sus hijos. En las cenas oficiales nunca invitaba a su esposa a bailar. Una cosa era querer tener como compañero de campaña a un hombre común y otra muy diferente querer sentarlo a su mesa. "Yo sé cómo son estas cosas. Denle las mujeres, los extras, y así les envían el mensaje de que ustedes son personas con las que se puede negociar." Más de dos años antes, cuando fue tomado el Banco Central Federal, no entregaron nada, ni uno solo de los clientes o de los empleados. Colgaron al gerente en la entrada para que los periodistas lo fotografiaran. Y todos recordaban cómo había terminado el episodio: hasta el último de los terroristas quedó acribillado contra las paredes de mármol. Lo que Rubén quería decirles era que esas cosas jamás salían bien. Las exigencias nunca se cumplían, por lo menos nunca honestamente. Nadie se iba con el dinero y un puñado de camaradas liberados de alguna cárcel de alta seguridad. La única cuestión era cuánto tiempo llevaría desgastarlos, y cuántas personas morirían en el proceso.

El general Benjamín alzó un dedo y golpeó ligeramente la servilleta empapada en sangre que el vicepresidente sostenía contra su cara. "¿Quién le preguntó?"

"Es mi casa", dijo Iglesias, sintiendo una ligera náusea debido a la oleada de dolor.

"Vuelva al suelo."

Rubén quería acostarse y, por lo tanto, se volvió sin decir nada. Cuando Messner lo tomó del brazo y lo detuvo casi se sintió entristecido.

"Alguien tiene que coserle eso", dijo Messner. "Voy a llamar a un médico."

"Nada de médicos ni costuras", dijo el general Alfredo. "Nunca fue una cara bonita."

"No pueden dejarlo sangrando así."

El general se encogió de hombros. "Claro que puedo."

El vicepresidente escuchaba. No podía defender su propia causa. Y en realidad, pensar en una aguja ahora que ese fuerte dolor se le había fijado, más la jaqueca y la presión ardiente tras sus ojos, bueno, no estaba por completo seguro de no estar impulsando a los terroristas para que ganaran esa discusión particular.

"Si este hombre sangra hasta morir no hay trato alguno", dijo Messner con voz muy tranquila, como para contrarrestar la seriedad de su afirmación.

¿Hasta morir?, pensó el vicepresidente.

El general Héctor, que no hacía mucho por contribuir a la conversación, dijo a la institutriz que subiera y trajera su costurero. Aplaudió dos veces, como un maestro que llama la atención a los niños, y ella se levantó trastabillando, porque el pie izquierdo se le había dormido. Apenas se marchó el hijo del vicepresidente, Marco, lanzó un grito agudo, porque creía que la institutriz era su madre. "Resuelva eso ahora", dijo con gravedad el general Héctor.

Rubén Iglesias volvió su cara hinchada hacia Joachim Messner. No era un costurero lo que él tenía en mente. Él no era un botón desprendido ni un dobladillo que había que bajar. Aquí no era la selva y él no era un hombre primitivo. Dos veces en su vida había necesitado puntadas y se las habían colocado limpiamente en un hospital, con instrumentos estériles que esperaban en bandejas plateadas.

"¿Hay un médico aquí?", le preguntó Messner a Gen.

Gen no sabía pero envió la pregunta por todo el salón en un idioma tras otro.

"Debimos de haber invitado, por lo menos, a un médico", dijo Rubén Iglesias, aunque con la creciente presión en su cabeza no podía recordar nada.

La muchacha, Esmeralda, venía bajando las escaleras con una caja de mimbre cuadrada bajo el brazo. En verdad no habría destacado entre tantas mujeres en trajes de noche: era una muchacha del campo vestida de uniforme, con falda y blusa negras, cuello y puños blancos; su larga trenza oscura, gruesa como el puño de un niño, se deslizaba por su espalda a cada paso. Pero ahora todo el salón la miraba, cómo se movía con tanta facilidad, la comodidad que proyectaba, como si éste fuera un día más en su vida y tuviera un minuto para remendar algo. Tenía ojos vivarachos y mantenía el mentón erguido. De pronto, todo el salón la vio hermosa, y la escalera de mármol que pisaba resplandeció con su luz. Gen repitió su llamado, "un médico, un médico", mientras el vicepresidente pronunciaba el nombre de la joven: "Esmeralda".

Nadie levantó la mano desde el piso y la conclusión fue que no había ningún médico presente. Sin embargo, no era verdad. El doctor Gómez estaba acostado de espaldas, casi en el comedor, y su esposa le clavaba en las costillas dos poderosas uñas barnizadas de rojo. Él había abandonado la práctica años antes para convertirse en administrador de hospital.

¿Cuándo fue la última vez que cosió a alguien? En sus días de práctica había sido neumólogo. Ciertamente no había clavado una aguja en una piel humana desde su etapa de residencia. Tal vez no estaba más calificado para hacerlo que su esposa, que, por lo menos, siempre tenía en marcha un bordado con *petit point*. Sin dar una sola puntada él sabía cómo seguiría la cosa: habría una infección; ellos no traerían los antibióticos necesarios; más tarde tendrían que abrir, drenar y volver a coser. Y justo ahí, en la cara del vicepresidente. De sólo pensarlo se estremecía. No iría bien. La gente le echaría la culpa a él. Después habría publicidad. Y que un médico, el director del hospital, matara tal vez a un hombre, aunque nadie pudiera decir que era su culpa... Sentía que las manos le temblaban. Sólo estaba ahí acostado y, sin embargo, las manos le temblaban contra el pecho. ¿Qué manos eran ésas para coser la cara de un hombre, para dejar una cicatriz por la que serían conocidos los dos? Y además ahí estaba esa muchacha, que parecía ser la esperanza misma, bajando las escaleras con su cestita. ¡Era un ángel! Él nunca había logrado encontrar muchachas de aspecto tan inteligente para trabajar en el hospital, muchachas tan bonitas capaces de mantener sus uniformes tan limpios.

"¡Levántate!", susurró con violencia su mujer, "o yo levanto la mano por ti."

El médico cerró los ojos y movió suavemente la cabeza de un lado a otro en una forma que no llamara la atención. Lo que haya de ser, será. Las puntadas no iban a salvar al hombre ni tampoco a matarlo. La carta estaba jugada y no había nada que hacer más que esperar a ver el resultado.

Esmeralda le pasó la cesta a Joachim Messner pero no se apartó. En cambio alzó la tapa, que estaba tapizada en un estampado acolchado color rosa, tomó una aguja del alfiletero en forma de tomate, un carrete de hilo negro, y enhebró la aguja. Con los dientes cortó el hilo con un chasquido delicado e hizo un nudo pulcro y pequeño en la punta. Todos los hombres, incluso los generales, la miraban como si estuviera haciendo algo milagroso, algo mucho más allá de hilos y agujas, que ellos jamás podrían haber hecho. Después metió la mano en el bolsillo de su falda y sacó un frasco con alcohol al que metió la aguja, y la revolvió varias veces. Esterilización. Y era una simple muchacha del campo. Nadie podría haber sido más precavido. Sacó la aguja sujetando sólo el hilo por el nudo de la punta y se la tendió a Joachim Messner.

"Ah", dijo él, tomando el nudo entre el pulgar y el índice.

Hubo alguna discusión. Primero parecía que podían estar ambos de pie y después pareció preferible que el vicepresidente se sentara y, por fin, que se acostara cerca de una lámpara de mesa, donde había mejor luz. Los dos hombres demoraban, cada uno con más miedo que el otro. Messner se frotó tres veces las manos con alcohol. Iglesias estaba pensando que preferiría que le pegaran con el revólver otra vez. Se acostó en la alfombra apartado de su esposa y sus hijos, y Messner se inclinó sobre él, echándose hacia delante y bloqueando su propia luz, después echándose hacia atrás y haciendo girar la cabeza del vicepresidente para un lado y para el otro. El vicepresidente trató de pensar en algo agradable y, así, pensó en Esmeralda. Era en verdad notable cómo hacía las cosas esa muchacha. Eso tal vez se lo había enseñado su esposa, el concepto de las bacterias, la necesidad de mantener las cosas limpias. Era muy afortunado de tener una muchacha como aquélla para cuidar de sus hijos. La sangre ya no latía pero seguía manando, y Messner se detuvo para absorberla con una servilleta. Considerando las circunstancias, los mensajes de los altavoces que entraban a gritos por las ventanas, el constante ulular de sirenas, los rehenes acostados en el suelo, los terroristas adormecidos con sus armas y cuchillos, podría imaginarse que a nadie le importaba qué pasaba con Rubén Iglesias y su mejilla y, sin embargo, las personas estiraban el cuello como tortugas para ver qué pasaba ahora, para ver bajar la aguja hacia el primer punto.

"Sólo le quedan cinco minutos", dijo el general Alfredo.

Joachim Messner cerró la herida con la mano izquierda y con la derecha clavó la aguja. Pensando que un movimiento rápido causaría menos dolor, juzgó mal el espesor del material de que disponía y clavó la aguja hasta el hueso. Los dos hombres hicieron un ruido que no llegó a ser un grito, agudo pero contenido; Messner, con cierto esfuerzo, volvió a sacar la aguja y todo volvió a quedar exactamente como antes de empezar, salvo que ahora el nuevo agujerito estaba generando su propia gota de sangre.

Nadie había preguntado por ella pero Esmeralda estaba limpiándose las manos. Tenía en la cara una expresión que el vicepresidente le había visto usar con sus hijos. Habían intentado algo y habían fallado, y ella ya había dejado que las cosas fueran muy lejos. Tomó la aguja con el hilo de manos de Joachim Messner y volvió a sumergirla en el alcohol. Con gran alivio él se apartó. Sin mostrar el menor interés por sus intenciones ni por sus calificaciones, sólo la observó mientras ella se inclinaba junto a la luz.

Rubén Iglesias pensó que su rostro era amable, en la forma beatífica de los santos, aun cuando no estaba sonriendo exactamente. Él agradecía sus serios ojos castaños, apenas a centímetros de los suyos. Por mucho que se sintiera tentado no cerraría los ojos. Sabía que nunca volvería a ver tal concentración y compasión dirigidas hacia su cara aunque sobreviviera a la prueba y viviera hasta los cien años. Cuando la aguja avanzó hacia él, se mantuvo inmóvil y aspiró el olor a hierba de los cabellos de ella. Se sentía como un botón descosido, como un par de pantalones de niño que ella cosía de noche extendidos sobre su cálido regazo. No era tan malo. Él era otra cosa que Esmeralda tenía que componer, otra cosa que necesitaba reparación. Dolía, esa agujita. No le gustaba verla pasar ante sus ojos. No le gustaba el tironcito al final de cada puntada que lo hacía sentirse como una trucha, atrapado. Pero estaba agradecido por encontrarse tan cerca de esa mujer joven a la que veía todos los días. Allí estaba ella en el césped con los hijos de él, sentada sobre una sábana extendida bajo un árbol, sirviendo té para ellos en tazas rajadas, Marco en su falda y las niñas, Rosa e Imelda, con sus respectivas muñecas. Allí estaba retrocediendo hacia el corredor, buenas noches, buenas noches, dice, no hay más agua, ahora duérmanse, cierren los ojos, buenas noches. Estaba callada en su concentración y, sin embargo, de sólo pensar en su voz él se sentía aliviado, y aunque le doliera sabía que iba a lamentar que terminara, cuando ya no apretara su cadera contra su cintura. Entonces ella terminó e hizo otro nudo. Como en un beso, se inclinó sobre él para cortar el hilo con los dientes y sus labios no pudieron evitar rozar la costura que sus manos acababan de hacer. Él pudo oir el corte, la desconexión de lo que los unía, después ella se irguió de nuevo y pasó la mano sobre la cabeza de él, un premio por lo que había sufrido. Linda Esmeralda.

"Muy valiente", dijo ella.

Todos los que estaban suficientemente cerca para verlos sonrieron y suspiraron. Había hecho un trabajo excelente, dejando una línea limpia de puntadas negras, como una vía férrea, sobre el costado de su cara. Era lo que se podía esperar de una joven que había sido criada para coser. Marco lanzó un relincho al regresar a los brazos de Esmeralda, apretó la cabeza contra sus pechos y respiró su aroma. El vicepresidente no se movió, el dolor y el placer de todo ello entrechocaban y se liberó en ese momento. Cerró los ojos como si le hubieran dado el anestésico apropiado.

"Ustedes dos", dijo el general a Messner y Gen, "échense. Nosotros discutiremos esto." Utilizó su arma para indicar el suelo, algún lugar no muy cercano.

Messner no intentó reanudar las negociaciones. "Yo no me acuesto", dijo, pero su voz se oía tan cansada que daba la impresión de que le habría gustado. "Espero afuera. Regresaré en una hora." Y con eso saludó con cortesía a Gen con la cabeza, abrió la puerta y salió. Gen se preguntó si podría hacer lo mismo, explicar que estaría esperando afuera. Pero Gen sabía que él no era Messner. No podía decir exactamente por qué, pero parecía que matar a Messner no tenía sentido. Parecía alguien a quien le habían disparado cada día de su vida y ya tenía suficiente. En cambio Gen, con su mente todavía llena de puntadas, se sentía decididamente mortal. Mortal y leal, por lo que fue a ocupar su sitio al lado del señor Hosokawa.

"¿Qué dijeron?", susurró el señor Hosokawa.

"Creo que van a dejar salir a las mujeres. Todavía no está decidido, pero me parece que quieren. Dicen que somos demasiados." A cada lado de él había una persona, en algunos puntos a menos de seis centímetros de distancia. Sentía que estaba en la línea Yamanote entrando en la estación de Tokio a las ocho de la mañana. Alzó una mano y se aflojó la corbata.

El señor Hosokawa cerró los ojos y sintió que una gran calma se extendía sobre él como una suave cobija. "Bien", dijo. Roxane Coss sería liberada a tiempo para cantar en Argentina. En unos cuantos días olvidaría el susto, y seguiría el destino de los demás a través de la seguridad de los periódicos. Contaría la historia en fiestas y la gente se asombraría.

Pero la gente siempre se asombra. En Buenos Aires cantaría la parte de Gilda la primera semana. Le pareció una coincidencia perfecta. Ella canta Gilda y él es aún un muchacho con su padre en Tokio. Él la mira desde aquellos asientos tan altos y lejanos y, sin embargo, la voz de ella es tan clara y delicada como era cuando él estaba de pie tan cerca como para tocarla. Sus gestos intensos y su maquillaje escénico se ven perfectos desde cierta distancia. Ella canta con su padre, Rigoletto. Le dice a su padre que lo ama mientras en los asientos allá arriba el niño Katsumi Hosokawa toma la mano de su propio padre. La ópera se eleva apartándose de las alfombras de tapicería y los vasos amargos de pisco medio vacíos del salón, apartándose de cumpleaños específicos y planes para fábricas. Se eleva y gira por encima del país anfitrión hasta que, con mucha suavidad, aterriza sobre el escenario donde se convierte en la integridad de su yo, algo distante y bello. Toda la orquesta la apoya ahora, se lanza con las voces, levanta las voces, la hermosa voz de Roxane Coss está cantando su Gilda para el joven Katsumi Hosokawa. La voz de ella vibra en los diminutos huesos de su oído interno. La voz queda dentro de él, se convierte en él. Ella está cantándole su parte a él, y a mil personas más. Él es alguien anónimo, igual, amado.

Acostados en el suelo, en rincones opuestos del salón, había dos sacerdotes de la Santa Iglesia Católica, Apostólica y Romana. Monseñor Rolland estaba detrás del sofá delante del cual se encontraban los Thibault, pues había pensado que era mejor estar lejos de las ventanas en caso de que hubiera un tiroteo. Como dirigente de su pueblo tenía la responsabilidad de protegerse a sí mismo. Los curas católicos habían sido blanco de ataques políticos con mucha frecuencia; bastaba con ver los periódicos. Sus ropas estaban húmedas de sudor. La muerte era un misterio sagrado. Sólo Dios podía decidir el momento. Pero él tenía razones vitales para seguir viviendo. Se pensaba que monseñor Rolland tenía, de hecho, asegurado el obispado si y cuando el actual obispo, monseñor Romero, completara el cargo vitalicio con su deceso. Después de todo, era monseñor Rolland quien atendía las funciones y negociaba los acuerdos que ensanchaban el camino de la Iglesia. Nada en el mundo era absolutamente seguro, ni siquiera el catolicismo en esas selvas devastadas por la miseria. Bastaba con ver la marejada invasora de mormones, con su dinero y sus misioneros. ¡Qué desvergüenza, mandar misioneros a un país católico! Como si todos fueran salvajes esperando la conversión. Acostado con la cabeza apoyada en un pequeño cojín que había logrado agarrar con discreción antes de tenderse en el piso, las caderas le dolían y pensó que cuando eso terminara tomaría un largo baño caliente y después se pasaría por lo menos tres días en su propia cama blanda. Por supuesto que también podía ver el lado positivo del asunto: suponiendo que no se desatara la demencia y él fuera liberado en el primer grupo de rehenes, ese secuestro podía ser justo lo que hacía falta para sellar su destino. La publicidad de haber sido secuestrado podía convertir en un santo mártir incluso a un hombre que había salido ileso.

Y ése hubiera sido exactamente el caso, de no ser por un joven sacerdote que estaba acostado en el frío piso de mármol del vestíbulo frontal. Monseñor Rolland conocía al padre Arguedas, estaba presente cuando recibió las sagradas órdenes dos años antes, pero no lo recordaba. En este país no escaseaban los jóvenes deseosos de enrolarse en el clero. Con sus oscuros cabellos cortos y sus tiesas camisas negras estos sacerdotes no podían distinguirse uno del otro, como los niños en traje de primera comunión. Monseñor Rolland ni siquiera tenía idea de que el padre Arguedas estuviera en el salón, puesto que no lo había visto ni una vez en el curso de la velada. ¿Cómo es que ese joven sacerdote había sido invitado a una fiesta en la residencia del vicepresidente?

El padre Arguedas tenía veintiséis años de edad y trabajaba como párroco de tercera categoría en la otra punta de la capital, encendiendo velas, dando la comunión y desempeñando tareas no muy por encima de las de un monaguillo bien establecido. En los raros momentos de su día que no consumía el amor a Dios a través de la oración y el servicio a la grey a través de sus obras, iba a la biblioteca de la universidad y escuchaba ópera. Se sentaba en el sótano, protegido por las alas de una vieja mesa de lectura, y escuchaba grabaciones a través de un juego de audífonos negros gigantes que le provocaban dolor de cabeza de tan apretados. La universidad no era rica y la ópera no tenía prioridad en sus gastos, de manera que la colección estaba en pesados discos de acetato y no en discos compactos. Aunque había algunas cosas que le gustaban más que otras, el padre Arguedas escuchaba en forma indiscriminada todo, desde *Die Zauberflöte* hasta *Trouble in Tahiti*. Cerraba los ojos y repetía en silencio las palabras que no comprendía. Al principio maldecía a los que habían estado allí antes que él, los que habían dejado sus huellas digitales en los discos, los habían rayado, o peor, simplemente se habían robado alguno, de modo que no había tercer acto de *Lulu*. Después recordaba que era sacerdote y caía de rodillas sobre el piso de cemento del sótano de la biblioteca.

Con demasiada frecuencia en esas horas en que escuchaba ópera había sentido que su alma se llenaba de una especie de arrobamiento, un sentimiento que no podía nombrar pero que lo inquietaba... ¿nostalgia?, ¿amor? A comienzos de su carrera en el seminario se había propuesto renunciar a la ópera como otros se habían propuesto renunciar a las mujeres. Pensaba que en esa pasión tenía que haber algo oscuro, en especial para un sacerdote. A falta de pecados reales o interesantes que confesar, un miércoles de tarde ofreció el pecado imaginario de la ópera como su mayor sacrificio a Cristo.

"¿Verdi o Wagner?", dijo la voz al otro lado de la pantalla.

"Ambos", respondió el padre Arguedas, pero al recuperarse de la sorpresa que le causó la pregunta cambió su respuesta. "Verdi."

"Eres joven", dijo la voz. "Regresa y respóndeme de nuevo dentro de veinte años, si Dios permite que yo esté aquí."

El joven sacerdote se esforzó por reconocer la voz. Él, ciertamente, conocía a todos los sacerdotes de la iglesia de san Pedro. "¿No es pecado?"

"El arte no es pecado. No siempre es bueno. Pero no es pecado." La voz hizo una pausa y el padre Arguedas deslizó un dedo por la banda negra del cuello, tratando de liberarse del aire espeso y caliente de su camisa. "Aunque algunos de los libretos... bueno, trata de concentrarte en la música. La música es la verdad de la ópera."

El padre Arguedas aceptó su pequeña penitencia y dijo tres veces cada oración como ofrenda de gratitud. No tenía que renunciar a su amor. De hecho después de eso cambió de opinión por completo y decidió que semejante belleza tenía que ser una con Dios. La música era su alabanza, de eso estaba seguro, y si las palabras muy a menudo se ocupaban de los pecados de los hombres, bueno ¿no era justo ése el tema que exploraba Jesús? Cuando lo invadía algún sentimiento de incomodidad cuestionable simplemente rectificaba la situación no leyendo los libretos. Había estudiado latín en el seminario, pero se negaba a hacer la conexión con el italiano. Tchaikovski era muy bueno para esos casos, porque el ruso se le escapaba por entero. Por desgracia había ocasiones en que la lujuria llegaba a través de la propia música, no de las palabras. El hecho de no conocer el francés no salvaba a un sacerdote de *Carmen*. *Carmen* le provocaba sueños. Sin embargo, en la mayoría de los casos lograba imaginar que todos los hombres y las mujeres de todas las óperas cantaban con tanta gracia y esplendor porque lo hacían sobre el amor a Dios en sus corazones.

Una vez liberado por su confesor, el padre Arguedas no trató de ocultar su amor por la música. De todos modos a nadie parecían importarle sus intereses, mientras no lo distrajeran de los deberes de su vida. Quizá no fuera un país demasiado moderno ni una religión moderna, pero estaba en la edad moderna. La gente de la parroquia tenía cariño por ese joven sacerdote, por el vigor incansable con que pulía los bancos, el modo como se arrodillaba ante las velas durante una hora entera todas las mañanas antes de comenzar la primera misa. Entre las personas que notaban sus buenos oficios estaba una mujer llamada Ana Loya, la prima favorita de la esposa del vicepresidente. También ella se interesaba por la música y era muy generosa al prestarle discos al padre Arguedas. Cuando oyó el rumor de que Roxane Coss iba a venir para cantar en una fiesta, Ana llamó por teléfono a su prima para preguntarle si podría asistir cierto joven sacerdote. Por supuesto no tenían que invitarlo a cenar, podía esperar en la cocina mientras tanto. De hecho, podía esperar en la cocina mientras cantaba Roxane Coss; ella agradecería muchísimo que él pudiera estar en la casa, aunque fuera en el jardín.

En cierta ocasión, después de un ensayo particularmente mediocre del coro de la iglesia, el padre Arguedas le había confiado que nunca había oído cantar ópera en vivo. El gran amor de su vida, después de Dios, vivía sólo en vinilo negro. Más de veinte años antes, Ana había perdido un hijo, un niño de que tenía tres años cuando se ahogó en una zanja de riego. Tenía varios hijos más y ella los amaba y nunca hablaba del que había perdido; en realidad, las únicas ocasiones en que recordaba a ese niño era ahora, cuando veía al padre Arguedas. Y repitió la pregunta a su prima por el teléfono: "¿Podría ir el padre Arguedas a oir a la soprano?".

Era diferente en formas que él nunca podría haber imaginado, como si la voz fuera algo que pudiera verse. Es verdad que podía sentirse, incluso desde donde él estaba de pie, al fondo del salón. Temblaba dentro de los pliegues de su sotana, rozaba la piel de sus mejillas. Él nunca había pensado, ni por un instante, que existiera una mujer como ésa, alguien que estuviera tan cerca de Dios; que la propia voz de Dios brotara de ella. Tenía que haber avanzado muy lejos dentro de sí misma para llamar esa voz. Era como si la voz viniera del centro de la Tierra y ella por el puro esfuerzo y diligencia de su voluntad la sacara por entre la tierra y las rocas y a través de las tablas del piso de la casa hasta sus pies, y desde allí subiera a través de ella, elevándose, calentada por ella, para salir por el lirio blanco de su garganta y ascender directamente hacia Dios en el cielo. Era un milagro, y él lloró por el privilegio de dar testimonio.

Aún ahora, después de más de doce horas pasadas sobre el piso de mármol del vestíbulo de entrada, cuando el frío había penetrado hasta la médula de sus huesos, la voz de Roxane Coss seguía describiendo vastos círculos arrobadores en su cabeza. Si no le hubieran ordenado acostarse quizá él se hubiera visto obligado a pedir permiso para hacerlo. Necesitaba todo ese tiempo para descansar, y mejor que fuera sobre un piso de mármol. El suelo lo mantenía con el pensamiento fijo en Dios. Si hubiera estado tendido sobre una blanda alfombra tal vez se habría olvidado de sí mismo por completo. Se alegraba de haber pasado la noche entre sirenas y rugidos de altavoces porque eso lo había mantenido despierto y pensando, se alegraba (y pidió perdón por eso) de haber perdido la misa y la comunión de la mañana porque podría quedarse más tiempo aquí. Cuanto más se quedara donde estaba más duraba el momento, como si la voz de ella aún hiciera eco contra esas paredes tapizadas. Ella todavía estaba allí, después de todo, acostada en algún sitio donde él no podía verla pero no tan terriblemente lejos. Dijo una oración deseando que ella hubiera pasado una buena noche, que alguien hubiera pensado en ofrecerle uno de los sofás.

Además de su preocupación por Roxane Coss, el padre Arguedas estaba inquieto por los jóvenes bandidos. Muchos de ellos estaban parados contra las paredes, con los pies separados, apoyados en sus rifles como si fueran bastones. La cabeza se les caía poco a poco hacia atrás y se quedaban dormidos por diez segundos hasta que se les aflojaban las rodillas y caían sobre sus armas. El padre Arguedas había ido muchas veces con la policía a recoger cadáveres de suicidas y, con frecuencia, se veían como si hubieran empezado así, en esa posición, con los dedos de un pie apoyados sobre el gatillo.

"Hijo", susurró hacia uno de los muchachos que vigilaban a las personas acostadas en el vestíbulo de entrada, en su mayoría meseros y cocineros acostados sobre el duro suelo, personas de la categoría más baja. Como él mismo era joven, con frecuencia se sentía incómodo al tratar de "hijo" a un parroquiano, pero sentía que este niño era suyo. Se parecía a sus primos. Se veía como cualquiera de los muchachos que salían corriendo de la iglesia apenas tomaban la comunión, con la hostia todavía blanca y redonda en sus lenguas. "Ven aquí."

El muchacho volvió los ojos hacia el techo como si estuviera oyendo esa voz en el sueño. Fingió no ver al sacerdote. "Hijo", dijo de nuevo el padre Arguedas, "ven aquí."

Ahora el muchacho bajó los ojos y una perplejidad atravesó su rostro. ¿Cómo podía uno no contestarle a un cura? ¿Cómo era posible no ir si él lo llamaba? "¿Padre?", susurró.

"Ven aquí", dijo el sacerdote en voz muy baja, tocando el suelo con su mano, apenas un leve movimiento de los dedos a su lado. El piso de mármol no estaba atestado. A diferencia del salón alfombrado, aquí había mucho espacio para estirarse, y cuando uno ha pasado toda la noche de pie apoyado en un rifle un espacio abierto de piso de mármol debe parecer tan invitante como un colchón de plumas.

El muchacho miró nerviosamente hacia el sitio donde los generales estaban en conferencia. "No se me permite", dijo casi sin sonido. Era indio, ese muchacho. Hablaba la lengua del norte que la abuela del padre Arguedas hablaba con su madre y sus tías.

"Yo digo que sí se te permite", dijo él, no con autoridad sino con compasión.

El muchacho consideró eso por un momento y después volvió la cabeza hacia arriba como si estuviera estudiando la compleja moldura que rodeaba el cielorraso. Los ojos se le llenaron de lágrimas y tuvo que pestañear mucho para contenerlas. Llevaba tantas horas despierto que los dedos le temblaban en torno al frío cañón de su rifle. Ya no podía decir exactamente dónde terminaban sus dedos y dónde empezaba el metal verdeazulado.

El padre Arguedas suspiró y dejó el asunto por el momento. Más tarde volvería a hablarle al muchacho, sólo para decirle que había un lugar para descanso y perdón de todos los pecados.

La multitud acostada en el suelo palpitaba de necesidades. Algunos tenían que ir de nuevo al baño. Se oían murmullos sobre medicamentos. Las personas querían incorporarse, ser alimentadas, beber un vaso de agua para enjuagar el sabor de la boca. Su misma inquietud los hacía atrevidos, pero además había otro elemento: ya habían transcurrido casi dieciocho horas y aún no había muerto nadie. Los rehenes habían empezado a creer que había una posibilidad de que no los mataran. Cuando lo que uno quiere es salvar la vida tiende a olvidar todo lo demás, pero en cuanto la vida empieza a parecer asegurada uno se siente libre de quejarse.

Victor Fyodorov, un moscovita, finalmente se permitió encender un cigarrillo, a pesar de que les habían ordenado entregar todos los encendedores y cerillos. Arrojó su humo directo hacia el techo. Tenía cuarenta y siete años de edad y había fumado con regularidad desde los doce, incluso en épocas difíciles, incluso en tiempos difíciles, cuando tenía que escoger entre fumar y comer.

El general Benjamín chasqueó los dedos y uno de sus subalternos se precipitó a quitarle el cigarrillo a Fyodorov, pero Fyodorov sólo inhaló. Era un hombre grande incluso acostado, incluso sin más arma salvo el propio cigarrillo. Se veía como el ganador de la pelea. "Inténtalo", le dijo al soldado en ruso.

El muchacho, sin tener la menor idea de lo que había

dicho, no estaba seguro de cómo proceder. Trató de mantener firme la mano al apartar su arma y apuntar con ella al centro de Fyodorov, sin muchas ganas.

"¡Era lo que faltaba!", exclamó Yegor Ledbed, también ruso, amigo de Fyodorov. "¡Vas a hacer que nos maten por fumar!"

Qué sueño era ese cigarrillo. Cuánto más placentero es fumar cuando uno lleva un día entero sin hacerlo. Entonces uno puede percibir el sabor, el tinte azul del humo. Aflojarse en esa dulce lasitud que uno recuerda de la niñez. Era casi suficiente para que uno lo dejara, para poder conocer los placeres de empezar de nuevo. Fyodorov había consumido el cigarro hasta el punto de quemarse los dedos. Qué lástima. Se incorporó hasta quedar sentado, sorprendiendo con su tamaño al muchacho del arma, y aplastó el cigarrillo contra la suela de su zapato.

Para gran placer del vicepresidente, Fyodorov se guardó la colilla en el bolsillo de su tuxedo y el muchacho, con dedos torpes, se metió el arma en el cinto y se alejó.

"¡No soporto un minuto más de esto!", gritó una mujer, pero cuando miraron alrededor nadie estaba seguro de quién había hablado.

Dos horas después de la salida de Joachim Messner, el general Benjamín mandó llamar al vicepresidente de su sitio en el suelo, lo hizo abrir la puerta y llamar a Messner de regreso.

¿Era posible que Messner hubiera pasado todo ese tiempo esperando justo afuera de la puerta? Sus delicadas mejillas se veían aún más quemadas que antes.

"¿Todo en orden?", preguntó Messner al vicepresidente en español, como si hubiera pasado las últimas horas de pie, al sol, dedicado a mejorar su habilidad lingüística.

"Muy pocos cambios", respondió el vicepresidente en inglés, tratando de ser amable. Todavía tenía algunos vestigios de sentirse el anfitrión.

"Su cara no está mal, la señorita hizo un trabajo muy bueno con la..." buscó la palabra "coser", dijo finalmente.

El vicepresidente levantó los dedos hacia su mejilla pero Messner detuvo su mano. "No toque." Miró la habitación a su alrededor. "¿El señor japonés está todavía aquí?"

"¿Adónde podría haber ido?", preguntó Rubén.

Messner miró los cuerpos tendidos a sus pies todos calientes y respirando de manera uniforme. En realidad, él había visto cosas peores.

"Voy a mandar llamar al traductor", dijo el vicepresidente a los generales, que miraban hacia otro lado como si no se hubieran dado cuenta de que Messner había llegado. Finalmente uno de ellos alzó los ojos e hizo una especie de rápido gesto de lado con las cejas, mismo que Rubén Iglesias interpretó como "está bien, adelante".

No llamó a Gen sino que recorrió el camino más largo por todo el salón hasta donde se encontraba. Era a la vez una oportunidad de estirar las piernas y de pasar revista a sus invitados. Al verlo, la mayoría de las personas respondía con algo entre una mueca y una sonrisa. No obstante, sin hielo, el costado de su cara se estaba hinchando terriblemente. Las puntadas ya estaban muy tensas por la carga de mantener unida su cara. Hielo. No es como si estuviera buscando penicilina. Había mucho hielo en la casa. Había dos congeladores, uno al lado del refrigerador en la cocina y el otro en el sótano sólo para almacenamiento. Además, en la cocina había una máquina separada que no hacía otra cosa que fabricar hielo todo el día y echarlo en un recipiente de plástico. Pero él sabía que no les simpatizaba a los generales y que pedirles un cubo de hielo podía provocar que le cerraran el otro ojo. Qué lindo sería estar tan sólo con la mejilla apoyada contra el metal blanco y frío de la puerta del congelador. Ni siquiera necesitaría el hielo, eso sería suficiente. "Monseñor", dijo pasando junto a monseñor Rolland en el suelo. "Lo lamento tanto. ¿Está cómodo? ¿Sí? Bueno, bueno."

Era una hermosa casa, y una hermosa alfombra sobre la cual se apiñaban sus invitados. Nadie iba a pensar que un día él viviría en semejante casa con dos congeladores y una máquina que sólo hacía hielo. Había sido un golpe de suerte increíble. Su padre cargaba equipajes para colocarlos primero en los vagones de tren apropiados y después en carros de líneas aéreas. Su madre crió a ocho hijos, vendía verdura, cosía ajeno. ¿Cuántas veces se había relatado esa historia? El camino de Rubén Iglesias hacia la cumbre. ¡El primero de su familia que terminó la secundaria! Trabajaba limpiando edificios para mantenerse mientras estudiaba. Y después, además de limpar edificios trabajó como empleado de un juez para estudiar leyes. Después de eso tuvo una carrera exitosa en la justicia y dio los pasos correctos en la inestable escalera de la política. Lo hizo un compañero de fórmula tan atractivo como su estatura. En la historia jamás se mencionaba que se había casado bien, con la hija de uno de los socios principales a la que embarazó durante una alegre fiesta de navidad, ni cómo las ambiciones de su esposa y la familia de ella lo impulsaban hacia delante. Ésa era una historia decididamente menos interesante.

Un hombre acostado en el suelo cerca del sillón de orejas le hizo una pregunta en un idioma que a Rubén le pareció alemán. El vicepresidente le dijo que no sabía.

Gen, el traductor, estaba acostado muy cerca del señor Hosokawa. Susurró algo al oído de éste; el hombre mayor cerró los ojos e hizo un gesto de aprobación casi imperceptible con la cabeza. Rubén había olvidado todo con respecto al señor Hosokawa. Feliz cumpleaños, señor, pensó para sus adentros. Dudo que se construyan fábricas este año. No muy lejos de ellos estaban Roxane Coss y su acompañante. La cantante se veía, si era posible, aún mejor que la noche anterior. Tenía el cabello suelto y su piel brillaba como si hubiera estado esperando esta oportunidad de descansar. "¿Cómo está usted?", le dijo ella en inglés en voz muy baja, y con la mano se tocó su propia mejilla para expresar preocupación por la herida de él. Quizá fuera el hecho de que no había comido nada, o simple agotamiento, o la pérdida de sangre, o el comienzo de una infección, pero en ese momento estaba casi seguro de que se iba a desmayar. Y cuando ella se tocó la mejilla tuvo ese efecto, porque ella no podía levantarse y poner su mano en la mejilla de él, entonces percibió la imagen de ella, de pie, tocando su mejilla, y se desplomó poco a poco hacia el suelo, balanceándose sobre los dedos de los pies, puso las manos por delante y movió la cabeza también hacia delante hasta que pasó esa sensación. Levantó los ojos hacia los de ella, que ahora se veía aterrada. "Estoy bien", susurró él. En ese momento notó a su acompañante, que en realidad no se veía nada bien. Le pareció que si Roxane Coss podía compadecerse de ese modo de él, también podría echar un vistazo al hombre que yacía a su lado. Su palidez tenía un tono decididamente gris, y aunque tenía los ojos abiertos y su pecho se movía con una respiración superficial, proyectaba una especie de inmovilidad que al vicepresidente no le pareció nada tranquilizadora. "¿Y él?", dijo en voz baja, señalándolo.

Ella miró el cuerpo tendido a su lado como si lo notara por primera vez. "Dice que tiene gripe. Creo que está muy nervioso."

Hablando en el susurro más leve, el sonido de su voz era emocionante, aun cuando él no estaba absolutamente seguro de lo que le estaba diciendo.

"¡Traductor!", gritó el general Alfredo.

Rubén tenía la intención de pararse allí y tenderle la mano a Gen, pero éste, más joven, se puso de pie antes y extendió la mano para ayudar al vicepresidente. Tomó el brazo de Rubén, como si el vicepresidente se hubiera vuelto ciego de repente, y lo guió por el salón. Qué rápido se formaban apegos en circunstancias como ésas, a qué conclusiones tan atrevidas era uno capaz de llegar: Roxane Coss era la mujer a la que siempre había amado; Gen Watanabe era su hijo; su casa ya no era su casa; su vida tal como él la conocía, su vida política, estaba muerta. Rubén Iglesias se preguntó si todos los rehenes, en todo el mundo, se sentían más o menos del mismo modo.

"Gen", dijo Messner, y sacudió la mano con gesto sombrío, como dando sus condolencias. "El vicepresidente necesita atención médica." Lo dijo en francés para que Gen lo tradujera.

"Se pierde demasiado tiempo discutiendo las necesidades de un tonto", dijo el general Benjamín.

"¿Hielo?", propuso el propio Rubén, porque de pronto su mente se llenó de los placeres del hielo, de la nieve en las cimas de los Andes, de esos dulces patinadores olímpicos en la televisión, jovencitas con pañuelos de gasa translúcida alrededor de sus cinturas de muñeca. Ahora se estaba quemando vivo y las afiladas hojas de plata de sus patines lanzaban al aire arcos de astillas blanquiazules. Él quería que lo enterraran en hielo.

"Ismael", dijo impaciente el general a uno de los jóvenes. "A la cocina. Consíguele una toalla y hielo."

Ismael, uno de los muchachos que sostenían la pared, de pequeña estatura y con los peores zapatos de todos, pareció encantado. Tal vez estaba orgulloso de haber sido escogido para la tarea, o quizá quería ayudar al vicepresidente, o tal vez se alegraba de ir por un momento a la cocina, donde seguramente esperaban bandejas de galletitas sobrantes y canapés derretidos. "A mi gente nadie le da hielo cuando lo necesitan", dijo con amargura el general Alfredo.

"Cierto", dijo Messner, escuchando a medias la traducción de Gen. "¿Han llegado a algún tipo de acuerdo aquí?"

"Permitiremos que se lleven a las mujeres", dijo el general Alfredo. "No tenemos interés en dañar a las mujeres. Pueden irse los trabajadores, los sacerdotes y todo el que esté enfermo. Después de eso veremos la lista de los que tenemos. Es posible que puedan irse algunos más. A cambio queremos provisiones." Sacó un trozo de papel, cuidadosamente doblado, del bolsillo de la camisa, con los tres dedos que le quedaban en la mano izquierda. "Éstas son las cosas que vamos a necesitar. La segunda página debe ser leída a la prensa. Son nuestras demandas." Alfredo había estado muy seguro de que su plan iba a dar resultados mucho mejores que el presente. Después de todo, su propio primo había trabajado alguna vez en el sistema de aire acondicionado de la casa y se las había arreglado para robarse una copia de los planos.

Messner tomó los papeles, los examinó un instante y después le pidió a Gen que los leyera. Gen se sorprendió al observar que sus manos temblaban. No podía recordar ningún otro caso en que lo que traducía lo hubiera afectado así. "En nombre del pueblo, La Familia de Martín Suárez ha tomado rehenes..."

Messner alzó la mano para que Gen se detuviera. "¿La Familia de Martín Suárez?"

El general asintió con la cabeza.

"¿No La Dirección Auténtica?" Messner hablaba en voz muy baja.

"Usted mismo dijo que somos hombres *razonables*", dijo el general Alfredo, la voz enronquecida por el insulto. "¿Qué le parece? ¿Usted cree que La Dirección Auténtica estaría hablando con usted? ¿Que dejarían irse a las mujeres? Yo conozco a LDA. En LDA matan a los que no son útiles. Y nosotros ¿a quién hemos matado? Nosotros estamos tratando de hacer algo por el pueblo ¿es capaz de entender eso?" Dio un paso hacia Messner, quien comprendió la intención, pero Gen se interpuso silencioso entre ellos.

"Estamos tratando de hacer algo por el pueblo", dijo Gen, manteniendo un tono lento y deliberado. La segunda parte de la frase "¿es capaz de entender eso?" le pareció innecesaria y la dejó de lado.

Messner pidió disculpas por su error. Un error sincero. Ellos no eran LDA. Tenía que concentrarse para impedir que las comisuras de la boca se le curvaran hacia arriba. "¿Cuándo cree usted que podrán liberar al primer grupo?"

El general Alfredo no podía hablarle. Rechinó los dientes. Hasta el general Héctor, que era el más reservado, escupió sobre la alfombra Savonnière. Ismael regresó con dos trapos de cocina llenos de cubos de hielo, signo de la gran abundancia que encerraba la cocina. Con un golpe en la mano el general Benjamín le hizo soltar uno de los bultos, y los claros diamantes del hielo saltaron por toda la alfombra, de la que todo el que pudo agarró uno y se lo deslizó a la boca. Ismael, ahora asustado, entregó a toda prisa el paquete restante al vicepresidente con una leve inclinación de cabeza. Rubén le devolvió la inclinación, pensando que lo mejor era no atraer más atención que la absolutamente necesaria, pues era evidente que bastaría muy poco para provocar otro culatazo en el otro lado de la cabeza. Acercó el hielo a su cara e hizo una mueca al sentir el dolor y el profundo, hondo placer del frío.

El general Benjamín carraspeó y se irguió. "Ahora los vamos a dividir", dijo. Primero se dirigió a sus tropas: "Alerta. Estén preparados." Los muchachos contra la pared se enderezaron y alzaron sus armas hacia el pecho. "Todos de pie", agregó.

"Atención por favor", dijo Gen en japonés. "Es el momento de levantarse." Si a los terroristas les molestaba que se hablara hacían una excepción con Gen. Él repitió la frase en todas las lenguas que pudo recordar, incluyendo algunas que sabía que eran innecesarias, como servo-croata y cantonés, tan sólo porque hablar lo consolaba y nadie trató de detenerlo. Y en todo caso, "de pie" no es un mensaje que necesite traducción. Para ciertas cosas los hombres son como ovejas. Cuando alguien empieza a levantarse el resto lo sigue.

Estaban envarados y torpes. Algunos trataron de volver a ponerse los zapatos, mientras que otros los olvidaron. Algunos sacudían ligeramente los pies tratando de desentumirlos. Estaban nerviosos. Todos habían estado pensando que lo único que deseaban era ponerse de pie, pero ahora que estaban erguidos se sentían inseguros. Parecía tanto más probable que cualquier transición fuera para mal antes que para bien, que estar de pie aumentara las probabilidades de recibir un tiro.

"Las mujeres vayan hacia el extremo derecho del salón y los hombres hacia el izquierdo."

Gen interpretó la frase en las diferentes lenguas sin tener una idea clara de cuáles países estaban representados o quién necesitaba traducción. Su voz tenía la misma monotonía tranquilizante de los anuncios que se oyen en los aeropuertos y las estaciones de tren.

Pero los hombres y las mujeres no se separaron rápido. En cambio se aferraron unos a otros, brazos en torno al cuello. Parejas que no se habían abrazado de ese modo en años, que tal vez jamás se habían mostrado afecto en público, ahora se abrazaban anhelantes. Era una fiesta que, simplemente, había durado demasiado. La música se había detenido y el baile también y las parejas seguían ahí paradas, cada uno envuelto en el otro, esperando. La única pareja inarmónica era la de Roxane Coss y su acompañante. Ella se veía tan pequeña en sus brazos que parecía casi una niña. No parecía querer que él la abrazara, pero examinándolos mejor se veía que en realidad ella lo estaba sosteniendo. Él se derramaba sobre ella, y la mueca en el rostro de ella era la de una mujer desigual al peso que le había tocado. El señor Hosokawa, viendo la dificultad de ella (porque él había estado observando, ya que no tenía a quién abrazar, puesto que su esposa estaba segura en su casa en Tokio), tomó al acompañante en sus brazos, envolviendo a ese hombre mucho más grande que él alrededor de sus hombros como un abrigo en un clima cálido. El señor Hosokawa también se tambaleó un poco, pero eso no era nada en comparación con el alivio que inundó el rostro de ella.

"Gracias", dijo Roxane Coss.

"Gracias", repitió él.

"¿Usted se encargará de él?" En ese momento el acompañante levantó la cabeza y trasladó algo de su peso a sus propios pies.

"Gracias", repitió el señor Hosokawa con ternura.

Otros hombres, hombres solos, en su mayoría meseros, todos deseaban haber sido el que le quitó de los hombros al gringo moribundo, y se adelantaron a ayudar al señor Hosokawa; entre todos se deslizaron hacia el lado izquierdo del salón con ese hombre maloliente cuya cabeza rubia se balanceaba como si tuviera el cuello partido. El señor Hosokawa se volvió a mirarla a ella, desolado al pensar que se quedaba sola. Podría haber pensado que ella lo estaba mirando, pero en realidad miraba al pianista, desplomado en brazos del señor Hosokawa. Una vez separados era mucho más fácil darse cuenta de lo mal que estaba.

Ahora, ante tantas despedidas apasionadas, el señor Hosokawa se sorprendió de repente al pensar que nunca se le había ocurrido siquiera traer a su esposa a este país. No le dijo que también ella había sido invitada. Le dijo que iba a una reunión de negocios, no a una fiesta de cumpleaños celebrada en su honor. El acuerdo tácito que tenían era que la señora Hosokawa se quedaba en casa con sus hijas. Nunca viajaban juntos. Ahora veía qué prudente era esa decisión. Había evitado a su esposa incomodidades y posibles daños. La había protegido. Y, sin embargo, no podía dejar de preguntarse cómo habría sido estar los dos juntos de pie allí, ahora. ¿Habrían sentido esa misma tristeza al recibir la orden de separarse?

Edith y Simon Thibault no dijeron nada durante un tiempo que pareció muy largo pero que en realidad no debía de haber llegado a un minuto. Después ella lo besó y él dijo: "Me alegro de pensar que estarás afuera". Podría haber dicho cualquier cosa, no tenía importancia. Él pensaba en los veinte años que habían vivido casados, años en los que él la había amado sin ningún tipo de verdadera comprensión. Ése sería ahora su castigo, por todo su tiempo perdido. Querida Edith. Ella se quitó la leve chalina de seda que llevaba, aunque a él se le había olvidado pedírsela. Era de un azul maravilloso, el azul de los platos de los reyes y del pecho de los pájaros de esta misma selva olvidada por Dios. Ella la arrugó hasta formar una bola increíblemente pequeña y la metió en el cuenco expectante de las manos unidas de él.

"No hagas ninguna tontería", dijo ella. Y como era la última cosa que ella le pedía, él juró no hacerlo.

En su mayor parte la separación de los rehenes transcurrió en forma civilizada. Ninguna pareja tuvo que ser distanciada mediante un arma. Cuando comprendieron que realmente se había acabado el tiempo, los hombres y las mujeres se separaron, como si estuviera a punto de empezar una danza complicada en la que tuvieran que unirse y separarse y cambiar, pasando la pareja a otro sólo para recibirla de vuelta en sus brazos.

Messner sacó de su billetera una pila de tarjetas de visita, le pasó una a cada uno de los generales, una a Gen y otra, con mucha consideración, al vicepresidente, y después dejó el resto sobre un plato encima de la mesita de café. "Aquí está el número de mi teléfono celular", dijo. "Es privado. Si quieren hablar conmigo, llamen a este número. Por el momento las líneas de esta casa continúan abiertas."

Todos examinaron las tarjetas con aire perplejo. Era como si los estuviera invitando a almorzar, como si no comprendiera la gravedad de la situación.

"Es posible que necesiten algo", dijo Messner. "Quizá quieran hablar con alguien afuera."

Gen se inclinó apenas. Para Messner debería haberse inclinado desde la cintura, a fin de mostrarle su respeto por venir a este sitio, por arriesgar su vida por las de ellos, pero sabía que nadie lo comprendería. Entonces el señor Hosokawa se acercó, tomó una tarjeta del plato y se inclinó profundamente, volviendo la cara hacia el piso.

Después de eso los generales Benjamín, Alfredo y Héctor fueron hacia los hombres y separaron del grupo a los trabajadores, los meseros, los cocineros y los intendentes, y los pusieron con las mujeres. Su intención final era liberar a los trabajadores a través de la revolución y no podían tenerlos como rehenes. Después preguntaron si había alguien seriamente enfermo e hicieron que Gen repitiera la pregunta varias veces. Cuando cabía suponer que todos los presentes alegarían un corazón débil, el grupo se mantuvo silencioso. Un puñado de hombres muy ancianos se adelantó arrastrando los pies y un elegante italiano mostró un brazalete de identificación y fue devuelto a los brazos de su mujer. Sólo un hombre mintió y su mentira no fue descubierta: el doctor Gómez explicó que sus riñones no funcionaban desde hacía años y que ya estaba atrasado para su diálisis. Su esposa, avergonzada, apartó la vista de él. El más enfermo de todos, el acompañante, parecía estar demasiado confuso como para presentarse él mismo y por lo tanto lo colocaron en una silla a un costado donde estuvieran seguros de no olvidarlo. Los sacerdotes también fueron autorizados a marcharse. Monseñor Rolland hizo la señal de la cruz sobre los que se quedaban, en un gesto encantador, y después se alejó, pero el padre Arguedas, que en realidad no tenía tareas urgentes que atender, pidió permiso para quedarse.

"¿Quedarse?", dijo el general Alfredo.

"Necesitarán un sacerdote", dijo él.

Alfredo sonrió apenas, y fue la primera vez. "Créame, es preferible irse."

"Si la gente se queda aquí hasta el domingo le hará falta alguien que diga misa."

"Rezaremos por nuestra cuenta."

"Con todo respeto, señor", dijo el sacerdote con los ojos bajos. "Yo me quedo."

Y la cuestión quedó cerrada. Monseñor Rolland no pudo hacer otra cosa que observar impotente la escena: ya estaba de pie junto a las mujeres y lo vergonzoso de su posición lo llenaba de una rabia asesina. Si hubiera podido habría ahogado a ese joven sacerdote con una sola mano, pero era demasiado tarde. Ya se había salvado.

El vicepresidente merecía un permiso médico pero ni siquiera se molestó en pedirlo. En cambio, afiebrado y sosteniendo junto a su cara una servilleta con hielo medio derretido, se le ordenó que saliera al jardín y fuera hasta el pesado portón de entrada para anunciar a la prensa la liberación. Escasamente tuvo un segundo con su propia esposa, una buena mujer que había hecho del bienestar de la carrera de él la tarea de su vida y que no dijo una sola palabra al verlo arrojar por la borda todo su trabajo. No tuvo un minuto con sus dos hijas, Imelda y Rosa, que habían sido tan buenas, todo el día acostadas de lado jugando entre ellas un complicado juego con los dedos que no había logrado reconocer. A Esmeralda no le dijo nada porque no había palabras con qué agradecerle. Estaba preocupado por ella. Si lo mataban a él ¿conservaría ella el empleo? Así lo esperaba. Tenía una espalda tan erguida y hermosa, y era muy paciente con los niños. Les había enseñado a pintar animalitos sobre pequeñas piedras y después con esas piedras construían mundos complicados. Había muchos de esos mundos arriba. Tarde o temprano él podría salir de allí y encontrarlos. Su esposa abrazaba al niño con tanta fuerza que él lloró por la presión de sus manos. Ella temía que quisieran quitárselo y ponerlo del lado de los hombres, pero

Rubén le acarició los dedos y la tranquilizó. "Nadie lo tomará en cuenta", le dijo. Besó a Marco en la cabeza, besó su sedoso cabello que olía profundamente a niño, y después fue hacia la puerta.

Él era un hombre mejor para la tarea que el presidente Masuda. El presidente era incapaz de decir algo si no lo tenía escrito. No era un hombre estúpido, pero le faltaba espontaneidad. Además tenía un temperamento excitable y un falso orgullo y no soportaría recibir la orden de levantarse e ir hasta la puerta y luego de regreso. Diría algo que no estaba en el libreto y se buscaría una bala, y eso podría conducir a que los mataran a todos. Por primera vez pensó que era mejor que Masuda se hubiera quedado en su casa viendo la telenovela porque así Rubén podía ser el hombre servicial, y al hacerlo podría salvar las vidas de su esposa y sus hijos con su linda niñera y la famosa Roxane Coss. De hecho, el trabajo específico que le habían encomendado en esta ocasión era más apropiado para los talentos de un vicepresidente. Messner salió y se reunió con él en los escalones del frente. El cielo se había nublado pero el aire era maravilloso. Los hombres que estaban al final del sendero bajaron sus armas y las mujeres salieron de la casa, con sus vestidos resplandecientes en la luz del fin de la tarde. Si no fuera por todos los policías y los fotógrafos, alguien que pasara podría haber pensado que se trataba de una fiesta en la que todas las parejas se habían peleado y las mujeres habían resuelto irse temprano y solas. Todas lloraban, y sus cabellos colgaban en nudos revueltos; tenían el maquillaje arruinado y se sostenían las largas faldas con los puños. La mayoría de ellas llevaba los zapatos en la mano o los había dejado atrás, y las medias se desgarraban sobre las piedras del sendero del jardín, aunque ninguna de ellas lo notó. Daba la impresión de que habían dejado atrás un barco que se hundía o un edificio en llamas. Cuanto más se alejaban de la casa más lloraban. Los pocos hombres, los sirvientes, los enfermos, salieron detrás de ellas, con aspecto de impotencia ante tanta tristeza de la que no eran responsables.

TRES

Una aclaración: todas las mujeres fueron puestas en libertad excepto una.

Estaba en algún punto de la mitad de la fila. Igual que todas las demás mujeres miraba hacia atrás, hacia la sala, y no hacia fuera por la puerta abierta, miraba hacia atrás, hacia el suelo donde había dormido como si no hubiera sido una noche, sino varios años. Miraba a los hombres que no saldrían y de los cuales no conocía a uno solo, con excepción del caballero japonés en cuyo honor se había celebrado la fiesta, y aunque no lo *conocía a él*, pero éste la había ayudado con el pianista; por eso ella lo buscó con los ojos y le sonrió. Los hombres agrupados pasaban el peso de un pie al otro, todos tristes y nerviosos al extremo del salón. El señor Hosokawa le regresó la sonrisa, un reconocimiento sencillo y digno con una inclinación de cabeza. Con excepción del señor Hosokawa, en ese momento los hombres no pensaban en Roxane Coss. Se habían olvidado de ella y de las mareantes alturas de sus arias. Miraban a sus esposas salir a la luz brillante de la tarde sabiendo que era probable que nunca las volvieran a ver. El amor que sentían se les subía a la garganta y les cortaba el aliento. Allá iban Edith Thibault, así como la esposa del vicepresidente y la bella Esmeralda.

Roxane Coss estaba muy cerca de la puerta, quizá a media docena de mujeres de distancia, cuando el general Héctor se adelantó y la tomó del brazo. No era un gesto particularmente agresivo. Podría sólo haber estado tratando de llevarla a algún lugar, quizá la quería a la cabeza de la hilera. "Espera", dijo, e hizo un gesto hacia la pared, donde ella debería quedarse de pie, sola, junto a un gran cuadro de Matisse que representaba duraznos y peras en un plato. Era una de las dos únicas obras de Matisse existentes en todo el país y había sido tomada en préstamo del museo de arte para la fiesta. Roxane, confusa, miró en ese momento hacia el traductor.

"Espera", le dijo Gen suavemente, en inglés, tratando de hacer que la única palabra sonara lo más benigna posible. Después de todo, *espera* no significaba que no saldría nunca, sólo que su salida se retrasaría.

Absorbió la palabra, pensó en ella por un momento. Todavía dudaba que eso fuera lo que significaba incluso cuando la oyó en inglés. De niña había esperado. En la escuela esperaba formada en las audiciones. Pero la verdad era que en los últimos años nadie le había pedido nunca que esperara. La gente la esperaba a ella. Ella no esperaba. Y todo esto, la fiesta de cumpleaños, el ridículo país, las armas, el peligro, la *espera* que todo eso implicaba, era una burla. Apartó bruscamente su brazo y la sacudida hizo que al general se le resbalaran los lentes de la nariz. "Mire", le dijo al general Héctor, decidida a no tolerar más la mano sobre su piel, "suficiente, es suficiente." Gen abrió la boca para traducir pero entonces lo pensó mejor. Además, ella seguía hablando. "Yo vine acá a hacer un trabajo, a cantar en una fiesta, y lo hice. Me ordenaron dormir en el suelo con todas estas personas que por alguna razón ustedes quieren tener encerradas, y también lo hice. Pero ahora se acabó." Señaló hacia la silla donde estaba encogido el acompañante. "Está enfermo, y yo debo estar con él", dijo, aunque esto se oyó como el menos convincente de sus argumentos. Caído hacia delante en su sillón, con los brazos colgando a los lados como banderas en un día sin viento, el pianista parecía más muerto que enfermo. No alzó la cabeza cuando ella habló. La fila había dejado de moverse, hasta las mujeres que estaban en libertad de irse se detuvieron ahora a mirarla, sin importar que tuvieran o no idea de lo que estaba diciendo. Fue en ese momento de incertidumbre, en la inevitable pausa que se produce antes de la traducción, cuando Roxane Coss vio el momento de su salida. Hizo un movimiento limpio hacia la puerta frontal, que estaba abierta, esperando. El general Héctor extendió la mano para agarrarla, pero el brazo se le escapó y la tomó firmemente del cabello. Semejante cabello hacía un blanco fácil de una mujer. Era como estar amarrada a varias cuerdas suaves.

Entonces ocurrieron tres cosas en rápida sucesión:

primero, Roxane Coss, soprano lírica, emitió un sonido agudo y claro proveniente de lo que parecía ser una combinación de sorpresa y verdadero dolor cuando el tirón le hizo doblar bruscamente el cuello hacia atrás; segundo, todos los invitados a la fiesta (con excepción del acompañante) dieron un paso adelante, mostrando con claridad que era el momento de la insurrección; tercero, todos los terroristas, de entre catorce y cuarenta y un años, amartillaron el arma que habían estado deteniendo y el gran clic metálico los inmovilizó a todos como una película detenida en un cuadro. Y todo el salón esperó, en suspenso, hasta que Roxane Coss, sin siquiera alisarse el vestido ni tocarse el cabello, se volvió para ir a pararse junto a una pintura que, la verdad sea dicha, era una obra menor.

Después de eso los generales se pusieron a discutir en voz baja entre ellos y hasta los soldaditos, los pequeños bandidos, se inclinaban tratando de oirlos. Juntas, las voces se hacían borrosas. Se oyó la palabra *mujer* y luego las palabras *nunca* y *acuerdo*. Y entonces uno de ellos dijo, en voz baja y confundida: "Podría cantar". Como tenían las cabezas juntas era imposible saber quién lo había dicho. Podrían haber sido todos ellos, todos nosotros.

Había peores razones para conservar a una persona como rehén. Uno siempre conserva a alguien por lo que ella o él vale para uno, porque puede cambiarlo por otra cosa, dinero o libertad, o bien alguien que uno, materialmente, quiere más. Cualquier persona puede ser una ficha de intercambio cuando se encuentra el modo de retenerla. De manera que retener a alguien por su canto, porque lo que se deseaba era el sonido de su voz ¿no era lo mismo? Sin oportunidad de conseguir lo que habían ido a buscar, los terroristas decidieron tomar otra cosa, algo que nunca habían sabido que querían hasta que estuvieron encogidos dentro de los ductos bajos y oscuros del aire acondicionado: la ópera. Decidieron tomar justo aquello para lo que vivía el señor Hosokawa.

Roxane esperó sola contra la pared junto a la brillante fruta que caía y lloró de frustración. Los generales empezaron a alzar sus voces mientras el resto de las mujeres y los sirvientes iban saliendo. Los hombres miraban encolerizados y los jóvenes terroristas mantenían sus armas levantadas. El pianista, que se había dormido un momento en su sillón, despertó apenas a tiempo para incorporarse y salió del salón con ayuda del personal de cocina, sin darse cuenta de que su compañera se quedaba atrás.

"Esto es mejor", dijo el general Benjamín, recorriendo un amplio círculo en el piso que antes había estado cubierto de rehenes. "Ahora se puede respirar."

Desde adentro podían oir que afuera los exrehenes eran recibidos con grandes aplausos y celebraciones. Al otro lado del muro del jardín se elevaron los flashes de las cámaras. En medio de la confusión, el pianista volvió a entrar por la puerta del frente, que nadie se había molestado en cerrar. La abrió con tanta fuerza que golpeó contra la pared y el metal de la cerradura dejó una marca en la madera. Le habrían disparado, pero lo conocían. "Roxane Coss no está afuera", dijo en sueco. Tenía la voz ronca y las consonantes quedaban atrapadas en sus dientes. "¡No está ahí afuera!"

Farfullaba el pianista en forma tan confusa que hasta Gen tardó un minuto en entender qué lengua hablaba. El sueco que él sabía provenía principalmente de las películas de Bergman. Lo había estudiado cuando estaba en la universidad, aparejando los subtítulos con los sonidos. En sueco sólo podía conversar sobre los temas más sombríos. "Está aquí", respondió Gen.

La furia pareció devolver la salud al acompañante y, por un instante, la sangre regresó a sus mejillas grises. "¡Han liberado a todas las mujeres!" Sacudía las manos en el aire como si estuviera espantando cuervos de una plantación de maíz, y sus labios que se azulaban con rapidez brillaban con la espuma de su saliva. Gen transmitió la información en español.

"Christopf, aquí", dijo Roxane, agitando una mano hacia él como si se hubieran separado por un ratito en una fiesta.

"¡Tómenme a mí en su lugar!", aulló el acompañante, al tiempo que las rodillas se le curvaban en forma peligrosa hacia otro colapso. Era un ofrecimiento deliciosamente pasado de moda, aunque en la habitación cada persona sabía que nadie lo quería a él y todos la querían a ella.

"Sáquenlo de aquí", dijo el general Alfredo.

Dos de los jóvenes se adelantaron, pero el acompañante, a quien nadie pensaba capaz de escapar en su estado de rápido y misterioso deterioro, pasó entre ellos con rapidez y se sentó bruscamente en el suelo al lado de Roxane Coss. Uno de los muchachos apuntó su arma hacia el centro de su gran cabeza rubia.

"No vayas a matarla a ella por accidente", dijo el general Alfredo.

"¡Qué está diciendo", gimió Roxane Coss.

Renuente, Gen se lo dijo.

Por accidente. Así es como algunos resultaban muertos en situaciones como ésta. Sin verdadera malicia, sólo una bala algunos centímetros fuera de lugar. Roxane Coss maldijo a todos los presentes en el salón, mientras contenía el aliento. Morir por la mala puntería de un terrorista mal calificado estaba lejos de su proyecto de vida. La enfermiza respiración del acompañante era rápida y superficial. Cerró los ojos y apoyó la cabeza en la pierna de ella. Ese último estallido de pasión había sido demasiado para él, y con la misma rapidez se quedó dormido.

"Por amor de Dios", dijo el general Benjamín, cometiendo uno de los mayores errores de una operación que no había sido sino una serie de éstos, "sólo déjenlo ahí."

Apenas acabó de decirlo el pianista cayó hacia delante vomitando una espuma color amarillo pálido. Roxane trataba de estirarle de nuevo las piernas, ahora sin que nadie la ayudara. "Por lo menos arrástrenlo de nuevo afuera", dijo con furia. "¿No se dan cuenta de que le pasa algo?" Cualquiera podía ver que al sueco le estaba pasando algo muy, muy grave. Tenía la piel húmeda y fría, del color de la carne de un pescado descompuesto.

Gen transmitió el pedido pero fue ignorado. "Si no hay presidente, una cantante de ópera", dijo el general Benjamín. "Muy mal cambio, si me lo preguntan."

"Ella vale más con el pianista", dijo el general Alfredo. "No podrías obtener ni un dólar por él."

"Nos la quedamos", dijo tranquilamente el general Héctor, y el tema de los cantantes de ópera se cerró. Héctor era el que menos hablaba, y sin embargo el más temido por todos los soldados. Hasta los otros dos generales lo trataban con cautela.

Todos los rehenes, incluso Gen, estaban al otro lado del salón respecto del sitio donde Roxane y su acompañante esperaban contra la pared. El padre Arguedas dijo una oración en silencio y después fue a ayudarla. Cuando el general Benjamín le dijo que regresara a su lado del salón él sonrió y asintió con la cabeza como si aquel sólo hubiera hecho una pequeña broma y, en ese sentido, no estuviera cometiendo algún pecado. El sacerdote estaba asombrado por el movimiento de su corazón, por el miedo que recorría sus piernas y las debilitaba. No era miedo a que le dispararan, por supuesto, él no creía que fueran a dispararle, y además, si lo hacían, bueno, pues así son las cosas. El miedo surgía del aroma de los diminutos lirios de forma de campana y de la cálida luz dorada del cabello de ella. Desde que tenía catorce años, cuando entregó su corazón a Cristo y dejó atrás todas esas inquietudes, no lo habían conmovido esas cosas. ¿Y por qué ahora, en medio de todo este miedo y confusión, con tantas vidas en peligro mortal, sentía la alegría salvaje de la buena suerte? ¡Qué inconcebible buena suerte! Que conociera a Ana Loya, prima de la esposa del vicepresidente, que ella hubiera hecho una solicitud tan extravagante en su nombre, que se lo hubieran concedido tan generosamente de modo que se le permitiera estar de pie al fondo del salón y escuchar, por primera vez en su vida, ópera viva, y cantada nada menos que por Roxane Coss, que era por unanimidad la mayor soprano de nuestra época. Para empezar, ya el hecho de que ella hubiera venido a este país habría sido suficiente. El honor que él habría sentido al acostarse en su estrecho catre en el sótano de la rectoría tan sólo por saber que por una noche ella estaba en la misma ciudad en que él vivía, habría sido un regalo milagroso. Pero que se le hubiera permitido verla y después, por obra del destino (que bien podía anunciar algo terrible, pero de todos modos era, como todo destino, *la voluntad de Dios,* Su voluntad), estar en el mismo sitio que ella, adelantándose para ayudarla en la difícil tarea de poner en orden los largos y flojos miembros de su acompañante, tan cerca como para oler el aroma de los lirios y ver cómo desaparecía la piel blanca y suave de ella en el escote de su vestido de color pistache. Podía ver que en la parte superior de la cabeza algunos pasadores permanecían en su lugar para que el cabello no le cayera en los ojos. Qué regalo, no podía verlo de otro modo. Porque él creía que semejante voz tenía que venir de Dios, y por lo tanto él ahora estaba de pie junto al amor de Dios.

Y las palpitaciones de su pecho y el temblor de sus manos eran simplemente adecuados. ¿Cómo podía su corazón no desbordar de amor al encontrarse tan cerca de Dios?

Ella le sonrió, una sonrisa bondadosa pero de acuerdo con las circunstancias. "¿Sabe usted por qué me retienen a mí?", susurró.

Al oir la voz de ella él sintió la primera oleada de desilusión. No de ella, es verdad, sino de sí mismo. Inglés. Todos le habían dicho que aprender inglés era muy importante. ¿Cómo era que decían los turistas? *Have a nice way?* ¿Pero qué tal si era una respuesta inapropiada? ¿Y si era insultante de alguna forma? Podía estarle pidiendo algo, película para su cámara, o información, o *dinero*. Rezó. Al final, con tristeza, dijo la única palabra de la que estaba seguro: "English".

"Ah", dijo ella, asintiendo con simpatía y volviendo de nuevo su atención a su trabajo.

Una vez que acomodaron al acompañante de manera que por lo menos parecía estar cómodo, el padre Arguedas sacó su propio pañuelo y el limpió pálido resplandor de vómito. Jamás pretendió tener algún conocimiento real de medicina, pero también era cierto que pasaba mucho tiempo visitando enfermos; el sacramento que le había tocado administrar con más frecuencia era el viático, y con esa experiencia podía decir que el hombre que había tocado el piano tan bonito parecía estar más cerca del viático que de la unción de los enfermos. "¿Es católico?", le preguntó a Roxane Coss tocando el pecho del acompañante.

Ella no tenía idea de si el hombre que tocaba el piano para ella tenía alguna relación con Dios, y mucho menos a través de qué Iglesia la manejaba. Alzó los hombros. Por lo menos hasta ahí podía comunicarse con este cura.

"¿Católica?", dijo él, llevado por su propia curiosidad, señalándola educadamente a ella.

"¿Yo?", dijo ella tocando el frente de su vestido. "Sí." Y después repitió en español: "Sí, católica", dos simples palabras, pero se sintió orgullosa de sí misma por contestar en español.

Él sonrió ante eso. Respecto del acompañante, si se estaba muriendo, si era católico, eran dos preguntas bastante trascendentales. En lo que concierne al descanso eterno del alma más vale errar exagerando la cautela. Si por error le administraba los últimos sacramentos a un judío que después se salvaba, no había hecho daño alguno más que tomarle un poco de tiempo, que en todo caso era el tiempo de un rehén político que además estaba inconsciente. Dio unas palmaditas en la mano de Roxane. ¡Era como la mano de un niño! Tan pálida y suave, y la parte superior redondeada. En un dedo llevaba una piedra de color verde oscuro del tamaño de un huevo de codorniz rodeada por un ardiente círculo de brillantes. Normalmente, cuando él veía a las mujeres llevar anillos como ése, deseaba que la convirtieran en ayuda para los pobres, pero hoy se sorprendió imaginando el placer de deslizar con suavidad semejante anillo en el dedo de ella. Estaba seguro de que ese pensamiento era inapropiado, y sintió una humedad nerviosa que se deslizaba por su frente. Y él sin pañuelo; se disculpó para ir a hablar con los generales.

"Aquel hombre allá", dijo el padre Arguedas en voz muy baja, "creo que se está muriendo."

"No se está muriendo", dijo el general Alfredo. "Está tratando de salir. Sólo finge que se está muriendo."

"No lo creo. El pulso, el color de la piel." Se volvió para mirar por encima del hombro, más allá del piano de cola y los enormes ramos de rosas y lirios arreglados para una fiesta que había terminado mucho antes, hacia el lugar donde el acompañante yacía a la orilla de la alfombra como algo grande y derramado. "Uno no puede fingir algunas cosas."

"Él eligió quedarse. Lo pusimos afuera de la puerta y él volvió a entrar. Ésas no son las acciones de un moribundo." El general Alfredo volvió la cabeza y se frotó la mano. Hacía diez años que había perdido esos dedos y todavía le dolían.

"Regrese a donde le dijeron que esperara", le dijo el general Benjamín al cura. Disfrutaba un respiro de falso alivio al ver que la mitad de la gente se había ido, como si se hubiera resuelto la mitad de sus problemas. Él sabía que era falso, pero quería un rato tranquilo para disfrutarlo. La sala parecía totalmente abierta.

"Quisiera un poco de aceite de la cocina para darle la extremaunción."

"Nada de cocina", dijo el general Benjamín, moviendo la cabeza, y encendió un cigarro sólo para ser grosero con el joven cura. Deseaba que éste y el pianista se hubieran ido cuando se les dijo. No debería permitirse que las personas decidieran si querían quedarse como rehenes. Él tenía muy poca experiencia en ser grosero con sacerdotes y necesitaba el cigarro para ayudarse. Sacudió el cerillo y lo dejó caer sobre la alfombra. Quería echar el humo con fuerza hacia delante pero no lo logró.

"Puedo hacerlo sin el aceite", dijo el padre Arguedas.

"Nada de extremaunción", dijo el general Alfredo. "No se está muriendo."

"Yo sólo pedía el aceite", dijo con respeto el sacerdote. "No pregunté sobre la extremaunción."

Los tres generales quisieron detenerlo, abofetearlo, ordenar a uno de los soldados que lo llevara de vuelta a su lugar con un arma contra la espalda, pero ninguno se sintió capaz de hacerlo. Era el poder de la Iglesia o bien el poder de la cantante de ópera inclinada sobre el hombre que ellos to maban por su amante. El padre Arguedas regresó junto a Roxane Coss y su acompañante. Ella le había abierto el cuello de la camisa y estaba escuchando su pecho. Su cabello se derramaba sobre el cuello y los hombros de él en una forma que hubiera emocionado intensamente al acompañante si hubiese estado consciente, pero ella no pudo despertarlo. Y tampoco el padre Arguedas, quien se arrodilló junto a él y empezó la oración de los últimos sacramentos. Quizá fuera más grandioso con los trajes y paramentos debidos, cuando había aceite para trabajar, con la belleza de las velas, pero una oración sencilla se sentía de alguna forma más cerca de Dios. Esperaba que el pianista fuera católico. Esperaba que su alma se fuera directo a los brazos abiertos de Cristo.

"Dios Padre de misericordia, a través de la muerte y la resurrección de su Hijo ha reconciliado al mundo con Él y ha enviado entre nosotros al Espíritu Santo para el perdón de los pecados; que Dios te dé perdón y paz a través del ministerio de la Iglesia." El Padre Arguedas sintió de pronto una intensa ternura hacia ese hombre, un impulso de amor que casi lo ahogaba. Él había tocado para ella. Había oído su voz día tras día y había cobrado forma por ella. Con gran sinceridad murmuró: "Yo te absuelvo de todos tus pecados", en la oreja blanca como un gis. Y de veras estaba perdonando al pianista por cualquier cosa que pudiera haber hecho, "en el nombre del Padre, y del Hijo y del Espíritu Santo."

"¿Los últimos sacramentos?", dijo Roxane Coss tomando la mano fría y húmeda de quien había trabajado incansablemente para ella. No conocía el idioma, pero los rituales del catolicismo eran fáciles de reconocer en cualquier parte. Eso no podía ser buena señal.

"A través de los santos misterios de nuestra redención, que Dios todopoderoso te libere de todos los castigos en esta vida y en la vida futura. Que te abra las puertas del paraíso y te dé la bienvenida a la alegría eterna."

Roxane Coss parecía atontada, como si el hipnotizador hubiera balanceado su reloj pero aún no hubiera chasqueado los dedos. "Era un muy buen pianista", dijo. Quería acompañar al sacerdote, pero en realidad ya no recordaba las oraciones. "Era puntual", agregó.

"Roguemos al Señor que venga a nuestro hermano con Su amor misericordioso y le conceda el alivio a través de esta santa unción." El padre Arguedas se tocó la lengua con el pulgar porque necesitaba algo mojado y no se le ocurrió nada más. Marcó la frente del pianista diciendo: "A través de esta santa unción, que el Señor en su amor y su misericordia te ayude con la gracia del Espíritu Santo".

Roxane podía ver a las monjas de pie, sobrepasando su estatura, mientras ella aprendía de memoria las oraciones. Podía ver los rosarios de palisandro que les colgaban de la cintura, podía oler el café en su aliento y un levísimo olor a sudor en la tela de sus hábitos, la hermana Joan, la hermana María José y la hermana Serena. Podía recordarlas a la perfección a cada una de ellas, pero ni una palabra de las oraciones. "A veces ordenábamos café y sandwiches después del ensayo", dijo, aunque el cura no podía entenderla y el acompañante ya no oía su voz. "Y entonces hablábamos un poco." Él le había hablado de su infancia. ¿Era de Suecia o de Noruega? Le hablaba del frío que hacía en invierno pero que él, nacido allí, nunca había notado realmente. Su madre no le permitía jugar ningún tipo de juego de pelota porque estaba muy preocupada por sus manos. No con todo lo que había gastado en clases de piano.

El padre Arguedas ungió las manos del acompañante, diciendo: "Que el Señor que te libera del pecado te salve y te levante".

Roxane tomó un pequeño mechón del cabello rubio y fino y lo sostuvo entre sus dedos. Se veía anémico. Se veía como parte de una persona que no iba a durar mucho en este mundo. La verdad es que ella odiaba un poquito al pianista. Durante meses habían trabajado juntos amigablemente. Él sabía su música. Tocaba con pasión pero nunca trataba de brillar más que ella; era callado y reservado y a ella eso le gustaba. Nunca trató de hacerlo hablar; nunca pensó en él lo suficiente como para preguntarse si ella debía hacerlo. Y entonces se resolvió que él la acompañara en este viaje, y apenas las ruedas del avión despegaron del suelo, el pianista le tomó la mano y le habló de la intolerable carga de amor con la que había estado viviendo. ¿No lo sabía ella? Todos esos días de estar cerca de ella, de oir su canto. Se inclinó sobre ella y trató de apoyar la oreja sobre su pecho pero ella lo apartó. Y así siguió, cada minuto de las dieciocho horas de vuelo. Y en la limusina que los condujo al hotel. Lloraba y suplicaba como una criatura. Le describió la ropa que había usado en cada uno de los ensayos. Afuera del automóvil iba pasando rápidamente un muro impenetrable de hojas y lianas. ¿Adónde estaba yendo? Él adelantó un dedo para tocar la falda de ella y ella lo apartó de manera brusca con el dorso de su mano.

Roxane inclinó la cabeza, cerró los ojos y juntó las manos apresando entre ellas esos cabellos. "Una oración puede ser sólo algo bonito", había dicho la hermana Joan. La hermana Joan era su preferida, joven y casi hermosa. Guardaba chocolate en su escritorio. "No siempre es lo que quieres, también puede ser lo que aprecias." La hermana Joan solía pedirle a Roxane que cantara para los niños antes de una reunión "Oh, María, hoy te coronamos de flores", aun en la muerte de un invierno en Chicago.

"Siempre quería que le hablara de Chicago. Yo crecí en Chicago", susurró ella. "Quería saber cómo era crecer cerca de un teatro de ópera. Dijo que ahora que estaba en Italia nunca podría irse. Dijo que ahora no podría soportar aquellos fríos inviernos del norte."

El padre Arguedas alzó los ojos hacia ella, desesperado por saber lo que estaba diciendo. ¿Era una confesión, una oración?

"A lo mejor fue algo que comió", dijo ella. "Una comida a la que era alérgico, es posible que estuviera enfermo cuando llegamos aquí." Ciertamente no era el hombre que ella había conocido.

Los tres estuvieron un momento en silencio, el acompañante con los ojos cerrados, la cantante y el sacerdote mirando hacia abajo esos ojos cerrados. Entonces algo se le ocurrió a Roxane Coss y sin vacilar metió la mano en uno de los bolsillos de él y sacó una cartera, un pañuelo y un tubo de mentas. Abrió la cartera, examinó el contenido y la dejó a un lado. Allí estaba el pasaporte: Suecia. Después metió las manos en los bolsillos del pantalón y a esa altura el padre Arguedas interrumpió sus oraciones para observarla. Ella encontró una aguja hipodérmica, usada y cubierta con su protección, y un frasquito de vidrio con tapa de hule, vacío salvo una gota o dos que se movían en el fondo: insulina. Se le había acabado la insulina. Ella le había asegurado que a medianoche estarían de regreso en el hotel, no había razón para llevar más que una dosis. Con dificultad se puso de pie, con la prueba irrefutable en las palmas de sus manos vueltas al revés. El padre Arguedas levantó la cabeza cuando ella corría hacia los generales. "¡Es diabético!", gritó, porque la palabra tenía que ser más o menos igual en todas las lenguas. Esos términos médicos venían del latín, el único tronco común que todos deberían entender. Ella volvió la cabeza hacia la pared de los hombres, donde todos estaban mirándola, como si se tratara de una noche más en la ópera y la función de hoy fuera la trágica muerte del pianista acompañante, *Il pianoforte triste*.

"Diabético", le dijo a Gen.

Gen, que había querido darle su oportunidad al sacerdote, ahora se adelantó y explicó lo que los generales, sin duda, debían de haber entendido sin el beneficio de la traducción: que el hombre estaba en un coma diabético, lo que significaba que ahí afuera había una medicina necesaria para salvarlo si todavía estaba vivo. Todos fueron a ver, y el general Benjamín dejó caer su cigarrillo en la chimenea de mármol suficientemente grande para que cupieran en ella tres niños de buen tamaño. De hecho, los tres hijos del vicepresidente se habían metido en ella después de que quitaron las cenizas y la limpiaron muy bien, jugando a que los cocinaban las brujas. El padre Arguedas había terminado con las oraciones formales y ahora permanecía arrodillado junto al acompañante, con las manos entrelazadas y la cabeza baja, rogando en silencio que el hombre encontrara consuelo y alegría en el amor de Dios, ahora que estaba muerto.

Al abrir los ojos el sacerdote vio que ya no estaba

solo con el pianista. Sonrió apenas hacia el grupo reunido. "¿Quién puede separarnos del amor de Cristo?", dijo a modo de explicación.

Al dejarse caer en el suelo Roxane Coss fue una visión hermosa, el chiffon verde pálido de su vestido se hinchaba como una nube de nuevas hojas de primavera en una ráfaga de viento de abril. Tomó en las suyas una de aquellas manos que tanto había cuidado la madre de él, una de las manos que ella había visto tocar las *Lieder* de Schumann, hora tras hora, sin cansarse. La mano ya estaba fría, y los colores de su cara, que desde horas antes parecían dudosos, ahora se tornaban rápidamente: amarillo alrededor de los ojos con un color lavanda pálido que se insinuaba junto a los labios. Tanto la corbata como los broches del frente de su camisa habían desaparecido, pero todavía vestía su levita negra y el chaleco blanco. Todavía estaba vestido para el espectáculo. Ella nunca había pensado, ni por un instante, que el hombre fuera malo. Y había sido un brillante pianista. Era sólo que no debía haber esperado a que estuvieran ambos encerrados en aquel avión para decirle lo que sentía por ella, y ahora que estaba muerto ni siquiera eso le molestaba.

Todos los hombres se habían apartado de su pared para ir hacia el otro lado del salón, donde estaban los demás, casi hombro con hombro con la banda de terroristas. Todos ellos habían tenido algún resentimiento contra el pianista, pensaban que tenía demasiada suerte al saber tocar el piano tan bien, y que era demasiado entrometido por la manera en que la había escudado del resto de ellos. Pero después de muerto todos sentían su pérdida. Después de todo había muerto por ella. Desde el otro lado del salón y en lenguas que ellos quizá no entendían, habían podido seguir la historia con claridad. Él nunca le había dicho que era diabético. Había preferido quedarse con ella antes que pedir la insulina que podría haberle salvado la vida. El pobre acompañante, buen amigo. Sin duda era uno de ellos.

"¡Ahora tenemos un muerto!", dijo el general Benjamín, levantando las manos. Su propia enfermedad se exacerbó ante este pensamiento y el dolor fue como mil agujas al rojo que cosían las terminaciones nerviosas de su cara.

"Como si nunca se hubiera muerto alguien", respondió tranquilamente el general Alfredo. Él mismo había estado cerca de morir más veces de las que recordaba: ¡casi lo mata una bala en el estómago! Y menos de seis meses después un disparo le voló dos dedos, y el año anterior una bala le atravesó el costado del cuello.

"No estamos aquí para matar a esta gente. Estamos aquí para agarrar el presidente y marcharnos."

"No hay presidente", le recordó Alfredo.

El general Héctor, que no confiaba en nadie, extendió la mano y apretó sus finos dedos sobre la yugular del muerto. "Tal vez deberíamos dispararle y poner el cuerpo afuera. Dejarles saber con quién están tratando."

El padre Arguedas, que había estado inmerso en sus oraciones, alzó la cabeza y miró fijamente a los generales. La idea de dispararle al amigo que acababa de morir hizo estremecer a todos los rehenes hispanoparlantes. Los que antes no sabían que Roxane Coss ignoraba el idioma se enteraron en ese momento porque ella permaneció en la misma posición, con la cabeza entre las manos y la falda en un círculo a su alrededor, mientras los generales hablaban de profanación.

Un alemán llamado Lothar Falken, que sabía español apenas como para tener una vaga idea de lo que estaba ocurriendo, se acercó a Gen por entre la gente y le pidió que tradujera.

"Dígales que no va a funcionar", le dijo. "La herida no sangrará. Ahora podrían dispararle a través de la cabeza y, sin embargo, en seguida se darían cuenta de que no murió del balazo." Lothar era el vicepresidente de Hoechst, una compañía farmacéutica, y muchos años antes había estudiado biología en la universidad. Se sentía particularmente mal en relación con esa muerte porque la insulina representaba la mayor parte de las ventas de la compañía. En realidad, ellos eran los principales fabricantes del medicamento en Alemania, en su oficina tenía insulina por todas partes, muestras gratis de insulina de todas clases esperando que las regalaran, refrigeradores llenos de interminables y cliqueantes frasquitos de vidrio que no había más que pedir. Él había venido a la fiesta porque pensó que si Nansei planeaba instalar en el país una fábrica de productos electrónicos, ellos también podían pensar en manufacturar allí. Y ahora estaba viendo a un hombre que había muerto por falta de insulina. Él no podía haberle salvado la vida, pero por lo menos podía ahorrarle la indignidad de que lo mataran otra vez.

Gen transmitió la información, tratando de escoger palabras que hicieran que toda la cosa sonara lo más horrible que se pudiera, puesto que tampoco él deseaba que le dispararan al pobre pianista.

El general Héctor alzó su arma y estuvo observando pensativamente por la mira. "Eso es ridículo", dijo.

En eso Roxane Coss alzó la vista. "¿A quién le va a disparar?", le preguntó a Gen.

"A nadie", le aseguró el intérprete.

Ella se pasó los dedos en línea recta por debajo de los ojos. "Bueno, no está limpiando esa arma. ¿Van a empezar a matarnos ahora?" Su voz sonaba cansada y práctica, como si ella también tuviera sus obligaciones y necesitara saber cómo estaban las cosas.

"Más vale que le diga la verdad", le susurró el vicepresidente a Gen, en español. "Si hay alguien puede detener esto, me parece que es ella."

No debería haber sido responsabilidad de Gen decidir qué era lo mejor para ella, qué decir o no decir. Él no la conocía. No tenía idea de cómo iba a tomar una cosa así. Pero en eso ella le tomó el tobillo tal como una persona que está de pie podría haber tomado el brazo de su interlocutor en una discusión, y él bajó la vista hacia esa mano famosa que sujetaba la pierna de su pantalón y se sintió confundido.

"¡Inglés!", dijo ella.

"Están considerando la posibilidad de dispararle", confesó Gen.

"Está muerto", dijo ella, por si alguien no se había dado cuenta. "¿Cómo se dice muerto en español? *Muerto.*"

"Difunto", dijo Gen.

"¡Difunto!" Ahora la voz de ella se deslizaba hacia los registros más altos. Se puso de pie. En algún momento había cometido el error de quitarse los zapatos, y en un salón lleno de hombres esa mujer pequeña parecía particularmente pequeña. Hasta el vicepresidente la sobrepasaba unos cuantos centímetros más. Pero cuando echó los hombros hacia atrás y levantó la cabeza, era como si quisiera crecer, como si en años de presentarse allá lejos en los escenarios hubiera aprendido a proyectar no sólo su voz sino toda su persona, y la rabia que sentía la elevó hasta que pareció sobrepasar a todos los demás. "Entiendan una cosa", le dijo a los generales. "Cualquier bala que vaya contra ese hombre tendrá que atravesarme a mí primero." Se sentía muy mal respecto al acompañante. Había solicitado que el encargado le consiguiera otro asiento pero el vuelo estaba lleno, y después había sido muy cruel con él, tratando de mantenerlo tranquilo.

Apuntó con el dedo a Gen quien, con mucha renuencia, les transmitió lo que había dicho.

Los hombres que los rodeaban como una galería lo aprobaron. ¡Qué amor! ¡Él había muerto por ella y ahora ella moriría por él!

"Han retenido a una sola mujer, estadunidense, y la única persona de la que ya había oído hablar cualquiera en el mundo, y si me matan a mí, entiendan bien esto, van a tener que... ¿está entendiéndome bien?", le dijo al traductor, "¡La auténtica ira de Dios caerá sobre ustedes y su gente!"

Aunque Gen tradujo todo, una traducción sencilla, palabra por palabra, todos los presentes en el salón entendieron lo que ella decía sin necesidad de él, del mismo modo que le habrían entendido si cantara a Puccini en italiano.

"Sáquenlo de aquí. Arrástrenlo a los escalones del frente si es necesario, pero dejen que la gente de ahí afuera lo mande a su casa entero." En la frente de Roxane Coss había aparecido una leve transpiración que la hacía resplandecer como Juana de Arco ante el fuego. Cuando terminó respiró hondo, llenando bien sus grandes pulmones, y volvió a sentarse. Dio la espalda a los generales y se inclinó hacia delante para apoyar la cabeza en el pecho de su acompañante. Reclinada en este pecho inmóvil recuperó la compostura. Se sorprendió de que su cuerpo le resultara tranquilizador y se preguntó si era sólo que podía gustarle ahora que estaba muerto. Una vez que se sintió de nuevo dueña de sí misma lo besó para reforzar su posición. Los labios de él estaban fríos y blandos sobre la resistencia dura de los dientes.

Desde algún sitio en medio de la multitud, el señor Hosokawa se adelantó, se llevó una mano al bolsillo y le extendió a ella su pañuelo, limpio y planchado. Era extraño, pensó, verse reducido a eso, tener tan poco que ofrecer, y sin embargo ella tomó su pañuelo como si fuera lo que más deseaba en el mundo y lo presionó bajo sus ojos.

"Vuelvan atrás, todos ustedes", dijo el general Benjamín, que no quería presenciar otro intercambio enternecedor. Fue y se sentó en uno de los grandes sillones de orejas colocados frente a la chimenea y encendió un cigarrillo. No había nada que hacer. No podía golpearla como habría querido, de seguro habría habido una insurrección en el salón y no estaba seguro de que los jóvenes miembros de su grupo no dispararan para defenderla. Lo que no entendía era por qué el mismo sentía tristeza por el acompañante. Alfredo tenía razón, no era como si ésta fuera la primera persona en morir. La mayor parte del tiempo le parecía que la mitad de las personas que conocía estaban muertas. La diferencia era que las personas que él conocía habían sido asesinadas, masacradas en una variedad de formas que le impedían dormir bien por la noche, y ese hombre, el acompañante, tan sólo se había muerto. De alguna manera las dos cosas no parecían ser lo mismo. Pensó en su hermano en la cárcel, su hermano que igual podía estar muerto, sentado día tras día en un hoyo frío y oscuro. Se preguntó si su hermano podría mantenerse con vida un poco más, quizá sólo un día o dos, hasta que respondieran a sus demandas y pudiera ser liberado. La muerte del acompañante lo preocupaba. La gente podía morirse, simplemente, si nadie les hacía caso a tiempo. Levantó los ojos de su cigarrillo. "Aléjense de aquí", dijo al grupo reunido, y con eso todos se alejaron. Hasta Roxane se levantó y dejó el cadáver tal como le dijeron. Ahora parecía cansada. El general ordenó a sus tropas que volvieran a sus posiciones; los invitados debían volver a sentarse y esperar.

Alfredo fue al teléfono y lo levantó, vacilante, como si no estuviera seguro de lo que iba a hacer. La guerra no debería incluir teléfonos celulares: hacían que todo pareciera menos serio. Metió la mano en uno de los muchos bolsillos de sus pantalones verdes de fajina, sacó una tarjeta de visita y llamó a Messner. Le dijo que había habido una enfermedad; no, una muerte, y que tenían que negociar la recuperación del cuerpo.

Sin el acompañante todo era diferente. Se podría pensar que debería decirse: *Sin los otros ciento diecisiete rehenes todo cambió,* o *ahora que los terroristas habían dicho que no los iban a matar todo pareció diferente.* Pero eso no era verdad. Lo que sentían era la pérdida del acompañante, incluso todos los hombres que muy poco antes habían enviado afuera a sus esposas y amantes y las habían visto salir en todo el esplendor de sus trajes de noche, pensaban en el muerto. Ninguno de ellos lo había conocido. Muchos suponían que era estadunidense. Ahí estaban ellos produciendo insulina con la mayor naturalidad mientras otro hombre se moría sin tenerla por quedarse junto a la mujer que amaba. Cada uno de ellos se preguntó si en su lugar habría hecho lo mismo y llegó a la conclusión de que lo más probable sería que no. El acompañante encarnaba cierta temeridad del amor que ellos no habían sentido desde su juventud. Lo que no entendían era que Roxane Coss, que ahora estaba sentada en un rincón de uno de los grandes sofás, llorando en silencio en el pañuelo del señor Hosokawa, nunca había estado enamorada de su acompañante, apenas lo había conocido más alla del ámbito profesional, y cuando él había tratado de expresar sus sentimientos por ella se convirtió en un tremendo error. Ese tipo de amor que ofrece su vida tan fácil, tan estúpidamente, siempre es un amor no correspondido. Simon Thibault jamás moriría en un gesto tonto por Edith. Por el contrario, usaría todos los recursos a su alcance, hasta los más cobardes, para asegurarse de que ambos pasaran sus vidas juntos. Pero sin tener la información necesaria nadie entendía lo que había ocurrido, y lo único que podían pensar era que el acompañante había sido un hombre mejor, más valiente, y que había amado de manera más plena de lo que ellos eran capaces de amar.

Todo había perdido su vigor. Los enormes arreglos de flores colocados por todo el salón ya se estaban marchitando. Una orilla café muy pequeña ornaba los pétalos de las rosas blancas. Las copas de champaña a medio beber que quedaban sobre mesas y mesitas estaban quietas y calientes. Los jóvenes guardias estaban tan exhaustos que algunos se dormían apoyados en la pared y se deslizaban al suelo sin despertar. Los invitados seguían en el salón, murmurando un poco pero en general silenciosos. Algunos se enrollaban en los sillones muy mullidos y dormían. No ponían a prueba la paciencia de sus guardianes. Tomaban cojines de los sofás y se estiraban en el suelo en formas que recordaban la noche anterior pero mejoradas. Sabían que debían permanecer en el salón, permanecer lo más posible en silencio y evitar los movimientos bruscos. A ninguno se le ocurrió escurrirse por la ventana del baño cuando iban solos, quizá en virtud de algún tácito acuerdo de caballeros. Se había mostrado cierto respeto forzado por el cuerpo del acompañante, *su* acompañante, y ahora ellos debían tratar de vivir a la altura de las normas que él había establecido.

Apenas entró, Messner pidió ver a Roxane Coss. Ahora los labios de él parecían más finos, más severos, y sin darse cuenta habló en alemán. Gen se levantó pesadamente de su sillón y fue a traducirles lo que estaba diciendo. Los generales señalaban a la mujer en el sofá, con el rostro todavía hundido en el pañuelo.

"Y ella va a salir ahora", dijo Messner, y no era una pregunta.

"¿Viene el presidente?", preguntó el general Alfredo.

"Ustedes tienen que permitirle que regrese a su país con el cuerpo." No era el mismo Messner que habían visto antes. La vista de un salón lleno de rehenes obligados a acostarse en el suelo, el vicepresidente golpeado, los muchachos con sus armas, todo eso le había causado sólo cansancio, pero ahora estaba enojado. Enojado sin nada más que una pequeña cruz roja sujeta en el antebrazo para protegerse de un salón lleno de fusiles.

Su enojo pareció inspirar una paciencia extraordinaria a los generales. "A los muertos", dijo el general Héctor, "les da igual quién va sentado al lado."

"Usted dijo *todas* las mujeres."

"Nosotros entramos por los ductos del aire acondicionado", dijo el general Benjamín, y después de una pausa agregó una frase descriptiva: "como topos."

"Necesito saber si puedo confiar en ustedes", dijo Messner. Gen sólo deseaba ser capaz de parodiar el peso de su voz, el modo en que cada una de sus palabras resonaba como una baqueta contra un tambor. "Si usted me dice algo ¿debo creerle o no?"

"Dejamos en libertad a los trabajadores, a los enfermos y a todas las mujeres menos una. Tal vez ésta tiene algo que a ustedes les interesa. Tal vez si hubiésemos retenido a otra a ustedes no les importaría tanto."

"¿Debo creerle o no?"

El general Benjamín pensó en el asunto por un momento. Alzó la mano como para abofetearlo pero lo pensó mejor. "Usted y yo no estamos del mismo lado."

"Los suizos nunca están de ningún lado", dijo Messner. "Sólo estamos del lado de los suizos."

Ninguno de los generales tenía nada más que decirle a Messner, quien no necesitó confirmación de que el pianista que yacía a sus pies estaba, en efecto, muerto. El sacerdote había cubierto el cadáver con un mantel y éste permanecía en su lugar. Messner salió por la puerta sin más frases ingeniosas y regresó una hora más tarde con un ayudante. Entre los dos traían una camilla rodante de ambulancia, cubierta de cajas y bolsas, y después de descargarlas, Messner y su ayudante bajaron la camilla y trataron de subir al pianista, un hombre grande y robusto. Finalmente varios de los terroristas más jóvenes tuvieron que ayudarlos. La muerte había aumentado la densidad del cuerpo, como si cada uno de los recitales, y la práctica interminable de cada día, hubieran vuelto en esos momentos finales para equilibrarse como barras de plomo sobre su pecho. Una vez en su sitio y asegurado con correas, las finas manos colgando por debajo del mantel deshilado, se lo llevaron. Roxane Coss desvió la cabeza como para estudiar los cojines del sofá. El señor Hosokawa se preguntó si estaría pensando en Brunilda, si estaba deseando tener un caballo que la llevara al fuego tras el cadáver de su amado.

"Creo que no deberían haber traído la comida así", dijo el vicepresidente al desconocido sentado a su lado, a pesar de que estaba hambriento y sentía curiosidad por ver qué había en las bolsas. "Creo que deberían haber hecho dos viajes diferentes, por respeto." La luz del atardecer entraba inclinada por los altos ventanales del salón, marcando en el piso gruesas pinceladas de oro. Era un salón muy bello, pensó Rubén, y una hermosa hora del día para estar en ese salón. Él rara vez estaba en su casa antes de que oscureciera y con frecuencia no estaba en la casa para nada, andaba de viaje en representación del presidente. El hielo de la toalla se había derretido casi por completo y la manga de su camisa de etiqueta almidonada estaba empapada por el agua que se había deslizado por su brazo. Sin embargo, sentía bien la toalla fría y húmeda sobre su rostro inflamado. Se preguntó dónde dormirían su mujer y sus hijos esa noche, si el presidente y su esposa los invitarían a su residencia como gesto publicitario o si irían a un cuarto bien protegido en un hotel. Esperaba que su mujer fuera a la casa de su prima Ana; ella por lo menos la consolaría, por lo menos haría cosas para divertir a los niños y escucharía a las niñas contar cómo habían sido secuestradas. Tendrían que dormir las dos juntas en camas extra y sofás-cama, pero estaba bien. Sería mejor que la gélida suite para invitados de los Masuda, donde de seguro mandarían a Esmeralda a dormir con los sirvientes.

Al otro lado del salón, cerca de los grandes ventanales, Gen y el señor Hosokawa estaban sentados lejos del resto de sus compatriotas. Era una forma complicada de cortesía en la que los otros hombres no se unirían a ellos a menos que los invitaran. Aun en esas circunstancias inesperadas, el orden social se mantenía firme. El señor Hosokawa no estaba de humor para compañía. "Era un magnífico acompañante", le dijo a Gen. "Y he oído a muchos de ellos." De todos los hombres presentes, el señor Hosokawa era el único que todavía llevaba su saco y su corbata, y de alguna manera su traje permanecía notablemente libre de arrugas.

"¿Quiere usted que se lo diga a ella?"

"¿Qué cosa?"

"Lo del acompañante", dijo Gen.

El señor Hosokawa miró a Roxane Coss, cuyo rostro continuaba oculto tras la cortina de su propio cabello. Aun cuando había hombres sentados en el mismo sofá que ella, estaba sola. El sacerdote estaba cerca de ella pero no con ella. Tenía los ojos cerrados y sus labios formaban pequeñas, palabras de oración. "Oh, estoy seguro de que lo sabe." Y después añadió dudoso: "Estoy seguro de que todos se lo dijeron."

Gen no insistió en el punto. Esperó. No era su papel dar consejos al señor Hosokawa. Sabía que el secreto era esperar y dejarlo llegar a sus propias conclusiones.

"Si no parece molestarla", dijo el señor Hosokawa,

"quizá usted podría darle mis condolencias. Dígale que he pensado que su acompañante era un hombre valiente y talentoso." Miró a Gen directamente, cosa que no era común entre ellos.

"¿Y si fuera yo el responsable de esta muerte?", añadió.

"¿Cómo es eso?"

"Era mi cumpleaños. Ellos vinieron aquí por mí."

"Ellos vinieron a trabajar", dijo Gen. "A usted no lo conocen."

Al día siguiente de su cumpleaños número cincuenta y tres, el señor Hosokawa se veía, de pronto, viejo. Había cometido un error al aceptar semejante regalo, y ahora parecía estar quitándole años de su vida. "Dígale, sin embargo, que... dígale que lo lamento mucho."

Gen asintió, se puso de pie y atravesó el salón. Era un salón enorme. Aun sin contar el gran vestíbulo de entrada en un extremo y el comedor al otro, la sala era cavernosa, con tres áreas separadas arregladas con sofás y sillones, salas dentro de la sala. Los muebles habían sido colocados contra las paredes para el recital y después los habían movido poco a poco de nuevo hacia configuraciones irregulares a medida que los invitados que quedaban se ponían cómodos. Si hubiera habido un mostrador de recepción se hubiera parecido mucho al lobby de un gran hotel. Si hubiera habido un pianista, pensó Gen, pero ahí se detuvo. Roxane Coss estaba sola, pero detrás de ella, no muy lejos, estaba de pie un joven terrorista, sostenía su rifle muy cerca del pecho. Gen había visto antes a ese muchacho: era el que había tomado la mano de Roxane Coss cuando apenas se habían acostado en el suelo. ¿Por qué recordaba que era éste cuando todos los demás se le confundían en una masa indistinta? Tenía que ver con su rostro, que era delicado, inteligente de alguna manera, y lo colocaba aparte. Gen se sintió incómodo por haber notado eso. En ese momento el muchacho alzó los ojos del suelo y vio a Gen mirándolo: se vieron por un instante y después los dos desviaron la vista rápidamente al mismo tiempo. Gen tuvo una sensación rara en el estómago, y se le hizo más fácil hablar con Roxane Coss: no lo intimidaba de la forma en que lo hacía el muchacho.

"Discúlpeme", dijo a la cantante, apartando de su mente al muchacho. Gen jamás se habría acercado a ella espontáneamente: jamás habría hallado valor para expresar sus propias simpatías y remordimientos, del mismo modo que el señor Hosokawa no habría tenido el valor de hablarle aun cuando su inglés hubiera sido perfecto. Pero juntos se movían por el mundo con gran facilidad, dos pequeñas mitades de valor que formaban un todo valiente.

"Gen", dijo ella. Sonrió triste, con los ojos todavía húmedos y rojos, se desplazó en el sillón y tomó su mano. De todas las personas presentes en el salón, su nombre era el único del que estaba segura y la consolaba decirlo en voz alta. "Gen, gracias por lo de antes, por detenerlos."

"Yo no detuve a nadie." Sacudió la cabeza. Se sorprendió al oír su nombre salir de su boca. Se sorprendió de cómo sonaba. Se sorprendió ante el contacto de su mano.

"Bueno, no habría tenido ningún sentido si usted no hubiera estado allí para decirles qué estaba diciendo yo. Habría sido sólo otra mujer gritando."

"Usted puso las cosas muy en claro."

"Cuando pienso que querían dispararle", dijo ella soltando la mano de él.

"Me alegro", dijo Gen y ahí se detuvo, tratando de recordar de qué podía alegrarse. "Me alegro de que su amigo tenga alguna paz. Estoy seguro de que pronto lo mandarán a su casa."

"Sí", dijo ella.

Gen y Roxane se imaginaron al pianista viajando de regreso, como si fuera sentado junto a la ventanilla de un avión, mirando afuera hacia las nubes que se amontonaban sobre el país anfitrión.

"Mi jefe, el señor Hosokawa, me pide ofrecerle sus condolencias. Me pidió que le dijera que su acompañante era muy talentoso. Para nosotros fue un honor escucharlo."

Ella asintió. "Tiene razón ¿sabe usted? Christopf era muy bueno. Creo que la gente no se fija con frecuencia en los acompañantes. Es muy amable al decirlo. Su jefe." Alzó la mano abierta hacia Gen. "Me dio su pañuelo." Era una pequeña banderita blanca arrugada en su mano. "Me temo que se lo he arruinado. Me imagino que no querrá que se lo regrese."

"Por supuesto quiere que usted se quede con él."

"Dígame de nuevo su nombre."

"Ho-so-ka-wa."

"Hosokawa", dijo ella asintiendo. "Era su cumpleaños."

"Sí. Eso también lo hace sentir muy triste. Tiene un gran sentido de la responsabilidad."

"¿Porque era su cumpleaños?"

"Porque usted y su amigo vinieron a tocar para él. Siente que usted está atrapada aquí por causa de él, y que quizá su amigo..." de nuevo Gen se detuvo. No tenía sentido ser tan explícito. Tan de cerca el rostro de ella parecía muy joven, casi como de una niña, con sus ojos claros y el cabello largo. Pero él sabía que ella tenía por lo menos diez años más que él, debía de estar acercándose a los cuarenta.

"Dígale de mi parte al señor Hosokawa...", dijo ella, y se detuvo para sujetarse algo de cabello que se le venía a la cara. "¡Qué diablos! No estoy tan ocupada como para no decírselo yo misma. ¿No habla inglés? Bueno, usted traducirá. Usted es el único de nosotros aquí que tiene trabajo. ¿Hay alguna lengua que no hable?"

Gen sonrió ante el mero pensamiento de algo así, la larga lista de las lenguas que no hablaba. "No sé una palabra de la mayoría de ellas", dijo. Se incorporó y Roxane Coss apoyó la mano en su brazo para atravesar la sala, como si estuviera por desmayarse. Era posible. Había tenido un día muy difícil. Por todo el salón los hombres alzaron la cabeza e interrumpieron sus conversaciones para observarlos, el joven y alto traductor japonés navegando por el amplio espacio del salón con la soprano tomada de su brazo. Qué extraño y agradable era ver la mano de ella apoyada en su manga, los dedos pálidos llegando casi al puño.

Cuando el señor Hosokawa, que había estado tratando de ver hacia otro lado, se dio cuenta de que Gen estaba llevando a Roxane Coss hacia él, sintió una oleada profunda de calor intenso que subía desde el cuello de su camisa y se puso de pie para esperar su llegada.

"Señor Hosokawa", dijo Roxane y le extendió la mano.

"Señorita Coss", dijo él y se inclinó.

Roxane se sentó en una silla y el señor Hosokawa en otra. Gen acercó una tercera, más pequeña, y esperó.

"Gen me dijo que de alguna manera usted se siente responsable de esto", dijo ella.

El señor Hosokawa asintió. Le habló con gran honestidad, como lo hacen dos personas que se conocen de toda la vida. Pero ¿qué es una vida? ¿Esta tarde? ¿Esta noche? Los secuestradores habían alterado los relojes y nadie sabía ya nada sobre el tiempo. Por esta vez era mejor ser incorrecto y sincero, porque el peso de la culpa era una cuerda que se estrechaba alrededor de su garganta. Le dijo que había declinado muchas invitaciones del país anfitrión y que finalmente había aceptado venir cuando le dijeron que ella estaría allí. Le dijo que jamás había tenido planes de ayudar a ese país. Le dijo que era un gran admirador de su voz y nombró las ciudades en que la había visto. Le dijo que él debía de ser, en alguna medida, responsable de la muerte de su acompañante.

"No", dijo ella. "No. Yo canto en tantos lugares... Es muy raro que cante en una fiesta privada como ésta. Para decirle la verdad, la mayoría de las personas no tiene el dinero necesario, pero ya lo he hecho antes. No vine aquí por su cumpleaños. Con todo respeto, ni siquiera sabía de quién era cumpleaños. Y, además, por lo que entiendo esta gente no lo quiere siquiera a usted, quería al presidente."

"Pero fui yo el que echó a andar todo este asunto", dijo el señor Hosokawa.

"¿O yo?", dijo ella. "Pensé en negarme. Me negué varias veces hasta que me ofrecieron mucho más dinero." Se inclinó hacia delante y, cuando lo hizo, Gen y el señor Hosokawa también bajaron la cabeza. "No me entiendan mal. Soy muy capaz de echarle la culpa a alguien, y esta historia, si es que los hay, es de culpables. Pero no lo culpo a usted."

Si en ese momento los miembros de LFDMS hubieran abierto todas las puertas, arrojado sus armas al suelo y ordenado a todos que se marcharan, el señor Hosokawa no habría experimentado un sentimiento de alivio mayor que el que sintió al saber que Roxane Coss lo perdonaba.

Varios de los soldados vinieron con las bolsas que Messner había traído en la camilla del pianista y distribuyeron sandwiches y latas de refresco, trozos envueltos de pastel oscuro y agua embotellada. Por lo menos la comida parecía ser abundante y cuando tomaban un sandwich cada uno, el muchacho sacudía la bolsa, instándolos sin palabras a que se sirvieran más. O tal vez simplemente había más para ellos porque estaban sentados junto a Roxane Coss.

"Parece que me quedaré a cenar", dijo ella deshaciendo el envoltorio como si fuera un regalo. Entre dos gruesas rebanadas de pan había un trozo de carne color naranja-rojizo por la salsa y los chiles aguados. Su jugo goteó hacia el papel que ella había extendido sobre su regazo. Los dos hombres esperaron a que ella empezara, pero no tuvieron que esperar mucho: comía como si estuviera muriéndose de hambre. "Hay gente que ya quisiera tener una foto de esto", dijo levantando el sandwich. "Suelo ser muy especial con la comida."

"Todos hacemos excepciones en tiempos extraordinarios", dijo el señor Hosokawa, y Gen lo tradujo. Le agradaba verla comer, se alegraba de que el dolor no la abrumara en forma tal que pudiera poner en peligro su salud.

En cuanto a Gen, el grasoso pedazo de carne (¿de qué animal?) entre trozos de pan manchado lo hizo detenerse a considerar cuánta hambre tenía en realidad. Tenía hambre. Desvió la vista de Roxane Coss y el señor Hosokawa, temeroso de la grasa color naranja en sus labios. Pero antes que tuviera oportunidad de comer siquiera la mitad de su sandwich uno de los muchachos con gorra de beisbolista vino por él. Apenas empezaban a diferenciarse, esos muchachos. Éste llevaba una gorra con un botón con la imagen del Che Guevara, otro tenía un cuchillo sobre el pecho, otro más tenía un escapulario barato del Sagrado Corazón amarrado muy alto al cuello con un hilo. Algunos de los muchachos eran muy grandes o muy pequeños, algunos tenían pelos dispersos que les brotaban en el mentón, otros tenían acné. La cara del muchacho que Gen había visto con Roxane recordaba la de una virgen de finos huesos. El que vino a buscarlo ahora le dijo, en un español tan rudimentario que había que esforzarse por entender, que los generales querían verlo ahora.

"Discúlpenme", dijo en inglés y en japonés, envolviendo lo que quedaba de su almuerzo y colocándolo discretamente debajo de una silla con la esperanza de encontrarlo ahí al regresar. Deseaba sobre todo el pastel.

El general Héctor tomaba notas con lápiz en una libreta amarilla. Era muy meticuloso con su escritura.

"¿Nombre?", preguntó el general Alfredo a un hombre sentado en una otomana roja cerca de la chimenea.

"Óscar Mendoza." El hombre sacó su pañuelo del bolsillo y se limpió la boca. Estaba terminando un trozo de pastel.

"¿Alguna identificación?"

El señor Mendoza sacó su cartera y encontró su licencia de conducir, una tarjeta de crédito, retratos de sus cinco hijas. El general Héctor copió la información. Escribió su dirección. El general Benjamín tomó las fotografías y las examinó. "¿Ocupación?", dijo.

"Contratista." Al señor Mendoza le molestaba que tuvieran su dirección. Vivía a sólo ocho kilómetros de allí. Había planeado presentar su propuesta para la construcción de la fábrica que, le habían dicho, el señor Hosokawa iba a construir para impulsar el desarrollo del país. Y en cambio había dormido sobre el suelo, y se había despedido de su esposa y su hilera de hijas hasta quién sabe cuándo, y todavía tenía que considerar la posibilidad de que lo mataran.

"¿Su salud?"

El señor Mendoza se encogió de hombros. "Bastante buena, supongo. Estoy aquí."

"¿Pero no sabe?", dijo el general Benjamín, tratando de recordar el tono que el médico había empleado con él años atrás, cuando había ido a la ciudad para que le examinaran las lesiones del herpes. "¿No sufre de nada?"

El señor Mendoza lo miró como si le hubiera preguntado sobre el funcionamiento de su reloj de pulsera. "No lo sabría."

Gen se acercó a ellos por detrás y esperó mientras hacían otras preguntas, todas ellas notables únicamente por la inutilidad de las respuestas que generaron. Trataban de deshacerse de más rehenes, de averiguar quién más podía estar en riesgo de morir. La muerte del acompañante los había puesto nerviosos. La multitud de afuera, que se había calmado por un rato, empezó a mugir de nuevo al divisar el cuerpo cubierto con el mantel blanco, gritando: "¡A-se-si-nos! ¡A-se-si-nos!". De la calle llegaba una andanada constante de mensajes y demandas a través del megáfono. El teléfono sonaba y sonaba y sonaba con llamadas de aspirantes a negociadores. Muy pronto sería indispensable que los terroristas pudieran dormir. Los generales discutían en una especie de sinsentido taquigráfico que Gen no podía seguir. El general Héctor terminó la discusión sacando su pistola y disparando contra el reloj sobre la repisa de la chimenea. Había demasiada gente que vigilar, incluso después de haber reducido la multitud a la mitad. Iban de un hombre a otro preguntando y anotando las respuestas y los nombres. Gen ayudaba con los que no sabían suficiente español. De todos modos, ahora las esperanzas estaban depositadas en los extranjeros. En los gobiernos extranjeros dispuestos a pagar rescates extranjeros. Los generales enfrentaban la necesidad de repensar su misión fracasada. Si no podían tener al presidente, todavía tenían que poder conseguir algo por sus esfuerzos. Planearon hablar con cada uno de los rehenes presentes, evaluarlos y ordenarlos para ver cuál les resultaría más útil para sacar a camaradas de las prisiones de alta seguridad, o para conseguir dinero para la causa. Pero en el proceso de selección faltaba ciencia. Al ser interrogados, los invitados minimizaban su propia importancia.

"No, yo no soy exactamente el que dirige la compañía."

"No soy más que un miembro, entre muchos, de la junta directiva."

"Este puesto diplomático no es lo que parece. Me lo arregló mi cuñado."

Nadie mentía en realidad, pero todos achataban la verdad. El hecho de que tomaran notas los ponía nerviosos.

"Toda esta información será verificada por nuestros compañeros del exterior", Alfredo repetía una y otra vez, y Gen lo traducía al francés y al alemán, al griego y al portugués, cuidando de decir siempre *sus* compañeros afuera, cosa que un traductor jamás debería hacer.

En mitad de una entrevista con un danés que supuestamente era uno de los potenciales propulsores del inexistente proyecto Nansei, el general Benjamín, con la parte superior del rostro en llamas, se volvió hacia Gen. "¿Cómo llegó usted a ser tan listo?", le dijo en tono acusatorio, como si hubiera un depósito de saber oculto en algún lugar de la casa, que Gen se estaba guardando todo para sí mismo.

Gen no se sentía listo sino cansado. Y hambriento. El sueño le cantaba canciones de cuna. Recordaba con nostalgia el resto de su sandwich. "¿Cómo, señor?", exclamó. Podía ver al señor Hosokawa y a Roxane Coss sentados juntos en silencio, incapaces de hablar porque su traductor estaba ocupado con las maniobras activas los terroristas.

"¿Dónde aprendió tantos idiomas?"

Gen no tenía interés en contar su historia. ¿Estaría todavía su sandwich debajo de la silla? ¿Y el pastel? Se preguntaba si ellos calificarían para ser liberados, y sintió una triste resignación al comprender que no. "Universidad", dijo simplemente, y volvió los ojos hacia el hombre que estaban interrogando.

Cuando hicieron sus listas de los que se quedaban y los que se iban, Gen debería haber estado en el primer lugar de los que se iban: no valía dinero ni tenía importancia. Era un empleado, un trabajador, igual a los que habían rebanado las cebollas para la cena. Pero cuando hicieron las listas su nombre no aparecía en ninguna parte: de alguna manera estaba por debajo de sus pensamientos. De todos modos no se habría ido sin el señor Hosokawa. Habría elegido quedarse, como ese joven sacerdote, pero a cualquiera le gusta que le pregunten. Una vez que se completaron las entrevistas y se tomaron las decisiones finales ya era de noche, y alrededor de toda la habitación se encendieron las lámparas. Asignaron a Gen la tarea de hacer copias de las listas: de alguna manera se había convertido en el secretario de todo el asunto.

Al final, contando al traductor (él agregó su propio nombre), se decidió que se quedarían con treinta y nueve rehenes. Pero el número final fue de cuarenta porque el padre Arguedas, otra vez, se negó a marcharse. Con quince soldados y tres generales, daba casi la proporción de dos rehenes por cada captor que habían considerado razonable. Pensando que en el plan original dieciocho terroristas debían apresar a un solo presidente, el nuevo cálculo correspondía a lo que, en su opinión, podían manejar razonablemente. Lo que deseaban, lo que hubiera sido mejor, era realizar la liberación de los extras en forma muy lenta, conservarlos una semana más y después ir dejándolos salir de a poco, unos cuantos aquí y otros allá, a cambio de las demandas que se fueran cumpliendo. Pero los terroristas estaban cansados, y los rehenes tenían quejas y necesidades y alcanzaron el peso de un salón lleno de niños inquietos que necesitaban que los calmaran, así como atención y entretenimiento. Ya querían que se fueran.

El vicepresidente no pudo evitarlo. Se puso a recoger vasos, que iba colocando en una gran bandeja de plata que, sabía, guardaba la doncella en la cómoda del comedor. Cuando fue a la cocina lo siguieron pero no lo detuvieron, y él se tomó un minuto para apoyar la mejilla contra la puerta del congelador. Regresó al salón con una bolsa de basura de plástico verde oscuro y empezó a recoger las envolturas de los sandwiches. En los papeles no quedaba ni una miga de pan, apenas manchitas de aceite color naranja. Todos habían estado hambrientos. Recogió latas de refresco de las mesas y la alfombra, a pesar de que técnicamente ni las mesas ni la alfombra le pertenecían. Había sido feliz en esa casa. Siempre había sido un lugar muy alegre cuando llegaba de regreso, sus hijos reían, corrían por las salas con sus amigos; las lindas mucamas indígenas que enceraban los pisos a mano y de rodillas a pesar de que había una pulidora eléctrica en el armario de las escobas; el aroma del perfume de su esposa cuando se sentaba ante su tocador a cepillarse el cabello. Era su hogar. Tenía que hacer un intento para regresarlo a su aspecto familiar y hacer que las cosas fueran soportables.

"¿Está cómodo?", preguntaba a sus invitados mientras recogía algunas migajas blandas en la palma de su mano. "¿Lo está resistiendo bien?" Habría querido empujar sus zapatos debajo de los sofás, habría querido tomar el sillón de seda azul y llevarlo al otro lado del salón donde era su lugar, pero el decoro lo prohibía.

Hizo otro viaje a la cocina en busca de un trapo húmedo, con la esperanza de limpiar algo que parecía jugo de uva de los apretados nudos de la alfombra Savonnière. En el extremo del salón vio a la cantante de ópera sentada junto al japonés que había cumplido años ayer. Era cómico, con el dolor de cabeza que tenía no podía recordar sus nombres. Se inclinaban uno hacia el otro y de vez en cuando ella reía y el asentía con la cabeza, sonriendo. ¿Era el marido de ella quien acababa de morir? El japonés tarareaba algo y ella escuchaba, y después, en voz muy baja, se lo cantaba a él. Qué sonido tan dulce. Por sobre el constante estruendo de los mensajes que entraban por las ventanas era difícil saber qué cantaba ella: él sólo podía oir las notas, la resonancia clara de su voz, como cuando él era niño y corría colina abajo detrás del convento y por unos instantes podía oir el canto de las monjas, ¡y cómo era mejor así!, pasar corriendo en lugar de detenerse a esperar y escuchar. Mientras corría, la música entraba volando en él, se convertía en el viento que impulsaba su cabello hacia atrás y en el golpeteo de sus propios pies sobre el pavimento. Y ahora, al oirla cantar así, suavemente, mientras él frotaba la alfombra, era igual. Era como oir a un pájaro responderle a otro cuando sólo puede oirse la respuesta y no la melancólica llamada original.

Cuando lo llamaron de nuevo, Messner vino inmediatamente. Rubén Iglesias, vicepresidente y camarero, fue enviado a abrirle la puerta. El pobre Messner se veía cada vez más agotado y más quemado por el sol a medida que avanzaba el día. ¿Cuánto duraban esos días? ¿Había muerto hoy el acompañante? ¿Era apenas anoche que sus ropas estaban impecables y habían comido las costillitas y escuchado el aria de Dvořák? ¿O Dvořák era lo que habían bebido en copitas después de la cena? ¿Hacía tan poco, en realidad, que el salón estaba lleno de mujeres, con el dulce chiffon de sus trajes, sus joyas, y enjoyadas peinetas y sus diminutas bolsas de noche de satén que pretendían asemejar peonías? Ya no sabía si de veras apenas ayer habían limpiado la casa, los vidrios y los marcos de las ventanas; si, en efecto, apenas ayer habían lavado y vuelto a colgar las pesadas cortinas y los visillos ligeros... todo en orden inmaculado porque el presidente y el señor Hosokawa, que tal vez quisiera construir una fábrica en el país, iban a venir a cenar. Fue en ese momento cuando al vicepresidente se le ocurrió por primera vez preguntarse por qué el presidente había querido que la fiesta fuera en su casa. Si el cumpleaños era tan importante ¿por qué no celebrarlo en el palacio presidencial? ¿Por qué, sino porque siempre había sabido que no tenía intención de acudir?

"Me parece que le está dando una infección", dijo Messner, y tocó la frente ardiente de Rubén con las puntas de sus pálidos dedos. A continuación abrió su teléfono celular y pidió antibióticos en una combinación de inglés y español. "No sé de qué tipo", dijo. "Lo que le den a una persona con la cara golpeada." Cubrió la parte inferior del teléfono con la mano y le dijo a Rubén: "¿No tiene ninguna...?" se volvió hacia Gen: "¿Cómo se dice *allergies*?"

"Alergia."

Rubén asintió. Sentía la cara cada vez más hinchada. "A los cacahuates."

"¿De qué trata esa llamada?", le preguntó a Gen el general Benjamín.

Gen le dijo que era para que el vicepresidente fuera medicado.

"Nada de medicamentos. Yo no he autorizado ningunos medicamentos", dijo el general Alfredo. ¿Qué sabía ese vicepresidente de infecciones? La bala que le había dado en el estómago, eso sí que era una infección.

"Ciertamente nada de insulina", dijo Messner cerrando su teléfono.

Alfredo pareció no oirlo. Estaba revisando sus papeles. "Aquí están las listas. Éstos son los que se quedan. Éstos son los que dejamos ir." Puso las páginas amarillas sobre la mesa frente a Messner. "Éstas son nuestras demandas. Las hemos actualizado. Y no habrá más liberaciones hasta que hayan sido atendidas enteramente y por completo. Hemos sido, como usted dice, muy razonables. Ahora le toca al gobierno ser razonable."

"Les diré eso", dijo Messner, mientras tomaba los papeles y se los metía doblados al bolsillo.

"Hemos sido muy concienzudos en materia de salud", dijo Alfredo.

Gen, de pronto exhausto, alzó la mano por un momento para detener el diálogo, tratando de recordar el equivalente inglés de la palabra *concienzudo*. Le vino a la cabeza. "Todo el que necesite atención médica será liberado."

"¿Incluyéndolo a él?" Messner inclinó la cabeza en dirección al vicepresidente quien, perdido en el intrincado mundo de su propia fiebre, no prestaba atención a lo que se estaba diciendo.

"A él nos lo quedamos", dijo secamente el general Alfredo. "No conseguimos al presidente. Tenemos que tener algo."

❧

Había otra lista, aparte de las demandas (dinero, liberación de prisioneros, un avión, transporte al avión, etcétera), y fue esa lista la que demoró las cosas, la lista de Pequeñas Necesidades Inmediatas. Los detalles no tenían interés, pero algunas cosas debían llegar antes que el exceso de rehenes pudiera salir: almohadas (58), cobijas (58), cepillos de dientes (58), frutas (mangos, plátanos), cigarrillos (20 cartones con filtro y 20 sin filtro), bolsas de dulces (de todo tipo menos regaliz), barras de chocolate, barras de mantequilla, periódicos, una almohadilla térmica... la lista seguía y seguía. Adentro se imaginaban a la gente del exterior lanzada a una gran cacería, tratando de reunir todo lo necesario en medio de la noche. Habría personas golpeando en puertas de vidrio, despertando a tenderos que se verían obligados a encender las brillantes luces del techo. Nadie querría esperar hasta la mañana y correr el riesgo de que alguien cambiara de opinión.

Cuando todos los invitados que quedaban fueron reunidos en el comedor para oir la lista de liberados y la de rehenes, hubo gran excitación. Era como un juego de las sillas en el que las personas recibían premios y castigos al azar, y todos se alegraban de tener su oportunidad en la rueda. Incluso los hombres como el señor Hosokawa y Simon Thibault, que deben de haber sabido que no tenían posibilidad alguna de irse a su casa, fueron junto con los demás; sus corazones latían salvajemente. Todos los hombres pensaban que ahora de seguro permitirían que Roxane Coss se marchara, la idea de retener a una mujer sería problemática y embarazosa. Sentirían su ausencia, ya la estaban sintiendo, pero todos deseaban que se fuera.

Fueron leyendo los nombres y diciéndoles que se colocaran a la izquierda o a la derecha, y a pesar de que no dijeron cuál era el lado de los que iban a ser liberados, era bastante evidente. Por el corte de sus tuxedos casi podía decirse quién se iba y quién se quedaba. Un gran muro de tinieblas cayó sobre los que ahora podían suponer razonablemente su destino y los apartó de la afortunada hilaridad de los otros. Por un lado, los hombres considerados menos importantes regresarían junto a sus esposas, dormirían entre las sábanas de sus propias camas, serían saludados por sus hijos y sus perros, con el afecto húmedo y confuso de su amor incondicional. Pero al otro lado treinta y nueve hombres y una mujer apenas empezaban a entender que ellos no, que ésa era la casa donde vivían ahora, que habían sido secuestrados.

CUATRO

El padre Arguedas le explicó a Gen, quien se lo explicó al señor Hosokawa, que lo que veían durante las horas que pasaban mirando por la ventana se llamaba garúa, algo entre la niebla y la llovizna que colgaba como una lana gris sobre la ciudad en la que estaban obligados a permanecer. No es que no pudieran ver la ciudad, no podían ver nada. Podrían haber estado en París, Nueva York o Tokio. Podrían haber estado mirando un campo de pasto azul o un embotellamiento. Era imposible ver. No había ningún indicio definitorio de cultura o color local: podrían haber estado en cualquier lugar donde el tiempo fuera capaz de mantenerse mal por periodos indeterminados. De vez en cuando llegaban instrucciones atronadoras por encima del muro, pero aun eso parecía estar disminuyendo, como si las voces no siempre pudieran permear la niebla. La garúa mantenía una presencia opaca e irregular de abril a noviembre, y el padre Arguedas les dijo que tuvieran ánimo porque ya estaban a fines de octubre y el sol regresaría. El joven sacerdote les sonrió. Era casi guapo hasta que sonreía, pero su sonrisa era demasiado grande y sus dientes se torcían y se cruzaban en ángulos extraños, lo que hacía que, de repente, su aspecto se volviera horrible. A pesar de las circunstancias de su reclusión, el padre Arguedas mantenía su temperamento y encontraba razones para sonreir con frecuencia. No parecía ser un rehén, sino alguien contratado para hacer que los rehenes se sintieran un poco mejor. Y realizaba su tarea con gran seriedad. Abrió los brazos y colocó una mano sobre el hombro del señor Hosokawa y la otra sobre el de Gen, y después bajó un poco la cabeza y cerró sus ojos. Tal vez estaba rezando, pero si así era no obligó a los otros a que se le unieran. "Ánimo", dijo de nuevo antes de seguir en su ronda.

"Un buen muchacho", dijo el señor Hosokawa, Gen asintió y los dos volvieron a mirar por la ventana. El sacerdote no necesitaba preocuparse por los efectos del clima sobre ellos: no tenían problema con el clima. La garúa tenía sentido, mientras que una atmósfera clara no lo habría tenido. Ahora, cuando uno miraba por la ventana era imposible ver la pared que separaba el jardín de la calle. Era difícil distinguir las formas de los árboles, distinguir un árbol de un arbusto. Hacía que la luz del día pareciera penumbra del mismo modo que los reflectores que habían colocado al otro lado del muro casi convertían la noche en día, el tipo de falso día eléctrico de un juego nocturno de beisbol. En suma, al mirar por la ventana durante la garúa lo único que se veía era la garúa misma, no el día o la noche, ni la estación, ni el lugar. El día ya no progresaba en su forma lineal habitual, sino que cada hora describía un movimiento circular a su punto de origen, y cada momento se vivía de nuevo una y otra vez. El tiempo, tal como todos ellos lo habían entendido, se había acabado.

Por lo tanto reanudar la historia una semana después del final de la fiesta de cumpleaños del señor Hosokawa parece tan buen punto como cualquier otro. La primera semana de todos modos fue sólo de detalles, el tedio de aprender una nueva vida. Al principio las cosas eran muy estrictas. Se apuntaban armas, se daban y se obedecían órdenes, la gente dormía en hileras sobre la alfombra de la sala y pedía permiso para las cuestiones más personales. Y entonces, muy lentamente, los detalles empezaron a desaparecer. Los hombres se levantaban por su cuenta. Se lavaban los dientes sin preguntar, sostenían una conversación que nadie interrumpía. A veces iban a la cocina y se hacían un sandwich cuando tenían hambre, untando la mantequilla con el revés de la cuchara porque habían sido confiscados todos los cuchillos. Los generales le habían tomado un afecto particular a Joachim Messner (aunque no le demostraban ese afecto) e insistían en que no sólo él era quien estaba a cargo de las negociaciones, sino en que debía ser él quien llevara todas las provisiones a la casa, cargar él solo cada caja a través del portón y el interminable sendero. Por lo tanto era Messner, cuyas vacaciones ya habían terminado hacía mucho, quien les traía su pan y su mantequilla hasta la puerta.

El tiempo apenas podía empujar hacia delante el segundero del reloj y, sin embargo, miren todo lo que se había logrado. ¿Era posible que sólo hubiera sido una semana? Pasar de los empujones de los fusiles contra las espaldas a tener la mayoría de ellos guardados en el armario de las escobas debería haber llevado no menos de un año, pero los captores ya sabían que los rehenes no iban a organizar una insurrección; a cambio los rehenes sabían, o casi sabían, que los terroristas no les iban a disparar. Por supuesto todavía había guardias. Dos muchachos patrullaban fuera, en el jardín, y tres de ellos circulaban por las habitaciones de la casa, con sus armas apuntadas hacia delante como bastones para ciego. Los generales seguían dándoles órdenes. De vez en cuando uno de los muchachos pinchaba a uno de los rehenes con el cañón de su fusil y le ordenaba pasarse al otro lado del salón sin otra razón más que verlos moverse. Por la noche había centinelas, pero para la medianoche siempre se habían quedado dormidos. No se despertaban ni siquiera cuando las armas se les deslizaban entre los dedos y caían al suelo con estrépito.

Para los invitados a la fiesta de cumpleaños del señor Hosokawa, la mayor parte del día se pasaba yendo de una ventana a otra, tal vez jugaban una mano de cartas, o miraban una revista, como si el mundo se hubiera transformado en una gigantesca estación de trenes donde todo estaba demorado hasta nuevo aviso. Era esa ausencia de tiempo lo que tenía confundidos a todos. El general Benjamín había encontrado un crayón grueso perteneciente a Marco, el hijo pequeño del vicepresidente, y cada día trazaba una gruesa raya azul sobre la pared del comedor, seis rayas paradas y después una transversal para indicar que había pasado una semana. Imaginaba a su hermano Luis en solitario confinamiento, obligado a arañar el ladrillo con su uña para recordar los días. Desde luego, en una casa había medios más tradicionales para llevar la pista del tiempo. Había varios calendarios, una agenda y un planificador en la cocina junto al teléfono, y varios de los hombres tenían relojes que daban la fecha además de la hora. Y si todos esos métodos fallaban podían encender la radio o la televisión y enterarse de qué día era mientras escuchaban las noticias sobre ellos mismos. Pero aún así el general Benjamín pensaba que el método antiguo era el mejor. Afilaba su crayón con un cuchillo de carnicero y agregaba otra raya a su colección de la pared. Eso irritaba enormemente a Rubén Iglesias, quien habría castigado en forma servera a sus hijos si hubieran hecho semejante barbaridad.

Sin excepción, los hombres allí reunidos, de hecho, desconocían el concepto de tiempo libre. Los que eran muy ricos se quedaban en sus oficinas hasta ya entrada la noche, se sentaban en los asientos traseros de sus automóviles y dictaban cartas mientras sus choferes los pastoreaban a casa. Los que eran jóvenes y muy pobres trabajaban igual de duro, aunque en un diferente tipo de trabajo: había que cortar leña o escarbar el suelo en busca de camotes. Había ejercicios que practicar con los fusiles, aprender a correr, a esconderse. Ahora había caído sobre ellos un gran ocio desconocido y permanecían ahí sentados mirándose unos a otros y tamborileando sin cesar con los dedos en los brazos de los sillones.

Pero en ese vasto oceano de tiempo el señor Hosokawa parecía incapaz de preocuparse por Nansei. Mientras contemplaba el clima jamás se preguntó si su secuestro había afectado el precio de las acciones. No le importaba quién tomaba ahora las decisiones, sentado ante su escritorio. La compañía que había sido su vida, su hija, se había desprendido de él tan irreflexiblemente como una monedita que se arroja. Sacó una libretita de espiral del bolsillo de su tuxedo y, después de preguntar a Gen la grafía correcta, agregó a su lista la palabra *garúa*. El incentivo era clave. Por muchas veces que escuchara sus cintas de italiano en Japón no podía recordar nada que estuviera en ellas. Apenas había oído las hermosas palabras *dimora, padrone*, se desvanecían de su memoria. Pero era asombroso cuánto español había aprendido después una sola semana de cautiverio. "Ahora", "sentarse", "ponerse de pie", "sueño" y "requetebueno", que significaba muy bueno pero siempre se decía con cierta burla y condescendencia, que hacían saber al interlocutor que lo había hecho bien, pero era demasiado estúpido para merecer grandes expectativas. Y lo que tenía que superar no era sólo un conocimiento básico de la lengua: además tenía que aprender nombres, los de los rehenes y también los de los captores cuando uno lograba que alguno de ellos lo dijera. La gente provenía de tantos países diferentes que no había trucos fáciles de asociación para ayudar, ningún punto de apoyo familiar de qué agarrarse. La sala estaba llena de hombres que él no conocía pero debería conocer, aunque todos se sonreían y se saludaban con inclinaciones de cabeza. Tendría que trabajar más duro para presentarse. En Nansei él siempre había insistido en aprender los nombres de tantos de sus empleados como fuera posible. Recordaba los nombres de los hombres de negocios que recibía y los nombres de sus esposas, por las que siempre preguntaba y nunca conocía.

El señor Hosokawa no había llevado una vida estática. A medida que construía su compañía iba aprendiendo. Pero éste era un tipo distinto de aprendizaje. Esto era el aprendizaje de la infancia. ¿Puedo sentarme? ¿Puedo ponerme de pie? Gracias. Por favor. ¿Cómo se dice "manzana", "pan"? Y recordaba lo que le decían porque, a diferencia de las cintas del curso de italiano, en este caso recordar era todo. Ahora podía ver hasta qué punto había confiado en Gen en el pasado, hasta qué punto se apoyaba en él ahora, aunque con frecuencia tenía que esperar con sus preguntas mientras Gen traducía algo para los generales. Dos días antes el vicepresidente Iglesias le había regalado muy amablemente esa libretita al señor Hosokawa y una pluma de un cajón de la cocina. "Tenga", le dijo. "Considérelo un regalo tardío de cumpleaños." En esa libretita el señor Hosokawa escribió el alfabeto e hizo que Gen escribiera los números del uno al diez y planeaba agregar todos los días más palabras en español. Las escribía una y otra vez, con una letra diminuta porque aun cuando ahora el papel abundaba, se le ocurrió que podía llegar un tiempo en que tuviera necesidad de cuidar más esas cosas. ¿Cuándo fue la última vez que había escrito algo? Sus pensamientos eran insertados, registrados y transmitidos por otros. Y era en esta simple repetición, en el redescubrimiento de su capacidad de escribir a mano, donde el señor Hosokawa encontraba solaz. Empezó a pensar de nuevo en el italiano y pensó que podría pedirle a Gen que cada día también incluyera una o dos palabras en ese idioma. En su grupo había dos italianos, y cuando los oía hablar sentía que se esforzaba por entender, como si estuviera escuchando una mala conexión telefónica. Y el inglés. Le gustaría poder hablar con la señorita Coss.

Se sentó y golpeó suavemente la punta del lápiz contra el cuadernito. Demasiado ambicioso. Si intentaba aprender demasiadas palabras de una vez terminaría en nada. Diez palabras de español por día, diez sustantivos bien aprendidos y un verbo, con su conjugación completa, era quizá todo lo que podía avanzar si en realidad quería aprender cada palabra y llevarla de un día al siguiente.

Garúa. A menudo, cuando se sentaba frente a la ventana, el señor Hosokawa pensaba en las personas al otro lado del muro, la policía y los militares que a esas alturas parecían usar más el teléfono que sus altavoces. ¿Estaban siempre húmedos? ¿Se quedaban sentados en sus automóviles tomando café? Imaginaba que los generales se quedaban sentados en los automóviles mientras los muchachos con sus armas, los soldados, estaban de pie en posición de alerta, con la lluvia helada corriéndoles por sus nucas.

Esos soldados no serían muy diferentes de los chicos que patrullaban la sala de la residencia vicepresidencial, aunque quizá en el ejército se requería una edad mínima. ¿Cuán jóvenes eran, en realidad, esos muchachos? Los que parecían ser los más grandes de repente pasaban bajo la luz de una lámpara y quedaba claro que no eran mayores en edad, sólo en tamaño. Daban vueltas por la habitación tropezando con todo, aún desacostumbrados al tamaño que sólo muy recientemente habían adquirido. Por lo menos esos muchachos tenían cada quien su manzana de Adán, y una pizca de nuevos pelos mezclados con el furioso acné. Los que eran de veras los más jóvenes resultaban aterradores en su juventud. Su cabello tenía el peso y el brillo del cabello de los niños. Tenían la piel suave y los hombros estrechos de las criaturas. Apretaban sus manos pequeñas en torno a las culatas de sus armas y se esforzaban por mantener sus rostros inexpresivos. Los rehenes miraban a los terroristas, y entre más los miraban, más jóvenes se volvían sus captores. ¿Podían ser éstos los mismos hombres que irrumpieron en su fiesta, los mismos animales de presa? Ahora caían dormidos en el suelo en pilas blandas, con las bocas abiertas y los brazos torcidos. Dormían como adolescentes. Dormían con una especie de concentración total que cada adulto de la habitación había olvidado décadas atrás. A algunos de ellos les gustaba ser soldados. Llevaban siempre sus fusiles y amenazaban a los adultos con un empujón ocasional y brillantes miradas de odio. Entonces parecía que los niños armados eran una cruza mucho más peligrosa que los adultos armados. Eran volubles e irracionales y ansiaban la confrontación. Los demás pasaban el tiempo observando los detalles de la casa. Saltaban sobre las camas y se probaban toda la ropa de los armarios. Jalaban la palanca de los inodoros una y otra vez por el placer de ver el agua arremolinarse y desaparecer. Al principio había una regla según la cual no debían hablar con sus prisioneros, pero hasta eso se estaba relajando en muchos casos. Ahora algunas veces hablaban con los rehenes, en especial cuando los generales estaban ocupados en sus conferencias. "¿Y usted de dónde es?" era la pregunta favorita, aunque las respuestas casi nunca tenían sentido para ellos. Finalmente Rubén Iglesias fue a su estudio y trajo un gran atlas para que pudieran mostrarles en el mapa, y cuando eso tampoco pareció aclarar las cosas envió a un guardia al cuarto de su hijo para que trajera un globo de pie, un hermoso planeta verde y azul que giraba con facilidad sobre su eje estacionario.

"París", dijo Simon Thibault, señalando su ciudad. "Francia."

Lothar Falken les mostró Alemania y Rasmus Nilson puso el dedo sobre Dinamarca. Akira Yamamoto, a quien no le interesaba jugar, se apartó, y por lo tanto fue Gen quien les mostró Japón. Roxane Coss cubrió todo el territorio de Estados Unidos bajo su palma y después tamborileó con una uña sobre el punto que representaba a Chicago. Los muchachos llevaron el globo hacia el siguiente grupo de personas, que aun si no comprendían la pregunta conocían el juego. "Esto es Rusia", dijeron. "Esto es Italia", "esto es Argentina", "esto es Grecia."

"¿Y usted de dónde es?", preguntó el muchacho llamado Ismael al vicepresidente. Él sentía que el vicepresidente era su propio rehén, pues fue él quien trajo el hielo de la cocina cuando el vicepresidente fue herido. Todavía le traía hielo a Rubén, incluso tres o cuatro veces por día y sin que tuviera que pedírselo. Y eso aliviaba al vicepresidente porque su mejilla se había infectado y persistía en su hinchazón.

"De aquí", dijo el vicepresidente mientras apuntaba hacia el suelo.

"Muéstreme", dijo Ismael presentándole el globo.

"De aquí", insistió Rubén golpeando ligeramente la alfombra con el pie. "Ésta es mi casa. Yo vivo en esta ciudad. Soy del mismo país que tú."

Ismael miró a su amigo a los ojos. Había sido más fácil hacer jugar a los rusos. "Muéstreme."

Por consiguiente, Rubén se sentó en la alfombra con el muchacho y el globo e identificó al país anfitrión, que en ese caso era chato y rosado. "Aquí vivimos." Ismael era el más pequeño de todos, un muchachito con dientes blancos de niño. Rubén quería hacerlo sentar en su regazo y retenerlo consigo.

"Usted vive aquí."

"No, no sólo yo", dijo Rubén. ¿Dónde estaban sus propios hijos? ¿Dónde estaban durmiendo ahora? "Los dos."

Ismael suspiró y se impulsó desde el suelo, decepcionado por la cabeza dura de su amigo. "Tú no sabes jugar", le dijo.

"No sé jugar", dijo Rubén, observando la deplorable condición de las botas del muchacho. La suela estaba por caérsele en cualquier momento. "Ahora escúchame. Vete arriba al dormitorio más grande que encuentres y abre todas las puertas hasta que encuentres un ropero lleno de vestidos de mujer. En ese ropero hay cien pares de zapatos y si buscas encontrarás unos tenis que te sirvan. Incluso podía haber algunas botas.

"No puedo usar zapatos de mujer."

Rubén agitó la cabeza. "Las botas y los tenis no son de mujer. Sólo los guardamos allí. Ya sé que parece raro, pero ten confianza en mí."

"Es ridículo que estemos sentados aquí de esta forma", dijo Franz von Schuller. Gen lo tradujo al francés para Simon Thibault y Jacques Maitessier y después al japonés para el señor Hosokawa. Allí había además dos alemanes. El grupo estaba de pie al lado de la chimenea vacía, bebiendo jugo de toronja. Una delicia enorme, el jugo de toronja. Era mejor que un whisky realmente bueno. Su acidez despertaba la lengua y los hacía sentirse vivos. Hoy era el primer día que lo habían traído. "Estos hombres son aficionados. Tanto los que están adentro como los que están afuera."

"¿Y usted qué sugiere?", preguntó Simon Thibault. Éste usaba la chalina azul de su esposa enrollada alrededor del cuello y le caía por detrás; la presencia de esa chalina hacía menos probable que las personas escucharan su opinión sobre asuntos serios.

Pietro Genovese se acercó y pidió a Gen que le tradujera la conversación a él también. Sabía suficiente francés pero no alemán.

"Las armas no parecen fuera de nuestro alcance", dijo Von Schuller bajando la voz, a pesar de que nadie parecía capaz de entender alemán. Todos esperaron a Gen.

"Y entonces nos abrimos paso a tiros. Igual que en la televisión", dijo Pietro Genovese. "¿Hay jugo de toronja?" La conversación parecía aburrirlo aunque apenas acababa de llegar. Construía aeropuertos. A medida que sus aeropuertos crecen también la industria de un país debe crecer.

Gen levantó la mano. "Un momento, por favor." Todavía estaba traduciendo del alemán al japonés.

"Necesitaríamos una docena de traductores y un arbitraje de las Naciones Unidas antes de decidir derrocar al adolescente con un cuchillo", dijo Jacques Maitessier tanto para sí mismo como para los demás, y sabía de lo que hablaba porque había sido embajador de Francia ante la ONU.

"No estoy diciendo que todos tendrían que estar de acuerdo", dijo Von Schuller.

"¿Quiere intentarlo por su cuenta?", dijo Thibault.

"Caballeros, paciencia, por favor." Gen intentaba traducir todo al japonés. Ésa era su primera responsabilidad. Él no trabajaba para la conveniencia general de la gente, aunque todos lo olvidaban. Él trabajaba para el señor Hosokawa.

Las conversaciones en más de dos lenguas resultaban incómodas y poco dignas de confianza, como tratar de hablar con la boca llena de algodón y novocaína. Nadie podía detenerse lo suficiente en sus pensamientos y esperar su turno. Éstos no eran hombres acostumbrados a esperar, ni a hablar con precisión: preferían exponer, discursear si era necesario. Pietro Genovese se fue a ver si había más jugo en la cocina. Simon Thibault se alisó la chalina con la palma de la mano y le preguntó a Jacques Maitessier si estaría interesado en una partida de cartas. "Mi esposa me mataría si me involucro en un derrocamiento", dijo en francés Thibault.

Los tres alemanes hablaban muy rápido entre sí y Gen no intentó escuchar.

"Nunca me canso de contemplar el clima", le dijo el señor Hosokawa a Gen mientras caminaban de regreso a la ventana. Estuvieron un rato de pie uno junto al otro, limpiando sus cabezas de todas aquellas lenguas.

"¿Ha pensado alguna vez en insubordinarse?", preguntó Gen. Él podía ver sus reflejos. Estaban parados muy cerca del vidrio. Dos hombres japoneses, ambos con lentes, uno más alto y con veinticinco años menos, pero en esa sala donde las personas tenían tan poco en común Gen podía ver por primera vez que los dos se parecían mucho.

El señor Hosokawa mantuvo los ojos fijos en el reflejo de ambos, o quizá estaba contemplando la garúa. "Algo ocurrirá eventualmente", dijo. "Y entonces no podremos hacer nada para impedirlo." Y su voz se volvió grave ante ese pensamiento.

Los soldados pasaban la mayor parte de sus días explorando la casa, comiendo los pistaches que encontraron en la despensa y oliendo la crema para manos de lavanda en el baño. La casa ofrecía un sinfín de curiosidades: armarios del tamaño de algunas casas que ellos habían visto, dormitorios donde no dormía nadie, muebles donde no se guardaba otra cosa que rollos de papel de colores y cintas. Una habitación favorita era el estudio del vicepresidente, situado al final de un largo corredor. Atrás de las pesadas cortinas, las ventanas se detenían sobre dos bancos tapizados, la clase de lugar donde una persona podía recoger sus piernas y quedarse mirando al jardín por horas. En el estudio había dos sofás y dos sillones tapizados en piel y todos los libros estaban encuadernados en piel. Hasta el juego de escritorio, el vaso que contenía los lápices y el borde del secante eran de piel. La habitación tenía el olor familiar y reconfortante de las vacas pastando bajo el sol cálido.

En esa habitación había un televisor. Algunos de ellos habían visto la televisión antes: era una caja de madera con un pedazo de vidrio curvo que te devolvía el reflejo en formas peculiares. Siempre, siempre estaban descompuestas. Tal era la naturaleza de las televisiones. Se hablaba, se contaban grandes historias de lo que una televisión había hecho una vez, pero nadie las creía porque nadie lo había visto. El muchacho llamado César puso la cara muy cerca de la pantalla, se estiró la boca hacia los lados metiéndose un dedo en cada extremo, y disfrutó la imagen. Los otros estaban mirando. Volvió los ojos hacia arriba y sacó la lengua. Después se sacó los dedos de la boca, cruzó las manos sobre el pecho y empezó a imitar una canción que había oído cantar a Roxane Coss aquella primera noche, cuando estaban esperando en los ductos del aire acondicionado. Casi no daban con las palabras, pero estaban cerca de los sonidos y el tono era el correcto. No trataba de burlarse, exactamente estaba cantando y estaba cantando muy bien. Cuando no pudo recordar más, se detuvo de pronto y se inclinó doblando la cintura. Después se volvió y siguió haciendo muecas ante el televisor.

Fue Simon Thibault quien encendió el televisor. Lo hizo sin ninguna intención en especial. Había entrado a la habitación porque había oído el canto, pensó que alguien estaba tocando algún disco antiguo raro y hermoso y eso provocó su curiosidad. Entonces vio al muchacho haciendo su show, un muchacho más o menos chistoso, y pensó que tendría un enorme placer al ver aparecer la imagen justo donde había estado su cara. Tomó el control remoto que estaba, simétrico, sobre el brazo de un sillón de aspecto muy cómodo y apretó el botón de encendido.

Ellos gritaron. Aullaron como perros. Llamaron a gritos a sus compatriotas, "¡Gilberto! ¡Francisco! ¡Jesús!", con una voz que parecía indicar incendio, asesinato, la llegada de la policía. Eso provocó de inmediato un torbellino de chasquidos metálicos (los seguros que quitaban a las armas) además del precipitado arribo de los demás soldados y los tres generales, que arrojaron a Simon Thibault contra la pared y le provocaron un corte en el labio.

"No hagas ninguna tontería", había dicho Edith tocándole una oreja con sus labios. Pero ¿qué se incluía en las "tonterías"? ¿Incluía encender la televisión?

Uno de los muchachos que entraron precipitadamente, un tipo grandote llamado Gilberto, metió la boca redonda de su fusil en la garganta de Thibault, presionando la chalina de seda azul en la suave piel sobre la tráquea, y lo retuvo allí como a una mariposa pinchada sobre un corcho.

"Televisión", dijo Thibault con gran dificultad.

Por supuesto, en el estudio ahora atestado ya nadie prestaba atención a Simon Thibault. Tan de repente como se había convertido en una amenaza, en una estrella, todos apartaron de él hasta los rifles, dejándolo que se desplomara a lo largo de la pared en un tembloroso montón de miedo. Ahora todos estaban mirando la televisión. Una hermosa mujer de cabello oscuro levantaba con ambas manos piezas de ropa sucia que mostraba a la cámara, sacudiendo la cabeza con leve disgusto antes de arrojarlas dentro de una lavadora. Tenía los labios pintados de rojo brillante y la pared detrás de ella era de color amarillo intenso. "Esto es un verdadero desafío", dijo en español. Gilberto se acuclilló para escuchar.

Simon Thibault tosió y se frotó la garganta.

Ciertamente los generales habían visto antes televisión, aunque no en los años transcurridos desde que habían regresado a la selva. Ahora estaban en la habitación. Era un aparato muy bonito, a colores y con una pantalla de veintiocho pulgadas. El control remoto había caído al suelo y ahora el general Alfredo lo recogió y empezó a apretar botones recorriendo canales: un juego de futbol; un hombre de saco y corbata leía sentado ante una mesa; una muchacha de pantalones plateados cantaba; una docena de cachorritos en un canasto. A cada nueva imagen había un nuevo brote de excitación, un ¡aahh! colectivo.

Simon Thibault dejó el estudio sin ser notado. Ya ni el canto de César pasaba por su mente.

La mayor parte de los días los rehenes anhelaban que todo esto terminara. Anhelaban sus países, sus esposas, su privacidad. Otros días, sinceramente, sólo deseaban estar lejos de todos esos niños, de su mal humor y sueño constantes, de sus juegos y apetitos. ¿Qué edad podían tener? Cuando se les preguntaba algunos mentían y decían veinticinco, y otros se encogían de hombros como si no tuvieran la menor idea de lo que significaba la pregunta. El señor Hosokawa sabía que no era bueno para calcular las edades de los niños. En Japón con frecuencia veía jóvenes que parecían no tener más de diez años manejando automóviles. Sus propias hijas lo enfrentaban con una imposibilidad matemática: un minuto andaban corriendo por la casa en pijamas con imágenes de Hello Kitty y su mirada vacía, y al siguiente estaban anunciando que tenían citas y que pasarían a buscarlas a las siete. Él creía que sus hijas no estaban en edad de salir con hombres, y sin embargo, según las normas de este país, tenían edad suficiente para ser miembros de una organización terrorista. Trató de imaginarlas con sus prendedores de margaritas de plástico y sus calcetines blancos, pinchando el marco de la puerta con la punta afilada de un cuchillo.

El señor Hosokawa no podía imaginar a sus hijas en otro lugar más que acurrucadas en la cama de su madre, llorando para que regresara, mientras veían las noticias. Y, sin embargo, para genuina sorpresa de todos, dos de los soldados más jóvenes resultaron ser mujeres. Una se reveló en forma muy simple: alrededor del duodécimo día se quitó la gorra para rascarse la cabeza y entonces cayó una larga trenza. Y después de rascarse no se molestó en volver a enrollarla en su sitio. No parecía pensar que el hecho de ser mujer fuera un secreto. Se llamaba Beatriz, y se mostraba feliz de decírselo a quien se lo preguntara. No había sido bendecida con un rostro bonito ni trato delicado y pasaba muy bien por muchacho. Sostenía su rifle pronto para disparar igual que cualquiera de los hombres y sus ojos permanecían duros aun cuando ya no era necesario. Y, sin embargo, con toda su extraordinaria indistinción, los rehenes la miraban como si fuera algo imposible y raro, una mariposilla que iluminaba un campo de nieve. ¿Cómo podía haber una muchacha entre ellos? ¿Cómo no se había dado cuenta ninguno de ellos? No fue tan difícil descubrir a la otra muchacha. La lógica indicaba que si había una mujer, fácilmente podía haber más de una, y todos los ojos se volvieron de inmediato hacia el muchacho silencioso que nunca respondía a las preguntas y que desde el principio había parecido poco natural de muchas maneras, demasiado lindo, demasiado nervioso. La línea del cabello le bajaba hacia el centro de la frente y hacía de su cara un corazón perfecto. Su boca era redonda y suave. Sus ojos estaban siempre medio cerrados como si las espesas pestañas fueran una carga demasiado grande para llevar. Olía diferente a los demás jóvenes, un aroma dulce y cálido, y su cuello era largo y suave. Era el que parecía estar enamorado de Roxane Coss y por la noche dormía en el suelo del pasillo frente a su puerta, usando su cuerpo para impedir que las corrientes entraran por debajo de la puerta. Gen miró al muchacho que lo había hecho sentirse tan incómodo y la ansiedad que había mantenido dentro de su pecho salió de él en una ola baja y prolongada.

"Beatriz", dijo Simon Thibault, "aquel muchacho de allá ¿es tu hermana?"

Beatriz resopló y sacudió la cabeza. "¿Carmen? ¿Mi hermana? Usted debe de estar loco."

Al oir su nombre, Carmen miró desde el otro lado del salón. Beatriz estaba diciendo su nombre. En este mundo no existían los secretos. Carmen tiró al suelo la revista que estaba mirando. (Era una italiana, con abundancia de brillantes fotografías de estrellas de cine y miembros de la nobleza. Sin duda el texto contenía información importante sobre sus vidas personales, pero ella no podía leerla. La había encontrado en el cajón de la mesa de noche, junto a la cama donde dormía la esposa del vicepresidente.) Carmen llevó su revólver a la cocina y azotó la puerta. Era una adolescente visiblemente enojada con un arma y nadie la siguió. No había a donde ir y todos supusieron que tarde o temprano saldría por su propia voluntad. Querían volver a verla, mirarla sin la gorra, tener tiempo para contemplarla como muchacha, pero estaban dispuestos a esperar. Si ése era el drama de esa tarde, que una de las terroristas se tomara a sí misma como rehén por algunas horas, el suspenso que representaba era mejor que contemplar con dedicación la garúa.

"Debí de haberme dado cuenta de que era mujer", le dijo Rubén Iglesias a Óscar Mendoza, el contratista que vivía sólo a pocos kilómetros de distancia.

Óscar se encogió de hombros. "Tengo cinco hijas en mi casa y nunca vi a una muchacha en este salón." Se detuvo a reconsiderar el asunto y luego se inclinó hacia el vicepresidente. "Sólo vi a una muchacha en este salón ¿sabe usted? Una mujer. Sólo puede haber una mujer en este salón." Inclinó de manera significativa la cabeza hacia el extremo más lejano de la habitación, donde estaba sentada Roxane Coss.

Rubén asintió. "Por supuesto", dijo. "Por supuesto."

"Estoy pensando que nunca habrá una mejor oportunidad que ésta para decirle que la amo." Óscar se frotó la mandíbula con la mano. "No quiero decir que ahora mismo. No tiene que ser hoy, aunque podría ser hoy. Estos días son tan largos que para la hora de la cena podría ser el momento exacto. Uno nunca sabe hasta que llega ¿no es así? Hasta que uno está en el lugar exacto." Era un hombre corpulento, de mucho más de un metro ochenta y con hombros muy anchos. Se había mantenido fuerte porque a pesar de ser contratista no le importaba meterse a trabajar cargando tablas o colocando tablarroca. De esta forma seguía siendo un buen ejemplo para los hombres que trabajaban para él. Óscar Mendoza tenía que inclinarse hacia delante para hablar quedo al oído del vicepresidente. "Pero lo haré mientras estemos aquí. Fíjese en lo que le digo."

Rubén asintió. Ya hacía días que Roxane Coss había dejado por la paz el traje de noche y ahora usaba unos pantalones castaño claro, informales, que pertenecían a su esposa y el cárdigan favorito de ella: un saquito azul marino de lana de finísima alpaca bebé que él le había comprado por su segundo aniversario. Había pedido que un guardia lo acompañara arriba. Él mismo fue al ropero y bajó el cárdigan para la soprano. "¿Tiene frío?", le preguntó, y después le colocó con delicadeza el saco alrededor de los hombros. ¿Era una traición entregar así de rápido la prenda que su esposa quería tanto? Esa pieza de ropa unía a las dos mujeres en una forma que para él era extraordinariamente agradable, su hermosa invitada usando una prenda de la esposa a la que tanto extrañaba; en los bordes del saquito todavía persistían rastros del perfume de su esposa, de manera que él podía oler a ambas mujeres cuando pasaba al lado de una. Y por si eso no fuera suficiente, Roxane usaba un par de pantuflas pertenecientes a la niñera, Esmeralda, porque los zapatos de su esposa resultaron demasiado pequeños. ¡Qué delicioso había sido meter la cabeza en el ropero pequeño y meticuloso de Esmeralda!

"¿Va usted a decirle que la ama?", preguntó el contratista. "Es su casa. Yo le concedo el derecho a ser el primero."

Rubén consideró la amable invitación de su huésped. "Es una posibilidad." Estaba tratando de no mirar a Roxane, sin lograrlo. Imaginaba tomar su mano, sugiriéndole que podría enseñarle las estrellas desde la amplia terraza de piedra que rodeaba la parte posterior de la casa, es decir, hubiera podido hacerlo si les hubieran permitido salir. Después de todo él era el vicepresidente y eso podía impresionarla. Por lo menos no era una mujer alta: era pequeña, una Venus de bolsillo. Estaba agradecido por eso. "Quizá no sería apropiado, considerando mi posición aquí."

"¿Qué es apropiado?", dijo Óscar. Su voz sonó ligera y despreocupada. "Al final acabarán por matarnos, ya sea los de adentro o los de afuera. Empezará el tiroteo y habrá algún terrible error, podemos apostarlo. Los que están afuera no pueden permitir que se vea que no hemos sido maltratados. Para ellos será importante que nosotros terminemos muertos. Piense en el pueblo, las masas. No se puede permitir que se hagan una idea falsa. Pero usted es el hombre de gobierno. Usted sabe más de estas cosas que yo."

"Suele suceder."

"¿Entonces por qué no decirle? Yo por lo menos quiero saber que en mis últimos días hice algún esfuerzo. Voy a hablar con el joven japonés, el traductor. Cuando llegue el momento indicado, cuando sepa lo que quiero decirle. A una mujer como ésa uno no puede acercarse demasiado rápido."

A Rubén le caía bien el contratista. A pesar de que nunca se habían visto antes, el hecho de que ambos vivieran en la misma ciudad los hacía sentirse vecinos, después viejos amigos y entonces hermanos. "¿Qué sabe usted acerca de mujeres como ésa?"

Óscar lanzó una risita y colocó su mano sobre el hombro de su hermano. "Mi pequeño vicepresidente", dijo, "hay tantas cosas que sé..." Era una fanfarronada, pero en ese lugar una fanfarronada parecía apropiada. Había perdido todas las libertades a las que estaba más habituado, pero al mismo tiempo otro conjunto de libertades, nuevo y pequeño, había empezado a brillar con una tenue luz en su interior: la libertad de pensar en forma obsesiva, la libertad de recordar en detalle. Alejado de su esposa y sus cinco hijas no había quien lo contradijera ni corrigiera, y sin esas cargas se descubrió capaz de soñar sin correcciones constantes. Había vivido su vida como un buen padre, pero ahora, Óscar Mendoza veía de nuevo su vida como un muchacho. Una hija era una batalla entre padres y muchachos en la que los padres luchaban valerosamente y siempre perdían. Él sabía que iría perdiendo a sus hijas una a una, quizá en forma honorable a través de una ceremonia de matrimonio o, con más realismo, en un automóvil con vista al oceano bastante después de oscurecer. En su época el propio Óscar había hecho que varias jovencitas olvidaran sus mejores instintos y su excelente entrenamiento mordiéndolas con tierna persistencia en la base del cráneo, justo donde el borde del cabello se desdibuja en finos ricitos. Las niñas eran como gatitos de esta manera, si uno las agarraba por la nuca se aflojaban con facilidad. Y entonces él susurraba sus sugerencias, todas las cosas que podrían hacer juntos, las maravillosas exploraciones oscuras en las que él podría ser su guía. Su voz viajaba como una droga adentrándose por los canales en espiral de sus oídos hasta que terminaban por olvidar todo, hasta que habían olvidado incluso sus propios nombres, hasta que se volvían y se le ofrecían, con sus cuerpos suaves y dulces como mazapán.

Óscar se estremeció ante la idea. Al mismo tiempo que se sentía listo para desempeñar la parte del muchacho veía las hileras de muchachos que se formaban alrededor de su casa, hombres jóvenes listos para calmar el terrible dolor de sus hijas ahora que su padre era mantenido como rehén. *Pilar, qué horrible debe de ser esto para ti. Isabel, no debes quedarte encerrada. Teresa, tu padre no querría verte sufrir así. Mira esto, te he traído unas flores (o un pájaro, un ovillo de hilo, un lápiz de color. DABA LO MISMO).* Se preguntaba si su esposa tendría la sensatez de cerrarles la puerta. Jamás tendrá suficiente sentido común para creer que esos jóvenes podrían significar un daño para ellas. Les creería sus mentiras igual que siempre había creído las de él, cuando era una jovencita y él iba a verla mientras el padre de ella yacía muriéndose de cáncer.

¿En qué estaba pensando?, ¿correr tras una cantante de ópera? ¿Quiénes eran esas dos muchachas en todo caso, Beatriz y Carmen? ¿Qué estaban haciendo aquí? ¿Dónde estaban sus padres? Probablemente muertos a tiros en alguna revolución campesina. ¿Qué podrían hacer tales muchachas para mantener alejados a los hombres, sin padres que las protegieran? En esta casa había muchachos por todas partes, esos horribles muchachos ceñudos con el cabello grasoso y las uñas mordidas, deseando tocar un pecho.

"Usted se ve mal", dijo el vicepresidente. "Toda esta conversación de amores no le está sentando bien."

"¿Cuándo saldremos de aquí?", dijo Óscar. Se sentó en el sofá y dejó caer la cabeza sobre sus rodillas como si estuviera mareado.

"¿Salir de aquí? Usted es quien dijo que acabarán por matarnos."

"Cambié de opinión. Nadie va a matarme. Es posible que yo mate a alguien, pero nadie va a matarme a mí."

Rubén se sentó a su lado y apoyó su mejilla sana sobre el amplio hombro de su amigo. "No me quejaré de sus inconsistencias. De todos modos me gusta más esta forma de hablar. Asumamos que viviremos." Se irguió de nuevo. "Oiga, espere un minuto. Voy a la cocina a traerle un poco de hielo. Usted no creerá qué bien puede hacerlo sentir el hielo."

"¿Usted toca el piano?", le preguntó Roxane Coss a Gen.

Él no la había visto venir. Estaba de espaldas al salón, contemplando la garúa por el gran ventanal; estaba aprendiendo a relajarse mientras la observaba, a no forzar los ojos; estaba empezando a pensar que podía ver cosas. El señor Hosokawa miraba a Gen de manera expectante, claramente deseoso de comprender lo que ella estaba diciendo, y durante un minuto Gen quedó confundido sobre si debía responderle a ella o traducir primero, ya que la pregunta estaba dirigida a él. Tradujo y después le respondió que no, que lamentaba decirle que no tocaba.

"Pensé que quizá lo hiciera", dijo ella. "Usted parece saber hacer tantas cosas." Volvió los ojos hacia su compañero. "¿Y el señor Hosokawa?"

El señor Hosokawa sacudió la cabeza con tristeza. Hasta el momento de su captura había pensado en su vida en términos de realizaciones y éxito. Ahora le parecía una lista de fracasos: no hablaba inglés, ni italiano, ni español. No tocaba el piano. Ni siquiera había intentado nunca tocar el piano. Entre él y Gen no habían recibido ni una sola lección.

Roxane Coss miró a través del salón como si estuviera buscando a su acompañante, pero él se encontraba ya a medio mundo de distancia, su tumba cubierta por una temprana helada sueca. "Todo el tiempo me digo que esto va a terminar pronto, que sólo estoy tomándome unas vacaciones." Alzó los ojos hacia Gen. "No es que piense que esto se trata de vacaciones."

"Por supuesto."

"Llevamos casi dos semanas en este detestable lugar. Yo nunca he pasado una semana sin cantar a menos que estuviera enferma. Pronto voy a tener que empezar a practicar." Se inclinó hacia ellos y los dos se inclinaron hacia ella pensativos. "En realidad no deseo cantar aquí. No quiero darles la satisfacción. ¿Creen que valdría la pena esperar otro par de días? ¿Creen que para entonces nos dejarán ir?" Volvió a mirar por todo el salón a su alrededor a ver si había algún par de manos particularmente elegante doblado sobre algún regazo.

"Seguramente alguien de aquí debe tocar", dijo Gen, que no deseaba responder a la otra pregunta.

"Este piano es muy bueno. Yo puedo tocar un poco pero no acompañarme. Y de alguna manera dudo que estén dispuestos a salir y secuestrar a un nuevo acompañante para mí." Entonces le habló sólo al señor Hosokawa. "No sé qué hacer conmigo misma cuando no estoy cantando. No tengo el menor talento para las vacaciones."

"Así me siento yo también", dijo él con una voz que se hacía más débil a cada palabra, "cuando no puedo escuchar ópera."

Ante eso Roxane sonrió. Un hombre tan digno. En los otros ella podía ver una apariencia de miedo, el gesto ocasional de pánico. No es que hubiera algo malo en sentir pánico dadas sus circunstancias, y ella lloraba hasta quedarse dormida la mayoría de las noches. Pero nada parecía tocar al señor Hosokawa, o bien él se las arreglaba para no demostrarlo. Y cuando se encontraba cerca de él, de alguna manera ella misma no sentía el pánico, a pesar de que no podía explicarlo. Junto a él, sentía que salía de una luz dura para entrar en un lugar tranquilo y oscuro, como si se envolviera en el pesado terciopelo de los telones del escenario, donde nadie podía verla. "Usted debería ayudarme a conseguir un acompañante", le dijo, "y así se resolverían los problemas de los dos."

Todo su maquillaje ya había desaparecido. Los primeros días se molestaba en ir al baño y pintarse los labios con el tubo que llevaba en su bolso de noche. Después se recogió el cabello con una banda elástica y empezó a usar la ropa de otra persona que no le quedaban del todo bien. Pero el señor Hosokawa pensaba que cada día se veía más adorable. Muchas veces había querido pedirle que cantara, pero jamás se había atrevido porque el hecho de cantar para él era lo que la había metido en ese lío en primer lugar. No podía invitarla a jugar cartas ni preguntarle sus pensamientos acerca de la garúa. No la buscaba en absoluto, y por lo tanto Gen tampoco lo hacía. De hecho, ambos habían notado que (con excepción del sacerdote, a quien ella no podía entender) todos los hombres, en su deseo de hablar con ella, habían decidido dejarla sola como por una especie de respeto, y por lo tanto pasaba sentada sola hora tras hora. A veces lloraba, y otras veces hojeaba libros o dormía siestas en el sofá. Era un placer verla dormir. Roxane era la única de los rehenes que gozaba del privilegio de tener una habitación para ella, y su propia guardia, que dormía delante de su puerta, aunque nadie estaba seguro de si era para asegurarse de que ella no saliera, o de que nadie más entrara. Ahora que todos sabían que ese guardia era Carmen, se preguntaban si no estaría simplemente tratando de mantenerse a salvo estando cerca de una persona tan importante.

"Es posible que el vicepresidente toque", sugirió el señor Hosokawa. "Tiene un piano muy bueno."

Gen se alejó para encontrar al vicepresidente, quien estaba dormido en un sillón, con la mejilla sana apoyada en su propio hombro y la mala hacia arriba, roja y azul y todavía con las puntadas de Esmeralda. La piel iba creciendo alrededor de éstas. Era necesario quitarlas. "¿Señor?", murmuró Gen.

"¿Hmm?", dijo Rubén, con los ojos cerrados.

"¿Toca usted el piano?"

"¿Piano?"

"El piano del salón. ¿Sabe usted cómo tocarlo, señor?"

"Lo trajeron para la fiesta", dijo Rubén, tratando de no dejarse despertar del todo. Estaba soñando con Esmeralda de pie junto al fregadero, pelando una papa. "Antes aquí había uno pero se lo llevaron porque no era muy bueno. Era bueno, por supuesto, mi hija estudia en él, pero no suficientemente bueno para ellos", dijo con voz soñolienta. "Ese piano no es mío. Ningún piano es mío en realidad."

"¿Pero usted sabe cómo tocarlo?"

"¿El piano?", por fin Rubén lo miró y después enderezó el cuello.

"Sí."

"No", dijo, y sonrió. "¿No es una lástima?"

Gen estuvo de acuerdo en que lo era. "Yo creo que debería usted quitarse esas puntadas."

Rubén se tocó la cara. "¿Usted cree que ya es el momento?"

"Yo diría que sí."

Rubén sonrió como si el hecho de que su piel hubiera vuelto a cerrarse fuera un logro suyo y se fue en busca de Ismael para pedirle que trajera el estuche de manicura del baño del piso de arriba. Tenía la esperanza de que no hubieran confiscado las tijeritas para la cutícula como arma.

Gen se fue por su lado en busca de un nuevo acompañante. No hacía falta mucha sofisticación lingüística, pues "piano" es más o menos "piano" en cualquier idioma. Seguramente la propia Roxane Coss podría haber expresado su necesidad con unos cuantos gestos, pero ella se había quedado con el señor Hosokawa y juntos contemplaban la nada que les ofrecía el ventanal.

"¿Toca alguno de ustedes?", preguntó Gen, empezando por los rusos que fumaban en el comedor. Ellos lo miraron con ojos entrecerrados entre el humo azulado y después sacudieron la cabeza. "¡Dios mío!", exclamó Victor Fyodorov cubriéndose el corazón con las manos. "¡Qué no daría yo por saber tocar! Dígale a la Cruz Roja que nos mande un profesor y yo aprenderé para ella." Los otros rusos rieron y dejaron caer sus cartas sobre la mesa. "¿Piano?", preguntó Gen al siguiente grupo. Y fue abriéndose camino por la casa preguntando a todos los invitados, pero dejó de lado a los captores por suponer que en la selva era imposible tomar lecciones de piano. Gen imaginaba lagartos sobre los pedales, la humedad torciendo el teclado, lianas persistentes enroscándose alrededor de las pesadas patas de madera. Un español, Manuel Flores; un francés, Étienne Boyer, y un argentino, Alejandro Rivas, dijeron que podían tocar un poco pero no podían leer música. Andreas Epictetus dijo que solía tocar muy bien en su juventud pero que no había tocado un piano en años. "Mi madre me hacía practicar todos los días", dijo. "El día que me fui de la casa amontoné toda la música en la parte trasera de la casa y le prendí fuego, con ella ahí mismo mirando. Y desde entonces no he tocado un piano." Los demás dijeron que no, que no sabían tocar, y se pusieron a contar historias de un par de lecciones que habían tomado o de las que tomaban sus hijos. Sus voces empezaron a superponerse y de todos los rincones del salón llegaba la palabra, *piano, piano, piano*. A Gen le parecía (y se incluía a sí mismo en esa evaluación) que jamás había sido secuestrado un grupo de hombres más inculto que ése. ¿Qué habían estado haciendo todos esos años que nadie se había molestado en aprender un instrumento tan importante? Todos deseaban haber sido capaces de tocar, si no antes, ciertamente ahora. Ser capaces de tocar para Roxane Coss.

Y entonces Tetsuya Kato, un vicepresidente de Nansei a quien Gen conocía desde hacía años, sonrió y fue hacia el Steinway sin decir palabra. Era un hombre menudo de poco más de cincuenta años y cabello canoso que, por lo que recordaba Gen, raramente hablaba. Tenía fama de ser muy bueno con los números. Las mangas de su camisa de etiqueta estaban enrolladas por encima de los codos y mucho antes había dejado de lado su saco, pero se sentó ante el piano con la mayor formalidad. Todos los que estaban en el salón lo observaron mientras alzaba la tapa del teclado y recorría las teclas con los dedos, como acariciándolas. Algunos otros todavía seguían hablando del piano. Se podían oir las voces de los rusos desde el comedor. Entonces, sin solicitar la atención de nadie, Tetsuya Kato empezó a tocar. Inició con el *Nocturno opus 9 en mi bemol mayor núm. 2* de Chopin: era la pieza que más había oído en su cabeza desde que llegara a ese país, la que tocaba en silencio contra la orilla de la mesa del comedor cuando nadie lo miraba. En su casa miraba la partitura y pasaba las hojas; ahora estaba seguro de que siempre había sabido de memoria esa música. Podía ver las notas delante de él y las seguía con infalible fidelidad. En su corazón nunca se había sentido tan cerca de Chopin, a quien amaba como a un padre. Qué extraños se sentían sus dedos después de dos semanas de no tocar, como si la piel que ahora los cubría fuera totalmente nueva. Podía oir el clic más suave de sus uñas, que en este lapso le habían crecido, al tocar las teclas. Los martinetes cubiertos de fieltro golpearon las cuerdas con suavidad al principio, y la música, incluso para quienes nunca antes habían oído esa pieza, fue como un recuerdo. Por toda la casa, terroristas y rehenes se volvieron por igual y escucharon y sintieron un gran alivio en sus pechos. Había algo de delicado en las manos de Tetsuya Kato, era como si sólo estuvieran descansando en un punto del teclado y luego en otro. Y de repente su mano derecha desgranó notas como agua, un sonido tan ligero y tan alto que provocaba la tentación de alzar la tapa en busca de campanas. Kato cerró los ojos para imaginar que estaba en su casa, tocando su propio piano. Su esposa dormía. Sus hijos, dos muchachos solteros que vivían con ellos, también dormían. Para ellos las notas del piano de Kato habían llegado a ser como el aire, del que dependían y que, sin embargo, habían dejado de percibir mucho tiempo antes. Al tocar ahora ese gran piano de concierto, Kato podía imaginarlos durmiendo y depositó todo eso en el nocturno, la respiración tranquila de sus hijos, su esposa que aferraba la almohada con una mano. Traspasó al teclado toda la ternura que sentía por ellos. Tocaba las teclas como si no quisiera despertarlos. Era el amor y la soledad que sentían todos los presentes, pero de los que nadie se había animado a hablar. ¿Había tocado tan bien el acompañante? Sería imposible recordarlo: su talento consistía en ser invisible, para elevar a la soprano, pero ahora los hombres reunidos en el salón de la mansión vicepresidencial escuchaban a Kato con hambre, y nada en la vida los había alimentado tan bien.

La mayoría de los hombres no lo conocía. Muchos de ellos ni siquiera recordaban haberlo notado antes de ese momento, de manera que en cierto modo parecía que hubiera venido del mundo exterior a tocar para ellos. Ninguno de los que sí lo conocían sabía que tocaba, que continuaba tomando lecciones y practicaba por una hora cada mañana antes de abordar el tren hacia su trabajo. Para Kato había sido importante tener otra vida, una vida secreta. Ahora le parecía que el secreto no tenía ninguna importancia.

Todos estaban alrededor del piano, Roxane Coss y el señor Hosokawa y Gen y Simon Thibault y el sacerdote y el vicepresidente y también Óscar Mendoza y el pequeño Ismael y Beatriz y Carmen, que dejó su arma en la cocina y estuvo de pie con los demás. Todos los rusos estaban allí, y los alemanes que habían hablado de una insurrección, y los italianos, que estaban llorando, y los dos griegos que eran mayores que todos los demás. Estaban los muchachos, Paco y Renato y Humberto y Bernardo y todos ellos, una gran masa amenazante de carne juvenil que parecía ablandarse con cada nota. Hasta los generales acudieron. Fueron llegando todos, hasta que hubo en el salón cincuenta y ocho personas, y al terminar Tetsuya Kato inclinó la cabeza mientras todos aplaudían. Si no hubiera habido necesidad de un pianista es dudoso que Kato se hubiera sentado a tocar esa tarde, a pesar de que había mirado el piano igual que otros hombres miraban la puerta. Nunca hubiera escogido llamar la atención hacia sí mismo, y si no hubiera tocado el piano no habría formado parte de la historia. Pero hubo una necesidad, una solicitud específica, y él dio un paso adelante.

"Muy bien, muy bien", dijo el general Benjamín, alegrándose al pensar que el acompañante que habían perdido había sido remplazado. "Muy bien hecho", dijo el señor Hosokawa, muy orgulloso de que hubiera sido un hombre de Nansei quien hubiera logrado hacer el trabajo. Conocía a Kato quizá desde hacía veinte años. Conocía a su esposa, sabía los nombres de sus hijos. ¿Cómo era posible que nunca hubiera sabido que tocaba el piano?

Durante un momento el salón quedó en silencio y después Carmen, que se había convertido tan recientemente en mujer para ellos, dijo algo en un idioma del que ni siquiera Gen estaba seguro.

"Otra", le dijo el sacerdote, y Carmen repitió: "Otra".

Kato inclinó la cabeza hacia Carmen, quien sonrió. ¿Cómo era posible que la hubieran confundido con uno de esos muchachos? Hasta debajo de la gorra era adorable. Ella sabía que todos la estaban mirando y cerró los ojos, incapaz de regresar a la cocina de la forma que quería, incapaz de abandonar la curva protectora del costado del piano. Cuando él tocaba ella podía sentir las vibraciones de las cuerdas cuando apoyaba una cadera contra el instrumento. Y nadie nunca antes le había hecho una inclinación de cabeza. Nadie había escuchado sus peticiones. Y por supuesto, nadie antes había tocado una pieza de música para ella.

Kato tocó otra y otra más hasta que todos los presentes en el salón olvidaron su ardiente deseo de estar en alguna otra parte. Y cuando finalmente terminó y no pudo responder a los pedidos de otro encore porque las manos le temblaban de cansancio, Roxane Coss le estrechó la mano inclinando la cabeza, lo que estableció el pacto de que, en el futuro, ella cantaría y él tocaría.

Cinco

Gen era un hombre atareado. Lo necesitaba el señor Hosokawa, que quería otras diez palabras con sus respectivas pronunciaciones para agregarlas a su libreta. Lo necesitaban los otros rehenes, que querían saber cómo decir "¿Terminó usted ya con el periódico?" en griego o alemán o francés, y después necesitaban que les leyera el periódico si no leían español. Lo necesitaba Messner cada día para traducir las negociaciones. Y, sobre todo, lo necesitaban los generales, quienes en forma muy conveniente lo habían tomado por el secretario del señor Hosokawa en lugar de su traductor. Y confiscaron sus servicios. Les gustaba la idea de tener un secretario, y pronto estaban despertándolo a la mitad de la noche para decirle que se sentara con un bloc y un lápiz y dictarle su última lista de demandas para el gobierno. A Gen le daba la impresión de que no sabían bien lo que querían. Si su plan era secuestrar al presidente para derrocar al gobierno, no se habían molestado en pensar más allá de eso. Ahora hablaban vagamente sobre dinero para los pobres. Registraban sus memorias en busca de los nombres de cuanta persona habían conocido que estuviera en la cárcel, en lo que a Gen le parecía una lista interminable. Y en las madrugadas, en delirios de poder y generosidad, exigían que los pusieran en libertad a todos. Fueron más allá de los presos políticos y recordaron a ladrones de automóviles que habían conocido desde la niñez, rateros humildes, hombres que robaban pollos, un puñado de traficantes de drogas que no eran malos del todo una vez que los conocías. "No se olvide de él", decía el general Alfredo dándole a Gen un irritante golpe en el hombro. "No se imagina lo que ha sufrido ese hombre." Admiraban el modo claro en que Gen escribía, y cuando encontraron una máquina de escribir en el dormitorio de la hija mayor del vicepresidente quedaron impresionados al verlo escribir con ella. Héctor decía: "¡En inglés!" y después Alfredo "¡En portugués!" ¡Qué asombroso era mirar por encima de su hombro cómo escribía en diferentes lenguas. Era como tener un juguete increíble y fascinante. A veces, ya muy tarde, Gen lo escribía todo de nuevo en sueco sin el beneficio de la diéresis en un intento por distraerse, pero ya no se divertía. Hasta donde Gen sabía, sólo había dos rehenes que no eran fabulosamente ricos ni poderosos, él mismo y el sacerdote, y eran los únicos a quienes hacían trabajar. Por supuesto, el vicepresidente trabajaba, pero no porque alguien se lo mandara. Parecía pensar que la comodidad de sus invitados seguía siendo su responsabilidad. Siempre estaba sirviendo sandwiches y recogiendo tazas. Barría y lavaba los platos y dos veces por día trapeaba los pisos de los baños. Con un paño de cocina anudado a la cintura, había adquirido todas las cualidades de un encantador conserje de hotel. Preguntaba: "¿desearía usted un poco de té?", o bien: "¿le molestaría mucho que pasara la aspiradora debajo de su silla?". Todos sentían afecto por Rubén. Todos habían olvidado por completo que era el vicepresidente del país.

Rubén Iglesias le llevó un mensaje a Gen mientras éste esperaba que los generales resolvieran qué querían decir a continuación: lo necesitaban junto al piano. Roxane Coss y Kato tenían mucho que hablar. ¿Podían prestarles a Gen en ese momento en particular? Todos estaban en favor de mantener feliz a la soprano y si era posible oirla cantar de nuevo, de modo que accedieron a que Gen se fuera. Gen se sintió como un escolar a quien llaman fuera de la clase. Recordó su caja de lápices bien ordenados, su bloc de papel limpio, la suerte de tener su pupitre cerca de la ventana sólo por el punto del alfabeto en el que caía su nombre. Era un buen alumno, y sin embargo recordaba en todo momento cuán desesperadamente deseaba poder salir del salón. Rubén Iglesias lo tomó del brazo. "Supongo que los problemas del mundo tendrán que esperar", susurró, y después rio de una forma que nadie podía oirlo.

El señor Hosokawa se quedó junto al piano con Kato y Roxane. Era un placer oir tanta conversación sobre ópera traducida al japonés. Era diferente escuchar lo que ella le decía a él, y lo que decía cuando estaba hablando con alguien más, hablando con alguien más sobre música. Podía adquirirse una educación regular escuchando las conversaciones ajenas. Mucho de lo que uno aprende proviene de lo que escuchó accidentalmente sin que le estuviera destinado, media frase captada al entrar por una puerta. Desde que lo habían tomado como rehén, el señor Hosokawa sentía la frustración de los sordos. A pesar de que estudiaba su español con diligencia, sólo en ocasiones escuchaba alguna palabra que reconocía. Toda su vida hubiera querido más tiempo para escuchar, y cuando por fin tenía tiempo no había nada que escuchar, sólo un ruido mecánico de voces que no podía entender y los chirridos ocasionales de la policía más allá del muro. El vicepresidente tenía un aparato estereofónico pero sólo parecía tener gusto por la música local: todos sus discos compactos eran de bandas que tocaban flautas muy agudas y tambores toscos, música que le daba dolor de cabeza al señor Hosokawa. Sin embargo, a los generales les resultaba inspiradora y no accedieron a solicitar nuevos discos compactos.

Pero ahora el señor Hosokawa acercó su silla al piano y escuchó. Todos permanecieron en el salón, rehenes y terroristas por igual, con la esperanza de que alguien lograra persuadir a Kato de que tocara de nuevo o, mejor aún, de que Roxane Coss cantara. Carmen parecía especialmente concentrada observando a Roxane. Se consideraba su guardaespaldas, como si está fuera su responsabilidad personal. Se quedó de pie en el rincón mirando al grupo con una concentración inquebrantable. Beatriz estuvo mascando el extremo de su trenza un rato, platicando con muchachos de su misma edad. Al comprender que no habría música en el futuro inmediato, ella y algunos de su grupo se marcharon a ver televisión.

Sólo el señor Hosokawa y Gen fueron invitados a sentarse con los dos principales ejecutantes. "Lo primero que me gusta hacer en la mañana es cantar escalas", dijo Roxane. "Después de desayunar trabajaré con algunas canciones, Bellini, Tosti, Schubert. Si usted puede tocar Chopin, puede tocar a ésos." Roxane deslizó los dedos sobre el teclado, colocando las manos en posición para la apertura de *La trucha,* de Schubert:

"Si conseguimos las partituras", dijo Kato.

"Si conseguimos que nos traigan la cena podemos conseguir partituras. Haré que mi agente prepare una caja y me la mande. Alguien podrá traerla en avión. Dígame lo que quiere." Roxane miró a su alrededor en busca de un pedazo de papel y el señor Hosokawa pudo sacar su libretita y su pluma del bolsillo interior de su saco. La abrió en una página en blanco hacia el final y se la tendió.

"Ah, señor Hosokawa", dijo Roxane. "Esta prisión sería algo muy diferente sin usted."

"Estoy seguro de que usted ha recibido mejores regalos que un bloc de papel y una pluma", dijo el señor Hosokawa.

"La calidad del regalo depende de la sinceridad de quien lo hace. Y además, también ayuda si el regalo es algo que el destinatario realmente desea. Hasta ahora usted me ha dado su pañuelo, su libreta y su pluma. Tres cosas que yo quería."

"Lo poco que tengo es suyo", dijo él con una sinceridad que no correspondía al tono ligero de Roxane. "Si lo desea le doy mis zapatos. O mi reloj."

"Tiene que guardar algo para sorprenderme en el futuro." Roxane arrancó una hoja y le devolvió la libreta. "Siga con sus estudios. Si permanecemos aquí el tiempo suficiente podremos llegar a eliminar a Gen de nuestro círculo."

Gen tradujo y después agregó: "Yo mismo me dejaré sin empleo."

"Siempre puede volver a la selva con ellos", dijo Roxane mirando por encima del hombro a los generales, que pasaban su tiempo libre mirándola. "Parece que ellos quieren darle un empleo."

"Yo jamás lo dejaría ir", dijo el señor Hosokawa.

"A veces", dijo Roxane tocando por un segundo la muñeca del señor Hosokawa, "estos asuntos se salen de nuestro control."

El señor Hosokawa le sonrió. La naturalidad de la plática, la súbita facilidad con que pasaban juntos el tiempo lo embriagaba. Se preguntaba qué habría pasado si no hubiera sido Kato quien tocara el piano. Podría haber sido uno de los griegos, o un ruso. Y entonces él hubiera quedado excluido de nuevo, escuchando inglés traducido al griego y griego traducido al inglés, sabiendo que Gen, *su* traductor, no tendría tiempo para repetir cada frase en japonés. Kato dijo que le gustaría algún Fauré si no era demasiada molestia, y Roxane rio y dijo que a esas alturas nada podía ser una molestia. ¡Maravilloso Kato! Apenas parecía fijarse en ella: era del piano que no lograba apartar los ojos. Siempre había sido un trabajador incansable y ahora era el héroe del día. Le daría un aumento sustancial cuando todo esto terminara.

Messner llegó, como de costumbre, a las once de la mañana. Dos de los jóvenes soldados lo catearon a la entrada. Le ordenaron quitarse los zapatos y miraron dentro de ellos, en busca de armas diminutas. Le catearon las piernas y debajo de los brazos. Era una costumbre ridícula que no se había desarrollado a causa de la sospecha, sino del aburrimiento. Los generales luchaban por mantener a su gente con mentalidad de batalla, pero cada vez eran más los adolescentes que se acostaban en el sofá de piel del estudio del vicepresidente a ver televisión. Tomaban largos baños y se recortaban mutuamente el cabello con un par de elegantes tijeras de plata que habían encontrado en el escritorio. Por consiguiente, los generales duplicaron la guardia nocturna y el servicio de la guardia. Hicieron que los soldados patrullaran la casa en parejas y mandaban a otros dos afuera a recorrer los bordes del jardín bajo la penetrante llovizna. Y cuando iban llevaban sus rifles cargados y los sostenían en posición, como si estuvieran buscando dispararle a un conejo.

Messner se sometía a ese ejercicio con paciencia. Abría su portafolios y se quitaba los zapatos. Alzaba los brazos en línea recta a ambos lados y separaba bien sus pies para que esas extrañas manitas pudieran recorrer su cuerpo como lo consideraran necesario. Una vez uno de ellos le hizo cosquillas en las costillas; Messner bajó su brazo bruscamente y exclamó "¡Basta!" Nunca había visto un grupo de terroristas tan poco profesional. Para él era un misterio total y absoluto cómo adueñarse de la casa.

El general Benjamín le dio una bofetada a Renato, el muchacho que le había hecho cosquillas a Messner, y le quitó su rifle. Todo lo que esperaba era algo parecido a una orden militar. "No hace falta nada de eso", dijo cortante.

Messner se sentó en una silla y volvió a amarrarse los zapatos. Estaba irritado con todos ellos. Para entonces ya debería haber olvidado este viaje, ya debería haber revelado todas las fotografías de su viaje e incluso ya las habría guardado en un álbum después de compartirlas. Ya debería haber regresado su costoso y sobrevaluado departamento de Ginebra con su excelente vista y los elegantes muebles de estilo danés moderno que había coleccionado con tanto cuidado. Debería estar recibiendo por la mañana un paquete de correo de las frías manos de su secretaria. Y en cambio iba a trabajar y preguntaba al grupo cómo se encontraba. Había estado practicando su español y aun cuando mantenía cerca a Gen, tanto por un sentimiento de seguridad como para respaldar su vocabulario, ya era capaz de manejar por cuenta propia la mayor parte de la conversación informal.

"Nos estamos cansando de esto", dijo el general, pasándose las manos por la cabeza, de adelante hacia atrás. "Queremos saber por qué su gente no encuentra una solución. ¿Será necesario que empecemos a matar rehenes para llamarles la atención?"

"Bueno, en primer lugar no son *mi* gente." Messner se ajustó las agujetas. "Además, no es mi atención la que ustedes están tratando de llamar. No vayan a matar a nadie por mi bien. Tienen mi entera atención. Yo debería haber regresado a casa hace una semana."

"Todos deberíamos haber regresado a casa hace una semana", suspiró el general Benjamín. "Pero tenemos que ver liberados a nuestros hermanos." Para el general Benjamín, por supuesto, eso significaba tanto sus partidarios filosóficos como su hermano en el sentido literal: Luis, quien había cometido el crimen de repartir volantes para una protesta política y ahora estaba enterrado vivo en una de las prisiones situadas a gran altitud. Benjamín no era general antes del arresto de su hermano: era maestro de escuela. Vivía en el sur del país, cerca del oceano. Jamás había tenido el menor problema con sus nervios.

"Ése es el problema", dijo Messner, observando el salón y pasando rápidamente lista a los presentes.

"¿Y hay algún avance?"

"Hoy no he oído nada de eso." Metió la mano en su portafolios y sacó un fajo de papeles. "Tengo esto para usted. Son las demandas de ellos. Si hay algo nuevo que usted quiera que pida..."

"La señorita Coss", dijo el general Benjamín moviendo el pulgar en dirección de ella. "Hay algo que quiere."

"Ah, sí."

"Siempre hay algo para la señorita Coss", dijo el general. "Secuestrar mujeres es un asunto muy distinto a secuestrar hombres. Yo no había pensado antes en eso. Para nuestra gente, libertad. Para ella algo diferente, tal vez vestidos."

"Veré eso", dijo Messner y movió la cabeza, pero no se incorporó para alejarse. "¿No podría traerle algo para usted?" No lo mencionó directamente, pero estaba preocupado por el herpes, que cada día parecía extender un milímetro más su red de rojo violento por la cara del general y pronto estaría sumergiendo sus dedos en el agua fresca de su ojo izquierdo.

"No hay nada que necesite."

Messner asintió y se disculpó. Prefería a Benjamín que a los otros dos. Le parecía un hombre razonable, incluso hasta inteligente. Sin embargo, se esforzaba por impedir que surgiera cualquier sentimiento de verdadero afecto por él, por cualquiera de ellos, rehenes y captores por igual. El afecto con frecuencia impide que uno haga el trabajo bien. Además, Messner sabía cómo terminaban, por lo general, esas historias. Parecía mejor evitar involucrarse de manera personal.

Pero las reglas razonables no se aplicaban a Roxane Coss. Continuamente quería algo, y los generales que nunca se preocupaban por las solicitudes de los demás rehenes se apresuraban a ceder a los de ella. Cada vez que pedía algo, Messner sentía que su corazón se aceleraba un poco, como si fuera a él a quien ella quisiera ver. Un día era hilo dental, otro día una bufanda y luego unas cuadretas herbales para la garganta que Messner le llevó con orgullo al advertir que eran suizas. Otros rehenes se habían acostumbrado a pedirle a Roxane cuando necesitaban algo. Y ella pedía calcetines de hombre o revistas de navegación sin pestañear.

"¿Ya escuchó la buena noticia?", dijo Roxane.

"¿Tenemos buenas noticias ahora?" Messner trató de ser racional. Trató de entender qué era lo que ella tenía. De pie a su lado, podía mirar el lugar donde se dividían sus cabellos. Era igual al resto de ellos ¿no?, excepto quizá por el color de sus ojos.

"El señor Kato toca el piano."

Al escuchar su nombre, Kato se incorporó del banco del piano e hizo una inclinación hacia Messner. Hasta entonces no habían sido presentados. Todos los rehenes admiraban mucho a Messner, tanto por la calma de su actitud como por su capacidad, en apariencia mágica, de entrar y salir a voluntad por la puerta del frente.

"Por lo menos podré practicar de nuevo", dijo Roxane. "Si acaso alguna vez logramos salir de aquí, todavía quiero ser capaz de cantar."

Messner dijo que esperaba tener una oportunidad de escuchar los ensayos. Durante un momento breve e inquietante sintió algo no muy diferente de los celos. Los rehenes estaban allí todo el tiempo, de manera que si ella decidía cantar a primera hora de la mañana o en mitad de la noche, siempre serían capaces de escucharla. Él se había comprado un reproductor portátil de CD y todas las grabaciones de ella que pudo encontrar. Por la noche se acostaba en su cuarto en un hotel de dos estrellas pagado por la Cruz Roja Internacional y la escuchaba cantar *Norma* y *La sonnambula*. Él yacería solo, acostado en su incómoda cama, contemplando las grietas que parecían arañas en el techo, y todos ellos estarían en el gran salón de la residencia vicepresidencial escuchándola cantar "Casta diva".

Basta, se dijo Messner para sus adentros.

"Siempre he tenido ensayos cerrados", dijo Roxane. "No creo que nadie tenga derecho a escuchar mis errores. Pero dudo que tenga sentido tratar de arreglar algo así aquí. Difícilmente puedo encerrarlos a todos en el ático."

"En el ático la oirían."

"Los obligaría a rellenarse los oídos con algodón." Roxane rio con la idea y Messner se sintió emocionado. Todo en la casa parecía más tolerable desde que ese nuevo acompañante había aparecido.

"Entonces ¿qué puedo hacer por usted?" Si Gen se había convertido en secretario, Messner era el mandadero. En Suiza era miembro de un equipo de arbitraje de élite. A los cuarenta y dos años había tenido una carrera muy exitosa en la Cruz Roja. Hacía casi veinte años que no empacaba alimentos ni llevaba cobijas al lugar de una inundación. Y ahora recorría la ciudad en busca de chocolate de sabor naranja y llamaba a un amigo en París para que le mandara una crema de ojos carísima que venía en un pequeño tubo negro.

"Necesito música", dijo ella, y le entregó su lista. "Llame a mi agente y dígale que mande esto con entrega de un día para otro. Dígale que lo traiga él mismo si cree que podría haber cualquier problema. Quiero esto mañana."

"Tendría que ser un poquito más razonable que mañana", dijo Messner. "En Italia ya oscureció."

Messner y Roxane hablaban en inglés, y Gen traducía discretamente su conversación privada al japonés. El padre Arguedas se aproximó con lentitud al piano, sin querer interferir pero con un gran deseo de escuchar lo que se estaba diciendo.

"Gen", susurró. "¿Qué necesita ella?"

"Partituras", dijo Gen.

"¿Y Messner sabe con quién hablar? ¿Sabe adónde debe ir?"

Gen sentía simpatía por el sacerdote y no quería sentirse molesto, pero era evidente que el señor Hosokawa y Kato pretendían seguir lo que se estaba traduciendo al japonés y él se estaba quedando atrás respecto de lo que se decía en inglés. "Van a contactar a su gente en Italia", dijo Gen volviendo la espalda al padre Arguedas y regresó al trabajo que estaba haciendo.

El sacerdote tiró la manga de Gen, y él alzó la mano pidiéndole que esperara.

"Pero es que yo sé dónde está la música", insistió el sacerdote. "Ni a tres kilómetros de aquí. Conozco a un hombre, es maestro de música, un diácono de nuestra parroquia. Me presta discos. Él tiene toda la música que usted necesitaría." Cada vez hablaba más fuerte. El padre Arguedas, que había dedicado su vida a las buenas obras, estaba casi frenético por falta de buenas obras que realizar. Ayudaba a Rubén con el lavado de la ropa y por la mañana doblaba todas las cobijas y las colocaba junto con las almohadas en hileras ordenadas contra la pared, pero anhelaba proporcionar ayuda y guía de una naturaleza más profunda. No podía evitar el sentimiento de que casi llegaba a molestar a los demás en lugar de consolarlos, cuando todo lo que deseaba, lo único que le importaba era ser útil.

"¿Qué es lo que dice?", preguntó Roxane.

"¿Qué dice usted?", preguntó Gen al sacerdote.

"La música está aquí. Podríamos llamar por teléfono y Manuel le traería todo lo que usted necesite. Y si es algo que él no tiene, cosa que no puedo imaginar, él lo conseguirá para usted. Todo lo que necesita decir es que es para la señorita Coss. Ni siquiera necesita decir eso: es un buen cristiano. Si le dice que necesita la música por cualquier razón, le prometo que él ayudará." Los ojos de ella se tornaron deslumbrantes en su agitación. Las manos de él se agitaban ante su pecho como si estuviera tratando de ofrecerle su propio corazón.

"¿Tendrá a Bellini?", preguntó Roxane después de oir la traducción. "Necesito canciones. Necesito partituras completas de óperas, Rossini, Verdi, Mozart." Se inclinó hacia el sacerdote y le pidió directamente lo imposible: "Offenbach".

"¡Offenbach! ¡*Les contes d'Hoffmann*!" La pronunciación del sacerdote era comprensible, si no buena. Sólo había visto el nombre escrito en la cubierta del disco.

"¿Tendrá eso?", preguntó ella a Gen.

Gen repitió la pregunta y el sacerdote respondió: "Yo he visto sus partituras. Llámelo, se llama Manuel. Yo agradecería mucho hacer la llamada si me lo permitieran."

Como no se podía molestar al general Benjamín, que estaba encerrado en una habitación del piso superior aplicando emplastos calientes a su cara inflamada, Messner hizo el pedido a los generales Héctor y Alfredo, quienes accedieron con aburrida indiferencia.

"Para la señorita Coss", explicó Messner.

El general Héctor asintió y dijo adiós con la mano sin mirarlo. Cuando Messner ya casi estaba fuera de la habitación el general Alfredo ladró: "¡Pero sólo una llamada!", pensando que no había mostrado adecuadamente su autoridad al acceder tan rápido. Estaban en el estudio, viendo la telenovela favorita del presidente. La heroína, María, le estaba diciendo a su enamorado que ya no lo amaba, con la esperanza de que él, desesperado, abandonara el pueblo y así quedara protegido de su propio hermano, quien también estaba enamorado de María y por eso trataba de asesinarlo. Messner se detuvo un momento en la puerta para observar a la muchacha que lloraba en el televisor. Su dolor era tan convincente que le resultó difícil alejarse.

"Llame a Manuel", exclamó al regresar al salón. Rubén fue a la cocina, trajo el directorio telefónico y Messner entregó al sacerdote su teléfono celular y le enseñó cómo marcar.

A la tercera llamada hubo una respuesta: "Aló."

"¿Manuel?", dijo el sacerdote. "Hola, ¿Manuel?" Sentía que la emoción le estrangulaba la voz. ¡Alguien fuera de la casa! Era como ver un fantasma de su vida anterior, una sombra plateada caminando por el pasillo hacia el altar. Manuel. No había completado dos semanas de cautiverio pero al oir esa voz el sacerdote sintió como si estuviera muerto para el mundo.

"¿Quién habla?" La voz sonaba desconfiada.

"Soy tu amigo, el padre Arguedas." Los ojos del sacerdote se llenaron de lágrimas. Alzó una mano para excusarse con los demás y se alejó hacia el rincón, hacia los lustrosos pliegues de los cortinajes.

Al otro lado de la línea hubo un largo silencio. "¿Esto es alguna broma?"

"No, Manuel, te estoy hablando."

"¿Padre?"

"Estoy en...", dijo, pero ahí la voz se le quebró. "Me han retenido."

"Ya todos sabemos eso. Padre ¿está usted bien? ¿Lo están tratando bien? ¿Le dejan hacer llamadas por teléfono?"

"Estoy bien. Estoy muy bien. La llamada; no, es una circunstancia especial."

"Decimos misa por usted todos los días." Ahora era la voz del amigo la que se estaba quebrando. "Vine a la casa sólo para almorzar. Acabo de entrar por la puerta. Si hubiera llamado cinco minutos antes no habría estado aquí. ¿Está usted bien? Oímos cosas terribles."

"¿Dicen misa por mí?" El padre Arguedas aferró con la mano los pesados cortinajes y apoyó la mejilla contra la suave tela. Hasta donde sabía, lo habían recordado en la misa junto con otros veintitrés, el domingo antes de que tomara las sagradas órdenes y eso era todo. Pensar en esa gente, la gente por la que él rezaba y ahora rezaba por él. Pensar que Dios oyera su nombre pronunciado por tantas voces. "Deben rezar por todos los que estamos aquí, tanto los rehenes como los secuestradores."

"Así lo hacemos", dijo Manuel. "Pero la misa se ofrece en su nombre."

"No puedo creer esto", susurró él.

"¿Tiene la música?", preguntó Roxane Coss, y Gen preguntó al sacerdote.

El padre Arguedas volvió en sí. "Manuel." Tosió tratando de limpiar la emoción de su voz. "Te he llamado para pedirte un favor."

"Cualquier cosa que desee, amigo mío. ¿Quieren dinero?"

El sacerdote sonrió al pensar que con todos los hombres ricos que había por allí pudieran ponerlo a él a pedirle dinero al maestro de música. "Nada de eso. Necesito partituras. Aquí hay una cantante..."

"Roxane Coss."

"Usted sabe todo", dijo él, sintiendo alivio al percibir la preocupación de su amigo. "Necesita música para practicar."

"Oí que su acompañante había muerto. Asesinado por los terroristas. Oí que le cortaron las manos."

El padre Arguedas se horrorizó. ¿Qué otras cosas decían sobre ellos ahora?

"No hubo nada así. Se murió solo. Era diabético." ¿Debía defender a quienes los tenían presos allí? Seguramente, no debían ser acusados en falso de cortarle las manos a un pianista. "No está tan mal aquí. En realidad a mí no me importa. Ya hemos encontrado a otro acompañante. Hay alguien aquí que toca muy bien, en mi opinión", dijo, bajando su voz hasta un susurro. "Quizá incluso mejor que el primero. Ella desea cosas muy variadas, partituras de ópera, canciones de Bellini, Chopin para el acompañante. Tengo una lista."

"No hay nada que ella necesite que yo no tenga", dijo Manuel, confiado.

El sacerdote podía oir a su amigo buscando papel y pluma. "Yo le dije lo mismo."

"¿Le habló de mí a Roxane Coss?"

"Por supuesto. Por eso lo estoy llamando."

"¿Ella ha oído mi nombre?"

"Ella quiere cantar las partituras de usted."

"Hasta secuestrado se las arregla usted para hacer buenas obras", suspiró Manuel. "Qué honor para mí. Las llevaré ahora mismo, aunque me brinque por completo el almuerzo."

Los dos hombres hablaron de la lista y después el padre Arguedas volvió a verificarla con Gen. Cuando todo estuvo arreglado el sacerdote pidió a su amigo que esperara en la línea, vaciló un instante y luego le tendió el teléfono a Roxane: "Pídale que le diga algo", le dijo a Gen.

"¿Qué?"

"Cualquier cosa. No importa. Dígale que diga los nombres de las óperas. ¿Podría hacer eso?"

Gen hizo el pedido y Roxane Coss tomó el pequeño teléfono de la mano del sacerdote, lo acercó a su oído y dijo: "¿Hello?"

"¿Hello?", la imitó Manuel en inglés, como un loro.

Ella miró al sacerdote y sonrió, y estuvo mirándolo a los ojos mientras decía los nombres en el teléfono: *"La Bohème"*, dijo. *"Così fan tutte."*

"Santo Dios", susurró Manuel.

"La Gioconda, I Capuleti e i Montecchi, Madama Butterfly."

Era como si el pecho del sacerdote se llenara de una luz blanca, una especie de brillo ardiente que hacía que sus ojos se llenaran de lágrimas y su corazón latiera como un hombre desesperado golpeando las puertas de una iglesia a medianoche. Si hubiera sido capaz de alzar las manos para tocarla no hubiera estado seguro de poder detenerse. Pero no importaba. Estaba paralizado por su voz, la música de su hablar, las curvas rítmicas de los nombres que pasaban a través de sus labios al teléfono, y de ahí al oído de Manuel a unos tres kilómetros de distancia. En ese momento el sacerdote supo con certeza que sobreviviría a todo eso. Que llegaría un día en que se sentaría ante la mesa de la cocina de Manuel, en su pequeño departamento lleno de música, y con la mayor desvergüenza se contarían el placer de ese preciso instante. Tenía que vivir aunque sólo fuera para tomar esa taza de café con su amigo. Y mientras recordaran, tratar de colocar en orden los nombres pronunciados por ella, el padre Arguedas sabría que él había sido el más afortunado de los dos porque ella lo había mirado a él mientras hablaba.

"Deme el teléfono", le dijo Simon Thibault a Messner cuando terminaron.

"Dijo que una sola llamada."

"No me importa lo que haya dicho. Deme el maldito teléfono."

"Simon."

"Todos están viendo televisión. Deme el teléfono."

Los terroristas habían quitado los cables de todos los teléfonos de la casa.

Messner suspiró y le entregó el teléfono. "Sólo un minuto."

"Se lo juro", dijo Simon. Ya estaba marcando el número. El teléfono sonó cinco veces y después la contestadora tomó la línea. Era su propia voz, diciendo primero en español y después en francés que ellos habían salido, y que devolverían la llamada. ¿Por qué no había grabado el mensaje Edith? ¿En qué había estado pensando él? Se puso la mano sobre los ojos y empezó a llorar. El sonido de su propia voz le resultaba casi insoportable. Cuando se detuvo hubo un tono largo y grave. "Je t'adore", dijo él. "Je t'aime, je t'adore."

Ahora todos se dispersaban, encaminándose hacia sus respectivos sillones para dormir una siesta o jugar una mano de solitario. Después que Roxane se alejó y Kato regresó a la carta que estaba escribiendo a sus hijos (¡tenía tanto que decirle!), Gen observó que Carmen seguía en su sitio al otro lado del salón y que ya no estaba mirando a la cantante ni al pianista. Estaba mirándolo a él. Experimentó la misma tirantez que cuando ella lo había visto antes. Ese rostro, que le había parecido bonito hasta la inconveniencia cuando había sido asignado a un muchacho, no pestañeaba ni se movía o siquiera parecía respirar. Carmen no tenía puesta su gorra. Sus ojos eran grandes y oscuros y estaban fijos en Gen, como si desviar la vista hubiese significado admitir que lo había estado mirando.

Con todo su talento para las lenguas, Gen con frecuencia se sentía perdido cuando se quedaba solo con sus propias palabras. Si el señor Hosokawa todavía hubiera estado sentado allí quizá le hubiera dicho a Gen: Vaya a ver qué quiere esa muchacha, y Gen hubiera ido a preguntarle sin la menor vacilación. Ya se le había ocurrido alguna vez en su vida que tenía el alma de una máquina y que sólo era capaz de moverse si otra persona lo echaba a andar. Era muy bueno en el trabajo y lo pasaba muy bien a solas: sentado solo en su departamento lleno de libros y cintas se adueñaba de los idiomas como otros hombres se adueñaban de las mujeres, primero hablando con suavidad y después con pasión. Desparramaba libros en el piso y los iba tomando al azar. Leía a Czeslaw

Milosz en polaco, a Flaubert en francés, a Chéjov en ruso, a Nabokov en inglés, a Mann en alemán, y después los alternaba con Milosz en francés, Flaubert en ruso, Mann en inglés. Era como un juego, un vistoso truco de salón que él ejecutaba sólo para sí mismo, en el que los constantes cambios mantenían su mente aguzada, pero era muy distinto a ser capaz de acercarse a una persona que lo miraba fijamente a uno desde el otro lado del salón. Quizá los generales tuvieran razón acerca de él después de todo.

Carmen usaba un ancho cinturón de cuero en torno a su estrecha cintura y en el lado derecho llevaba una pistola. Sus pantalones verdes de fajina no estaban sucios como los de sus compatriotas y había zurcido el desgarrón sobre una rodilla con la misma aguja y el mismo hilo que Esmeralda había utilizado para coser la cara del vicepresidente. Al terminar su trabajo, Esmeralda había dejado el carrete con la aguja ensartada sobre una mesita, y, a la primera oportunidad, Carmen se los había echado en forma subrepticia al bolsillo. Había tenido la esperanza de hablar con el traductor desde que comprendió qué era lo que él hacía, pero no había imaginado la manera de hablarle sin que él se diera cuenta de que era mujer. Después Beatriz se encargó de eso y ahora ya no había secreto, ni razón para esperar, salvo por el hecho de que ella parecía estar inmovilizada contra la pared. Él la había visto. Él la estaba mirando ahora, y al parecer las cosas no iban a pasar de allí. Ella era incapaz de alejarse e igualmente incapaz de caminar hacia él. Bien podía vivir toda su vida en ese lugar. Trató de recordar su propia agresividad, todas las cosas que los generales le habían enseñado durante su entrenamiento, pero una cosa era tomar lo que se debía para el bien del pueblo y otra muy diferente pedir algo para uno mismo. Ella no sabía nada, en absoluto, sobre la actitud de pedir.

"Querido Gen", dijo Messner, dándole una palmada en el hombro. "Nunca lo había visto sentado solo. Me imagino que a veces debe tener la sensación de que todos tienen algo que decir pero nadie sabe cómo decirlo."

"A veces", respondió Gen, ausente. Sentía que si la corriente de aire soplaba en dirección a Carmen, la levantaría y se la llevaría, como a una pluma.

"Somos las doncellas de las circunstancias, usted y yo." Messner le hablaba a Gen en francés, la lengua que hablaba en su casa en Suiza. "¿Cuál sería el equivalente masculino de doncella?"

"Esclave", dijo Gen.

"Sí, por supuesto, esclavo, pero no suena tan bien. Creo que me quedaré con eso de las doncellas. No me importa." Messner se sentó al lado de Gen sobre el banco del piano y dejó que sus ojos siguieran el curso de la mirada de Gen. "Dios mío", exclamó en voz baja. "¿No es ésa una mujer?"

Gen le dijo que sí.

"¿De dónde salió? No había mujeres aquí. No me diga que han encontrado el modo de meter a más gente de su tropa."

"Siempre estuvo aquí", dijo Gen. "Hay dos mujeres. Sólo que no nos dimos cuenta. Ésa es Carmen. La otra, Beatriz, está adentro viendo televisión."

"¿No nos dimos cuenta?"

"Aparentemente no", dijo Gen, sintiéndose bastante seguro de que él sí se había dado cuenta.

"Acabo de estar en el estudio."

"Entonces de nuevo no se dio cuenta de que Beatriz es mujer."

"Beatriz. Y ésta es Carmen. Bueno", dijo Messner poniéndose de pie. "Entonces algo anda muy mal con todos nosotros. Por favor tradúzcame. Quiero hablar con ella."

"Usted habla español muy bien."

"Hablo español con muchas vacilaciones y uso mal los verbos. Levántese. Mírela, Gen. Lo está mirando fijo a usted." Era verdad. Carmen se había asustado tanto cuando vio que Messner se proponía ir hacia ella que fue incapaz hasta de pestañear, y ahora miraba como miran las figuras en los retratos. Le rogó a santa Rosa de Lima que le concediera el más raro de los dones: volverse invisible. "O bien le han ordenado que lo vigile a usted so pena de muerte, o tiene algo que decir."

Gen se puso de pie. Era un traductor. Iría y traduciría la conversación de Messner. Y, sin embargo, sentía un temblor particular en el pecho, una sensación no por completo diferente a la comezón, que se localizaba justo debajo de las costillas.

"Una cosa tan extraordinaria y nadie lo mencionó siquiera", dijo Messner.

"Todos estábamos pensando en el nuevo acompañante", respondió Gen, sintiendo que las rodillas se le aflojaban más a cada paso. Fémur, rótula, tibia. "Ya nos habíamos olvidado de las muchachas."

"Supongo que es terriblemente sexista de mi parte dar por sentado que todos los terroristas eran hombres. Después de todo éste es el mundo moderno. Uno debería suponer que una niña puede crecer para ser terrorista con la misma facilidad que un varón."

"Yo no me lo puedo imaginar", dijo Gen.

Cuando se encontraban a un metro de distancia de ella, Carmen halló la fuerza necesaria para poner su mano derecha sobre su arma, lo que los hizo detenerse de inmediato.

"¿Va usted a dispararnos?", preguntó Messner en francés, una frase sencilla que él no podía decir en español porque no conocía la palabra "disparar", y en ese momento pensó que debería aprenderla. Gen tradujo y su voz sonaba insegura. Carmen, con los ojos muy abiertos y la frente húmeda, no dijo nada.

Gen le preguntó si hablaba español.

"Poquito", murmuró ella.

"No dispare", dijo Messner de buen humor, señalando el arma.

Carmen apartó la mano y cruzó los brazos sobre el pecho. "No", dijo.

"¿Qué edad tiene usted?"

Dijo que tenía diecisiete años y pensaron que estaba diciendo la verdad.

"¿Cuál es su lengua materna?", preguntó Messner, y Gen le preguntó en qué idioma hablaban en su casa.

"Quechua", respondió ella. "Todos hablamos quechua, pero también sabemos español." Y después, en su primer intento de abordar lo que le interesaba, agregó: "Yo debería saber mejor el español." Las palabras salieron roncas, opacas.

"Usted habla bien el español", dijo Gen.

La expresión de ella cambió ante ese cumplido. Sería forzar mucho la verdad llamarla una sonrisa, pero sus cejas se alzaron y todas las facciones se elevaron alrededor de un centímetro como si fueran atraídas por la luz del sol. "Estoy tratando de aprender más."

"¿Cómo es que una muchacha como usted se involucró con una pandilla como ésta?", dijo Messner. Gen pensó que la pregunta era demasiado directa pero Messner sabía suficiente español como para darse cuenta si le planteaba otra pregunta con la misma intención.

"Trabajo para liberar al pueblo", dijo ella.

Messner se rascó la nuca. "Siempre se trata de 'liberar al pueblo'. Nunca sé exactamente a qué pueblo se refieren ni de qué quieren liberarlo. Es cierto, reconozco los problemas pero eso de 'liberar al pueblo' es demasiado vago. En realidad es más fácil negociar con asaltantes de bancos: sólo quieren el dinero. Quieren tomar el dinero y liberarse ellos y que el pueblo se vaya al diablo. Eso es mucho más comprensible ¿no le parece?"

"¿Está preguntándome a mí o a ella?"

Messner miró a Carmen y luego se disculpó en español. "Fue una grosería de mi parte", le dijo a Gen. Después se volvió hacia Carmen: "Mi español es muy malo", le dijo, "pero yo también estoy tratando de mejorarlo."

"Sí", dijo ella. No debería estar hablando con ellos de esa manera. Los generales podían entrar. Cualquiera podía verla. Estaba demasiado expuesta.

"¿La están tratando bien? ¿Está bien de salud?"

"Sí", dijo ella de nuevo, aunque no estaba segura de qué era lo que le estaban preguntando.

"En realidad es una muchacha muy bonita", le dijo a Gen en francés. "Tiene un rostro notable: es casi un corazón perfecto. Pero no se lo vaya a decir: parece del tipo que podría morir de vergüenza." Se volvió hacia Carmen: "Si necesita algo, dígaselo a alguno de nosotros."

"Sí", dijo ella, sintiendo una gran dificultad para conseguir que el sonido saliera con la forma de una palabra.

"Es raro ver un terrorista tímido", dijo Messner en francés. Todos estaban de pie, como en un momento difícil de un coctel largo y aburrido.

"¿Le gusta la música?", dijo Gen

"Es muy hermosa", susurró ella.

"Era Chopin."

"¿Kato tocó Chopin?", dijo Messner. "¿Los nocturnos? Lamento haberme perdido eso."

"Chopin tocó", dijo Carmen.

"No", dijo Gen. "El hombre que tocó era el señor Kato. El señor Chopin fue quien escribió la música que él tocó."

"Muy hermosa", dijo ella de nuevo, y de pronto los ojos se le llenaron de lágrimas y entreabrió un poco los labios, no para hablar, sino para respirar.

"¿Qué es lo que pasa?", preguntó Messner. Iba a tocar su hombro pero después lo pensó mejor. El muchacho grandote llamado Gilberto la llamó desde el otro lado de la habitación y, al oir su nombre, fue como si ella recuperara la capacidad de moverse. Se talló los ojos con rapidez y pasó al lado de los dos hombres sin siquiera asentir. Ellos se volvieron y la vieron atravesar aprisa el gran salón y desaparecer por el corredor con el muchacho.

"Es posible que la música la haya afectado", dijo Messner.

Gen se quedó mirando el lugar vacío donde ella había estado. "Debe ser difícil para una muchacha", dijo. "Todo esto."

Y cuando Messner empezó a decir que era difícil para todos, sabía lo que Gen quería decir y, francamente, estaba de acuerdo.

Cada vez que Messner se iba quedaba flotando en la casa una tristeza que podía durar horas. Adentro todo estaba silencioso y nadie escuchaba los tediosos mensajes que la policía seguía transmitiendo desde el otro lado del muro. "Inútil", "rendición", "no negociaremos". Se repetían sin término hasta que las palabras se desintegraban en un zumbido opaco, como el ruido furioso de las avispas alrededor de su panal. Se imaginaban lo que sienten los presos cuando se acaba la hora de visita y ya no hay nada que hacer más que estar sentado en la celda preguntándose si afuera ya cayó la noche. Todavía estaban en el ataque vespertino de depresión profunda, pensando en los parientes ancianos a quienes nunca iban a visitar, cuando Messner llamó de nuevo a la puerta. Simon Thibault alzó la cara de la chalina azul, que le colgaba alrededor del cuello y el general Benjamín hizo un gesto para ordenar al vicepresidente que abriera la puerta. Rubén se detuvo un instante para quitarse el paño de cocina que llevaba enrollado a la cintura, y los que tenían armas le hicieron señas de que se apresurara. Era Messner, todos lo sabían. Messner era el único que llamaba a la puerta.

"Qué agradable sorpresa", dijo el vicepresidente.

Messner estaba de pie en los escalones de la entrada, esforzándose para sostener en sus brazos una pesada caja.

Los generales habían pensado que esa visita fuera de programa indicaba una solución, una oportunidad de acabar con esa historia. Estaban tan desesperanzados, tan esperanzados. Cuando vieron que se trataba sólo de otra entrega sintieron un golpe de desilusión. No querían saber nada del asunto. "Ésta no es su hora de venir", le dijo el general Alfredo a Gen. "Él sabe a qué horas se le permite venir." El general Alfredo se había quedado dormido en su sillón. Había padecido un terrible insomnio desde su llegada a la residencia del vicepresidente y cualquiera que lo despertara de los sueñitos que conseguía viviría para lamentar las consecuencias. Siempre soñaba con balas que pasaban zumbando junto a sus oídos, cuando despertaba tenía la camisa empapada y su corazón latía aceleradamente, y se sentía más exhausto de lo que había estado antes de dormirse.

"Me pareció que se trataba de una circunstancia especial", dijo Messner. "Ha llegado la música."

"Somos un ejército", dijo Alfredo, "no un conservatorio. Venga mañana a la hora debida y examinaremos el problema de permitir la música."

Roxane Coss preguntó a Gen si era su música, y cuando él le dijo que sí ella se puso de pie. El sacerdote se acercó a la puerta también: "¿Son las partituras que manda Manuel?"

"Manuel está ahí, del otro lado del muro", dijo Messner. "Mandó todo esto para usted."

El padre Arguedas se llevó a los labios las manos unidas. *Dios todopoderoso y misericordioso, debemos alabarte y agradecerte en todo momento y en todo lugar.*

"Siéntense los dos", ordenó el general Alfredo.

"Dejaré esto aquí junto a la puerta", dijo Messner, y empezó a agacharse. Era asombroso lo que podía pesar la música.

"No", dijo Alfredo. Le dolía la cabeza. Estaba cansado de ceder una y otra vez. Aquí tenía que haber orden, respeto por la autoridad. ¿No era él quien tenía el arma? ¿Acaso eso no tenía importancia? Si él decía que la caja no entraba, pues entonces la caja no entraba. El general Benjamín susurró algo al oído de Alfredo pero éste sólo repitió lo que había dicho: "No".

Roxane jaló el brazo de Gen. "¿No es mía esa caja? Dígales eso."

Gen preguntó si la caja pertenecía a la señorita Coss. "¡Acá nada *pertenece* a la señorita Coss! Ella es una prisionera como el resto de ustedes. Ésta no es su casa. No existe ningún servicio especial de correo sólo para ella. Ella no recibe paquetes." El tono de la voz de Alfredo hizo que todos los terroristas más jóvenes se colocaran en posición de alerta y adoptaran una expresión amenazante; en la mayoría de los casos lo único necesario fue llevar las manos a las armas.

Messner suspiró y acomodó el peso en sus brazos. "Entonces regresaré mañana." Ahora habló en inglés, le habló a Roxane y dejó que Gen tradujera para los generales.

Todavía no se había ido, apenas había empezado a volverse para alejarse de la casa cuando Roxane Coss cerró los ojos y abrió la boca. Visto en retrospectiva fue una acción peligrosa, tanto desde el punto de vista del general Alfredo, que podría haberlo considerado como un acto de insurrección, como por el cuidado del instrumento de la voz misma. No había cantado en dos semanas y ni siquiera había practicado algunas escalas para calentar la garganta. Roxane Coss, vistiendo unos pantalones de la esposa de Rubén Iglesias y una camisa blanca de vestir del propio vicepresidente, se puso de pie en medio del vasto salón y empezó a cantar "O mio babino caro", de la ópera *Gianni Schicchi*, de Puccini. Debería haber habido una orquesta apoyándola, pero nadie notó su ausencia. Nadie habría dicho que la voz de ella sonaba mejor con orquesta, o cuando la sala estaba inmaculadamente limpia e iluminada por velas. Nadie notó la ausencia de flores y champaña, y en realidad ahora todos sabían que ambos eran adornos innecesarios. De hecho ¿no había estado ella cantando todo el tiempo? El sonido no era más bello cuando su voz estaba preparada y caliente. Los ojos de todos se nublaron de lágrimas por tantas razones, que sería imposible mencionarlas todas. De seguro lloraban por la belleza de la música, pero también por el fracaso de sus planes. Estaban pensando en la última vez que la habían oído cantar y extrañaban a la mujer que habían tenido a su lado en aquel momento. Todo el amor y el anhelo que puede contener un cuerpo se concentraron en no más de dos minutos y medio de canto, y cuando ella llegó a las notas más altas todos sintieron que todo lo que habían recibido en sus vidas y todo lo que habían perdido se juntaba en un peso que era casi imposible de soportar. Y cuando terminó, los que estaban a su alrededor permanecieron en un silencio asombrado y extremecido. Messner se apoyaba en la pared como si hubiera sido golpeado. A él no lo habían invitado a la fiesta. A diferencia de los demás, nunca antes la había oído cantar en persona.

Roxane respiró hondo y sacudió sus hombros. "Dígale", le dijo a Gen, "que así están las cosas. O me entrega esa caja ahora mismo o ninguno de ustedes volverá a oir otra nota de mí ni del piano por todo lo que dure este fracasado experimento social."

"¿De veras?", preguntó Gen.

"No estoy blofeando", dijo la soprano.

Por consiguiente, Gen transmitió el mensaje y todos los ojos se volvieron hacia el general Alfredo. Éste se pellizcó el puente de la nariz como tratando de empujar el dolor de cabeza hacia abajo, pero no funcionó. La música lo había confundido hasta la insensatez. No podía aferrarse a sus convicciones. Ahora estaba pensando en su hermanita que había muerto de escarlatina cuando él era sólo un niño, estos rehenes eran como niños terribles, que siempre querían más de ellos. No sabían nada de lo que significa sufrir. Él se habría alegrado de salir de la casa en ese mismo momento y aceptar cualquier destino que estuviera esperándolo al otro lado del muro, la vida entera en una cárcel o una bala en la cabeza. Con tan poco sueño no estaba en condición de tomar decisiones. Cualquier posible conclusión parecía una locura. Alfredo se volvió y salió de la sala, yendo por el corredor hacia el estudio del vicepresidente. Un momento después podían oirse las débiles voces del noticiario de la televisión y el general Benjamín le dijo a Messner que entrara y ordenó secamente a sus soldados que revisaran con mucho cuidado el contenido de la caja, en busca de cualquier cosa que no fuera música. Trató de sonar como si todo fuera su decisión, como si todavía fuera él quien estaba a cargo pero hasta él mismo se daba cuenta de que eso ya no era verdad.

Los soldados tomaron la caja de manos de Messner y

la vaciaron en el suelo. Había partituras sueltas y libros encuadernados, cientos de páginas cubiertas por el alfabeto del canto. Las examinaron una por una y las separaron, sacudiéndolas en grupos como si pudiera haber habido dinero escondido entre las páginas.

"Es asombroso", dijo Messner. "Tuve que esperar que la policía las revisara afuera y ahora otra vez lo mismo."

Kato fue y se arrodilló junto a los muchachos. En cuanto ellos terminaban de examinar una hoja de papel, Kato la tomaba. Fue separando con cuidado a Rossini de Verdi, juntando Chopin con Chopin. A veces se detenía y leía una página como si fuera una carta de casa, y su cabeza se movía siguiendo el ritmo. Cuando encontraba algo de particular interés se lo llevaba a Roxane y se lo entregaba, inclinándose desde la cintura. No le pidió a Gen que tradujera. Todo lo que ella necesitaba saber estaba allí.

"Manuel le manda saludos", le dijo Messner al padre Arguedas. "Dice que si necesita cualquier otra cosa él la conseguirá para usted."

El sacerdote sabía que estaba cayendo en el pecado del orgullo y, sin embargo, sentía una inmensa alegría por haber sido capaz de desempeñar una parte para traer la música. Todavía estaba demasiado mareado por el sonido de la voz de Roxane como para poder expresarse en forma adecuada. Volteó a ver si estaban abiertas las ventanas: tenía la esperanza de que Manuel hubiera podido oir siquiera una línea; una nota, desde el sitio donde estaba en la banqueta. Qué bendición había recibido en su cautiverio. Nunca habían estado tan cerca de él los misterios del amor de Cristo, ni siquiera cuando decía misa o recibía la comunión, ni siquiera el día que tomó las sagradas órdenes. Ahora comprendía que apenas estaba empezando a vislumbrar la verdadera dimensión de que su destino era seguir, caminar ciegamente hacia destinos que jamás podría comprender. En el destino había una recompensa, en entregar el corazón a Dios había una magnificencia que estaba más alla de toda descripción. En el momento en que uno está seguro de que todo se ha perdido, ¡mira lo que hemos ganado!

Roxane Coss no volvió a cantar ese día. Ya le había exigido bastante a su voz. Ahora se contentó con examinar las partituras, sentada en el pequeño sofá junto a la ventana, con el señor Hosokawa. Cuando alguno de ellos tenía algo que decir llamaban a Gen, pero lo sorprendente era qué poco lo necesitaban. Él era un gran consuelo para ella. En ausencia de lenguaje, ella creía que él siempre estaba de acuerdo. Tarareaba un poco de cada pieza para que él supiera qué era lo que leía y después miraban juntos las páginas. El señor Hosokawa no sabía leer música pero lo aceptaba. No hablaba el idioma del libreto, ni el de la cantante, ni el del anfitrión pero empezaba a sentirse más conforme con todo lo que había perdido, con todo lo que no sabía, y en cambio estaba asombrado con lo que tenía: la oportunidad de estar sentado al lado de esa mujer en la luz de ese atardecer tardío mientras ella leía. La mano de ella lo rozaba cuando colocaba las páginas sobre el sofá que había entre ellos, y después simplemente descansó sobre la suya mientras continuaba leyendo.

Después de un rato Kato se les acercó. Se inclinó hacia Roxane y después hacia el señor Hosokawa. "¿Cree usted que estaría bien que yo tocara?", preguntó a su patrón.

"Creo que estaría muy bien", dijo el señor Hosokawa.

"¿No cree que le incomodaría para leer?"

Roxane observaba al señor Hosokawa que hacía la pantomima de tocar el piano y señalaba a Kato.

"Sí", dijo ella asintiendo con la cabeza, y extendió una mano para recibir la partitura.

Kato se la entregó. "Satie", dijo.

"Satie", sonrió ella, asintiendo de nuevo. Kato fue al piano y tocó. No fue como la última vez que había tocado, cuando nadie podía creer que semejante talento hubiera estado en el salón, entre ellos, sin que se hubieran dado cuenta. No era como cuando Roxane cantaba y parecía que el corazón de todos tendría que esperar hasta que ella terminara para latir de nuevo. Satie era sólo música. Podían oirla sin que su belleza los paralizara. Los hombres podían continuar leyendo sus libros o mirar por la ventana mientras Kato tocaba. Roxane siguió hojeando las partituras, aunque de vez en cuando se detenía y cerraba sus ojos. Sólo el señor Hosokawa y el sacerdote comprendían completamente la importancia de la música. Cada nota era distinta. Era la medición del tiempo lo que se les había escapado. Era la interpretación de sus vidas en el momento mismo en que estaban viviéndolas.

Allí había otra persona que comprendía la música, pero no era uno de los invitados. De pie en el corredor, mirando hacia el salón, estaba Carmen, quien entendía perfectamente todo aunque no poseyera las palabras necesarias para decirlo. Era el momento más feliz de su vida, y todo por la música. Cuando era una niña pequeña y soñaba por la noche en su catre, jamás había soñado en placeres como ése. Nadie de su familia, que había quedado allá en la sierra, podría haber entendido que existía una casa hecha de ladrillos y con ventanas de vidrio y selladas, donde nunca hacía demasiado frío ni demasiado calor. Ella misma no habría creído que en algún lugar del mundo existiera una vasta alfombra tejida para asemejar prado lleno de flores, ni un techo con adornos de oro, ni que podía haber mujeres de mármol pálido de pie a ambos lados de una chimenea, sosteniendo un estante con sus cabezas. Y eso habría sido suficiente, la música y las pinturas y los jardines que ella patrullaba cada día con su fusil, pero además había comida que llegaba todos los días, tanta comida que una parte se desperdiciaba por mucho que trataran de comérsela toda. Había profundas tinas de baño blancas con un interminable suministro de agua caliente que salía por canillas curvadas, de plata. Había pilas de suaves toallas blancas y almohadas y cobijas con bordes de satén y tanto espacio dentro de la casa que uno podía perderse sin que nadie supiera a dónde había ido. Sí, los generales querían algo mejor para el pueblo, pero ¿no eran ellos el pueblo? ¿Sería lo peor del mundo que no pasara nada, que se quedaran para siempre todos juntos en esa casa generosa? Carmen rezaba intensamente. Rezaba de pie cerca del sacerdote con la esperanza de que eso agregara credibilidad a sus plegarias. Y lo que pedía era nada. Imploraba que Dios volviera los ojos hacia ellos, viera la belleza de su existencia y los dejara en paz.

Esa noche Carmen estaba de guardia. Había una larga espera antes de que todos se fueran a dormir. Algunos leían con ayuda de linternas, otros se desperezaban y se agitaban en el gran salón donde todos se acostaban juntos. Eran como niños, subiendo y bajando en busca de agua y para ir al baño. Pero una vez que todos se quedaron quietos ella se deslizó con suavidad rodeando los cuerpos y fue a mirar a Gen. Él estaba en su lugar de siempre, durmiendo con la espalda contra el suelo junto al sofá donde dormía su empleador. Gen se había quitado los lentes y mientras dormía los sujetaba ligeramente en una mano. Tenía un rostro agradable, un rostro que guardaba un conocimiento maravilloso. Ella podía ver cómo se movían sus ojos de un lado a otro bajo la piel delgada y suave de sus párpados, pero si estaba soñando, todo lo demás estaba inmóvil. Su respiración era silenciosa y regular. Carmen deseaba ser capaz de ver el interior de su mente. Se preguntó si estaría llena de palabras, compartimientos de lenguaje acomodados con cuidado unos sobre otros. En comparación, su propio cerebro sería un armario vacío. Era posible que él la rechazara, pero ¿qué daño habría en ello? No tendría menos de lo que tenía ahora. Todo lo que tenía que hacer era pedir. Todo lo que tenía que hacer era decir las palabras y, sin embargo, la idea de hacerlo le cerraba la garganta. ¿Qué experiencia tenía ella de música para piano y pinturas de la virgen? ¿Qué experiencia tenía ella de pedir algo? Carmen contuvo el aliento y se tendió en el suelo, al lado de Gen, tan silenciosa como la luz en las hojas de los árboles. Se acostó de lado y colocó su boca cerca de la oreja de él, que también dormía. No tenía talento para pedir, pero era un genio para no hacer ruido. Cuando practicaban sus ejercicios en la selva, Carmen era capaz de correr un kilómetro sin romper una ramita. Era capaz de llegar hasta uno por la espalda y tocarlo en el hombro sin hacer un solo sonido. Fue a ella a quien mandaron primero para desatornillar las tapas de los ductos del aire acondicionado, porque nadie la notaría. Nadie oiría un solo ruido. Ahora hizo una oración a santa Rosa de Lima. Le pidió valor. Después de tantas oraciones ofrecidas por el don del silencio, ahora pedía por el sonido.

"Gen", susurró.

Gen estaba soñando que se encontraba de pie en una playa, en Grecia, mirando el agua. Y en algún sitio detrás de él, en las dunas, alguien pronunciaba su nombre.

El corazón de ella saltaba en su pecho, el torrente de su sangre rugía en sus oídos. Y lo que oyó al esforzarse por escuchar fue la voz de la santa: "Ahora o nunca", le dijo santa Rosa. "Yo estoy contigo sólo por este momento."

"Gen."

Y ahora la voz que lo llamaba se iba alejando y Gen abandonó la playa para seguirla, siguió la voz del sueño al despertar. Siempre causaba confusión despertar en la casa del vicepresidente. ¿Qué habitación de hotel era ésa? ¿Por qué estaba acostado en el suelo? Después recordó y de una sola vez abrió los ojos, pensando que era el señor Hosokawa quien lo necesitaba. Miró hacia el sofá pero entonces sintió una mano en el hombro. Cuando volvió la cabeza allí estaba el hermoso muchacho. No el muchacho. Carmen. La nariz de ella casi tocaba la de él. Se sorprendió, sin asustarse. Qué extraño que ella también estuviera acostada, fue todo lo que pensó.

Recientemente los militares habían desistido de los reflectores que por tanto tiempo habían tenido encendidos fuera de las ventanas y ahora la noche de nuevo parecía noche. "¿Carmen?", dijo Gen. Messner debería verla así, a la luz de la luna. Qué exacto era lo que había dicho sobre su rostro con forma de corazón.

"No haga ruido", dijo ella dentro de su oreja. "Escuche." ¿Pero dónde estaban las palabras? Estaba tan agradecida de estar acostada. Las palpitaciones de su corazón eran insoportables. ¿Podría él verla en esa oscuridad, temblando? ¿Podría sentir la vibración de ella en lo profundo de la madera del piso? ¿Podría oir la piel de ella rozando el interior de las ropas que vestía?

"Cierra los ojos", le dijo santa Rosa. "Dime tu ruego a mí."

De repente hubo aire suficiente para llenar sus pulmones. "Enséñeme a leer", dijo rápidamente. "Enséñeme a hacer mis letras en español."

Gen la miró. Ella tenía los ojos cerrados. Era como si él hubiera ido a acostarse a su lado y no al revés. Sus pestañas eran oscuras y pesadas contra el rubor de las mejillas. ¿Estaría dormida? ¿Estaría hablando en sueños? Podría haberla besado sin moverse un centímetro, pero expulsó el pensamiento de su cabeza.

"¿Quiere aprender a leer en español?", repitió Gen, en voz tan baja como la de ella.

Cielos, pensó ella, es capaz de guardar silencio. Igual que yo, sabe hablar sin hacer un solo sonido. Aspiró profundamente y después abrió los ojos, pestañeando. "Y también inglés", murmuró ella. Luego sonrió. No pudo contenerse. Había logrado pedirle todo lo que quería.

¿Quién sabía que la tímida Carmen, siempre atrás de los demás, era capaz de sonreir? Pero al ver esa sonrisa él le hubiera prometido cualquier cosa. Apenas estaba despierto. O quizá no estaba despierto en absoluto. ¿Acaso la había deseado sin darse cuenta? ¿Acaso la había deseado tanto que ahora soñaba que ella estaba acostada a su lado? Cuántas cosas nos esconden nuestras mentes, pensó Gen. Qué secretos guardamos hasta de nosotros mismos. "Sí," dijo. "Inglés."

Ella era valiente, incluso temeraria, tan grande era su alegría. Extendió una mano y la colocó sobre los ojos de él, y con suavidad hizo que los cerrara de nuevo. Su mano era fresca y suave. Olía a metal. "Vuélvase a dormir", le dijo. "Vuélvase a dormir."

Seis

Años después, cuando las personas que en realidad habían estado allí recordaban ese periodo de cautiverio, lo veían en dos etapas claramente diferenciadas: antes de la caja y después de la caja.

Antes de la caja, los terroristas controlaban la casa del vicepresidente. Los rehenes, aun cuando no habían sido amenazados de modo directo, cavilaban sobre la inevitabilidad de sus propias muertes. Aun si por un golpe de suerte extraordinario no los mataban mientras dormían, ahora comprendían a la perfección lo que estaba en las cartas, ya fuera antes de su liberación o después: todos y cada uno de ellos moriría. De seguro siempre habían sabido eso, pero ahora la muerte llegaba por la noche y se les sentaba sobre el pecho, viéndolos a los ojos con una mirada fría y hambrienta. El mundo era un lugar peligroso, las nociones de seguridad personal eran un cuento de hadas que se contaba a los niños a la hora de acostarse. No hacía falta más que dar vuelta a la esquina equivocada y todo desaparecería. Pensaban en la muerte sin sentido del primer acompañante. Lo extrañaban, y sin embargo mira de qué forma tan simple y brillante lo habían remplazado. Extrañaban a sus hijas y a sus esposas. En esta casa estaban vivos pero ¿qué diferencia hacía eso? La muerte ya estaba aspirando el aire del fondo de sus pulmones, y los dejaba débiles y sin voluntad. Poderosos presidentes de empresas se desplomaban en sus sillones junto a las ventanas y miraban sin ver; diplomáticos importantes hojeaban revistas sin darse cuenta de las ilustraciones. Algunos días apenas tenían fuerza suficiente para dar vuelta a las páginas.

Pero cuando Messner llevó la caja a la casa todo cambió. Los terroristas seguían bloqueando las puertas y llevando armas, pero ahora era Roxane Coss quien estaba a cargo. Ella iniciaba la mañana a las seis porque despertaba cuando la luz llegaba a través de su ventana y cuando despertaba quería trabajar. Se bañaba y comía dos piezas de pan tostado y una taza de té que Carmen le preparaba y le llevaba en una bandeja de madera amarilla, que el vicepresidente había seleccionado para ese propósito. Ahora que sabía que Carmen era mujer, Roxane la dejaba sentarse sobre su cama y beber de su taza. Le gustaba trenzar el cabello de Carmen, que era oscuro y brillante como un charco de petróleo. Algunas mañanas el peso del cabello de Carmen entre sus dedos era la única cosa que tenía sentido para ella. Era un alivio fingir que la habían detenido para que trenzara el cabello de esa joven. Ella era la Susana de Mozart, y Carmen era la condesa Rosina. El cabello se plegaba y caía en pesados mechones negros, perfectamente ordenados. Y no había nada que pudieran decirse una a la otra. Cuando Roxane terminaba, Carmen iba a pararse detrás de ella, le cepillaba el cabello hasta que brillaba y después lo acomodaba en una trenza idéntica. De esa forma, durante el breve rato que pasaban juntas cada mañana eran hermanas, amigas íntimas, iguales. Eran felices juntas cuando estaban solas las dos. Nunca pensaban en Beatriz que, en la cocina, con los muchachos jugaba dados contra la puerta de la despensa.

A las siete en punto Kato estaba esperando a Roxane junto al piano, sus dedos recorrían en silencio las teclas. Ella había aprendido a decir buenos días en japonés, *ohayo gozaimasu*, y Kato sabía algunas frases en inglés, entre ellas *good morning, thank you* y *bye-bye*. Ésa era toda la extensión de la capacidad de cada uno en el idioma del otro, de modo que se decían de nuevo good morning cuando se detenían por un rato o cuando se cruzaban en los corredores antes de ir a acostarse. Hablaban entregándose y devolviéndose partituras. Su relación no era en modo alguno democrática, pero Kato, que leía la música enviada por el amigo del sacerdote, recostado en la pila de abrigos que le servía de cama por las noches, escogía a veces piezas que tenía ganas de oir o que pensaba serían apropiadas para la voz de Roxane. Al presentar sus sugerencias hacía lo que él consideraba audaces suposiciones, pero ¿qué importaba ahora eso? Él era el vicepresidente de una corporación gigante, un hombre de números, súbitamente ascendido a acompañante. No era él mismo. No era alguien que hubiera imaginado alguna vez.

A las siete y cuarto empezaban las escalas. La primera mañana todavía había personas dormidas. Pietro Genovese estaba dormido debajo del piano y cuando empezaron los acordes creyó estar oyendo las campanas de la Basílica de San Pedro. Nada de eso importaba. Era hora de trabajar. Ya se había perdido demasiado tiempo llorando en el sofá o mirando por la ventana. Ahora había música y un acompañante. Roxane Coss había arriesgado su voz en *Gianni Schicchi* y había descubierto que su voz seguía ahí. "Nos estamos pudriendo", le había dicho al señor Hosokawa apenas el día anterior a través de Gen. "Todos nosotros. Para mí ya es suficiente. Si alguien me va a disparar, tendrá que dispararme mientras estoy cantando." Así fue como el señor Hosokawa supo que ella estaba segura, porque nadie sería capaz de dispararle mientras estuviera cantando. Y por extensión todos estaban seguros, y por lo tanto, todos se apiñaban junto al piano para escuchar.

"Den un paso atrás", dijo Roxane haciendo el gesto correspondiente con las manos. "Voy a necesitar ese aire."

Lo primero que cantó esa mañana fue el aria de *Rusalka*, pues recordaba que era lo que el señor Hosokawa había pedido que cantara para su cumpleaños, antes de que lo conociera, antes de que supiera cualquier cosa. Le gustaba mucho esa historia del espíritu del agua que deseaba ser mujer para abrazar a su amado con brazos de verdad en lugar de olas frías. Cantaba esa aria en casi todas sus presentaciones, aunque Roxane jamás le había infundido la compasión y la comprensión que le dio esa mañana. El señor Hosokawa oyó la diferencia en su voz y los ojos se le llenaron de lágrimas.

"Canta en checo como si fuera su lengua materna", le susurró a Gen.

Gen asintió. Nunca se le ocurriría discutir la belleza del canto de ella, la consistencia cálida y líquida de su voz que se adaptaba tan bien a la acuática Rusalka, pero no tenía sentido decirle al señor Hosokawa que esa mujer no sabía una palabra de checo, ella cantaba la pasión de cada sílaba, pero ninguna de las sílabas lograba organizarse en realidad en palabras reconocibles de ese idioma. Era bastante obvio que había memorizado la obra fonéticamente, que cantaba su amor por Dvořák y su amor por la historia traducida, pero que la lengua checa en sí era un extraño que pasaba por ella sin un reconocimiento siquiera momentáneo. Por supuesto, eso no era ningún delito. ¿Quién se daría cuenta excepto él? Entre ellos no había checos.

Roxane Coss cantaba rigurosamente durante tres horas cada mañana y a veces volvía a cantar al terminar la tarde, si su voz se sentía fuerte, y por esas horas nadie pensaba en la muerte. Pensaban en el canto de ella y en la canción, el dulce brillo de su registro superior. Pronto los días se dividieron en tres estados: la anticipación del canto, el placer del canto y el reflejo del canto.

A los generales no parecía importarles que el poder se les hubiera escapado de las manos. La total falta de esperanza de su misión parecía menos abrumadora y muchas noches dormían casi en paz. El general Benjamín seguía marcando el paso de los días en la pared del comedor; tenían más tiempo para concentrarse en las negociaciones. Entre ellos hablaban como si el canto hubiera sido parte de su plan. Calmaba a los rehenes. Hacía que los soldados se concentraran. Y además tenía el notable efecto de acallar el estrépito que venía del otro lado del muro. Sólo podían asumir que con las ventanas abiertas la gente que estaba en la calle podía oirla, porque el estruendo chirriante y continuo de los altavoces se detenía en cuanto ella abría la boca para cantar, y después de unos días los altavoces no regresaron ya. Se imaginaban la calle afuera. Estaba llena de gente, y nadie comía papas fritas ni tosía, todos se esforzaban por oir la voz que sólo habían oído en discos y en sus sueños. Era un concierto diario organizado por los generales, o al menos ellos habían llegado a creerlo. Un regalo para el pueblo, una diversión para los militares. Por alguna razón la habían secuestrado, después de todo.

"Haremos que cante más", dijo el general Héctor en la suite para huéspedes de la planta baja, que habían tomado como sus oficinas privadas. Estaba echado en la cama con pabellón, con las botas anidadas en la colcha bordada, de color marfil. Benjamín y Alfredo estaban sentados en un juego de sillones tapizado en una tela con grandes peonías rosas. "No hay razón para que no pueda cantar algunas horas más cada día. Y podemos reacomodar sus horarios para agarrarlos desprevenidos."

"Y también le diremos lo que debe cantar", dijo Alfredo. "Tiene que cantar en español. Tanto italiano, no es por lo que estamos. Y además, por lo que sabemos podría estar contando mensajes."

Pero el general Benjamín, a pesar de su ocasional participación en las ilusiones de los demás, sabía que cualquier cosa que obtuvieran de Roxane Coss era algo que debían agradecer. "No creo que debamos pedir eso."

"No vamos a pedirle nada", dijo Héctor, extendiendo la mano para arreglar las almohadas bajo su cabeza. "Se lo ordenaremos." Su voz era tranquila y fría.

El general Benjamín esperó un momento. Ella estaba cantando ahora y él dejó que el sonido de su voz lo envolviera mientras buscaba una manera de explicar. ¿Pero no es evidente? quería decirle a sus amigos. ¿No están oyendo eso? "Yo creo que la música es diferente. Eso es lo que entiendo. Ahora tenemos esto bien arreglado, pero si tratamos de presionar..." Benjamín se encogió de hombros. Alzó una mano para tocarse la cara, pero lo pensó mejor. "Podríamos terminar sin nada."

"Si le ponemos un revólver en la cabeza cantará todo el día."

"Inténtalo primero con un pájaro", le dijo con suavidad el general Benjamín a Alfredo. "Igual que nuestra soprano, ellos no son capaces de entender la autoridad. El pájaro no sabe lo suficiente para asustarse y la persona con el arma terminará por parecer un lunático."

Cuando Roxane terminó de cantar, el señor Hosokawa fue en persona a buscarle un vaso de agua fría sin hielo, como a ella le gustaba. Rubén Iglesias acababa de trapear el piso de la cocina y de pasarle cera con sus propias manos, y ahora toda la habitación brillaba como la superficie plana de un lago. ¿Era posible que el señor Hosokawa dijera, tomando la olla de agua que él mismo había hervido y enfriado esa mañana, con tal objeto, que ése era el periodo más feliz de su vida? Seguramente no podía ser ese el caso, estaba retenido contra su voluntad en un país que no conocía y cada día se encontraba mirando la boca del arma de algún rebelde. Vivía de una dieta de sandwiches de carne dura y refrescos, durmiendo en una sala con más de cincuenta hombres, y aun cuando había privilegios irregulares en la lavadora estaba pensando preguntarle al vicepresidente si tendría la amabilidad de prestarle otra muda de ropa interior de su propio buró. ¿Entonces por qué esa repentina sensación de ligereza, ese gran afecto por todos? Miró hacia fuera por la gran ventana colocada sobre el fregadero, contemplando la niebla del mal tiempo. En su niñez no había habido pobreza, pero sí mucha lucha: su madre había muerto cuando él tenía diez años; su padre, destrozado, siguió esforzándose hasta que fue a reunirse con ella el año que Katsumi Hosokawa cumplió diecinueve; sus dos hermanas habían desaparecido en las vidas distantes de los matrimonios. No, en aquella familia no había habido una felicidad mayor. Los primeros años que había dedicado a la construcción de Nansei eran como un huracán en su memoria, un enorme viento arrasador que chupaba cualquier cosa que estuviera suelta. La mayoría de las noches se dormía con la cabeza sobre su escritorio y se perdía los cumpleaños, las fiestas y estaciones enteras del año. De su incansable trabajo había surgido una gran industria y enormes ganancias personales, pero ¿felicidad? La palabra lo habría intrigado, era incapaz de comprender su importancia, aun cuando su significado era evidente.

Y entonces sólo quedaba su propia familia, su esposa y dos hijas. Ellas eran la cuestión. Si no había encontrado felicidad en ellas, la culpa era por completo suya. Su esposa había sido la hija del amigo de su tío. En el país ya había pasado la época de los matrimonios arreglados, pero en esencia le habían encontrado una esposa porque él no tenía tiempo para encontrarla por sí mismo. Durante el noviazgo permenecieron sentados en la sala de los padres de ella, comiendo dulces y hablando muy poco. En ese tiempo él siempre estaba tan cansado, siempre trabajando, e incluso después que se casaron a veces olvidaba por completo que tenía una esposa. Llegaba a su casa a las cuatro de la madrugada y se sorprendía al encontrarla en la cama, con su largo cabello negro desparramado sobre las almohadas. De manera que ésta es mi esposa, pensaba para sus adentros, y caía dormido junto a ella. Pero las cosas no se habían quedado así. Habían llegado a depender el uno del otro. Eran una familia. Ella era una excelente esposa, una excelente madre, y seguramente él la había amado a su modo, pero ¿felicidad? No era en lo que pensé al recordar a su esposa. Incluso cuando se la imaginaba esperando a que él regresara de su trabajo, con una bebida servida, el correo abierto y clasificado, lo que veía no era felicidad para ninguno de los dos, sino una especie de eficiencia que hacía que sus vidas corrieran suavemente. Era una mujer honorable, una esposa dedicada. Él la había visto leer novelas de misterio, pero jamás hablaba de ellas. Escribía tarjetas muy bellas. Era un consuelo para sus hijas, pero de repente se preguntó si la conocía en realidad. Se preguntó si alguna vez la había hecho feliz. La felicidad de él era algo que se mantenía aparte, cuando regresaba de sus cenas de negocios y tenía tiempo para pasar con su estéreo. La felicidad, si era correcto emplear esa palabra, era algo que hasta ahora él sólo había experimentado con la música. Y todavía la estaba experimentando con la música. La diferencia era que ahora la música era una persona. Ella se sentaba a leer al lado de él en el sofá. Le pedía que se sentara junto a ella al piano. En ocasiones le tomaba la mano, en un gesto tan sorprendente y maravilloso que él apenas podía inhalar. Le preguntaba ¿le gusta esta pieza?, y también ¿qué desea usted que cante? Ésas eran cosas que él jamás podría haber imaginado: la calidez de una persona y la de la música juntas. Sí, su voz, más que nada su voz, pero también había que considerar sus hermosas manos, la brillante soga de su cabello cayéndole sobre el hombro, la piel pálida y suave de su cuello. Y su enorme poder. Se preguntaba si alguna vez había conocido a un empresario que inspirara el mismo respeto. Y por encima de todo estaba el misterio de por qué lo había escogido a él para sentarse al lado. ¿Sería posible que semejante felicidad hubiera existido siempre en el mundo y que él ni siquiera la hubiera oído mencionar?

El señor Hosokawa volvió en sí. Llenó su vaso. Cuando regresó, Roxane estaba sentada al piano con Gen. "La he hecho esperar demasiado", dijo él.

Ella tomó el vaso y escuchó la traducción: "Eso es porque el agua es perfecta", contestó la soprano. "La perfección lleva un tiempo más largo."

Gen intercambiaba sus frases como un cajero de banco que mueve fajos de billetes hacia adelante y hacia atrás sobre un pulido mostrador de mármol. Sólo oía a medias lo que estaban diciendo. Todavía estaba tratando de entender lo ocurrido durante la noche. No había sido un sueño. Él no tenía ese tipo de sueños. La muchacha que él había estado observando, la joven llamada Carmen, le había hecho una petición y él había accedido, pero ¿dónde estaba ella ahora? En toda la mañana no la había visto. Había tratado de ver discretamente en los corredores pero los chicos con rifles siempre lo acorralaban para que regresara al salón. Algunos días eran tolerantes con el que los rehenes anduvieran por ahí, mientras que otros días parecían pensar que el mayor placer de la vida era hacer retroceder a la gente empujándola con un rifle. ¿Dónde se suponía que debía encontrarla? ¿Y cuándo? Él no le había hecho ninguna pregunta. A pesar de sus claras instrucciones, no había podido volver a dormirse después que ella lo dejó la noche anterior. No podía dejar de preguntarse cómo una muchacha como ésa había podido entrar por los ductos del aire acondicionado junto con criminales. ¿Pero qué sabía él? Era posible que ella ya hubiera matado gente antes. Era posible que asaltara bancos o arrojara bombas molotov por las ventanas de las embajadas. Quizá Messner tenía razón, eran los tiempos modernos.

Beatriz se acercó y le dio a Gen dos golpes recios en el hombro, interrumpiendo tanto la conversación del señor Hosokawa con Roxane como sus propios pensamientos privados. "¿Todavía no es la hora de María?", preguntó, ansiosa de no perderse nada de la telenovela. Y en cuanto terminó de hablar se metió de nuevo en la boca la punta húmeda de su trenza y reinició su seria tarea de mascarla. Gen imaginó que en el estómago le estaba creciendo un gran tumor de pelo anudado.

"En quince minutos", dijo él mirando su reloj. Al igual que tantas otras cosas, el comienzo de la telenovela también había llegado a ser su responsabilidad.

"Venga y avíseme cuándo."

"¿Es sobre su programa?", preguntó Roxane.

Gen asintió con la cabeza en dirección a ella y después le dijo a Beatriz, en español: "Te lo enseñaré en el reloj".

"No me interesa el reloj", dijo Beatriz.

"Me preguntas todos los días. Me preguntas cinco veces."

"También le pregunto a otras personas", respondió ella secamente. "No sólo a usted." Sus pequeños ojos se hicieron aún más pequeños mientras se preguntaba si estaba siendo insultada o no.

Gen se quitó el reloj: "Deme su muñeca".

"¿Se lo va a regalar?", preguntó el señor Hosokawa.

"¿Por qué?", dijo Beatriz, suspicaz.

"Estoy mejor sin él", dijo Gen en japonés. Y después le dijo a Beatriz: "Le voy a hacer un regalo".

La idea de los regalos le gustaba, a pesar de que casi no había tenido experiencia personal con éstos. En el programa, el novio de María le había dado un regalo, un relicario en forma de corazón con su propio retrato dentro. Se lo colocó alrededor del cuello antes de que ella le pidiera irse. Pero una vez que él se hubo ido ella se lo llevó a los labios y lloró y lloró. Un regalo parecía ser un gesto maravilloso. Beatriz extendió su muñeca y Gen le ciñó el reloj.

"Mira la manecilla grande", dijo él, dando golpecillos al cristal con su uña. "Cuando llegue al número doce, aquí arriba, sabrás que ya es la hora."

Ella estudió el reloj detenidamente. Era en verdad hermoso, con su cristal redondo, la correa de suave piel café, la aguja no más gruesa que un cabello que recorría lenta y constante la carátula. Tratándose de regalos, pensó que éste era el más agradable, mejor incluso que el relicario de María, porque el reloj, en realidad "hacía" algo.

"¿Y ésta?", preguntó señalando una de las tres manecillas. Tres manecillas, qué extraño.

"La manecilla de los minutos en el doce y la de las horas, la pequeña, en el uno. Es bastante fácil."

Pero no era tan fácil y Beatriz tenía miedo de olvidarse. Tenía miedo de leerlo mal y perderse la novela por completo. Temía equivocarse y tener que preguntar de nuevo, en cuyo caso Gen de seguro se burlaría de ella. Era mejor cuando él simplemente le decía que era hora. Ése era su trabajo, ella tenía mucho trabajo por hacer y todos los rehenes eran unos holgazanes.

"No estoy interesada en esto", dijo, y trató de desabrocharse la correa.

"¿Cuál es el problema?", preguntó el señor Hosokawa. "¿No le gusta?"

"Piensa que muy complicado."

"Tonterías." El señor Hosokawa colocó su mano sobre la muñeca de Beatriz para detenerla. "Mire esto. Es muy sencillo." Alzó su muñeca y le mostró su propio reloj, que era deslumbrante comparado con el de Gen, una reluciente moneda de oro rosado. "Dos manecillas", le dijo, tomando las dos manos de ella. "Como usted, muy simple."

"Pero son tres", dijo Beatriz señalando la única que parecía moverse.

"Ésos son los segundos. Sesenta segundos son un minuto, un minuto, un círculo, que hace avanzar un minuto a la manecilla grande." El señor Hosokawa le explicó el tiempo, de los segundos a los minutos y las horas. No podía recordar cuándo había mirado su reloj por última vez o se había preguntado por la hora del día.

Beatriz asintió, y recorrió con su dedo la carátula del reloj de Gen. "Es casi ahora", dijo.

"Faltan siete minutos", dijo Gen.

"Mejor iré a esperar". Consideró la posibilidad de dar las gracias a Gen pero no estaba segura de que fuera lo correcto. Ella podría haberle quitado el reloj, podría haberle exigido que se lo entregara.

"¿Carmen también ve el programa?", preguntó Gen.

"A veces", dijo Beatriz. "Pero se le olvida. No le es tan fiel como yo. Y hoy está de guardia afuera, de modo que no lo va a ver a menos que se quede parada junto a la ventana. Cuando estoy de guardia afuera yo me quedo al lado de la ventana."

Gen miró hacia las altas puertas de cristales que llevaban al jardín, en el extremo del salón. Allí no había nada. Sólo la garúa y las flores que estaban empezando a desbordar los arriates.

Beatriz sabía lo que él estaba buscando y eso la irritaba. Gen le gustaba un poco y ella también debía gustarle a él puesto que le había dado un regalo. "Tome su turno", le dijo con amargura. "Todos los muchachos están esperando junto a diferentes ventanas. Esperándola a ella, también. Quizá usted debería ir con ellos." Eso, por supuesto, no era cierto. No se permitían coqueteos entre lo soldados y ésa era una regla que nunca se rompía.

"Ella me había hecho una pregunta", empezó a decir Gen, pero su voz no le sonó natural y decidió olvidarlo. Era como si no le debiera algún tipo de explicación a Beatriz.

"Le diré que usted me dio su reloj", dijo Beatriz mirándose la muñeca. "Cuatro minutos más."

"Usted debería correr", le dijo Gen, "o perderá su sitio en el sofá."

Ella se alejó, pero no corrió. Se fue andando como una joven que sabe exactamente cuánto tiempo tiene.

"¿Qué dijo?", preguntó el señor Hosokawa. "¿Estaba contenta con el reloj?"

Gen tradujo la pregunta al inglés para Roxane y después les respondió a ambos que no había manera de decir si estaba contenta o no.

"Creo que usted es listo al dárselo", dijo Roxane. "Es poco probable que le dispare a alguien que le ha hecho un regalo tan bonito."

¿Pero quién puede decir qué es lo que disuade a alguien de disparar? "¿Me disculpan por favor?"

El señor Hosokawa dejó irse a Gen. Antes solía querer tener a Gen siempre consigo por si tenía algo que decir, pero estaba aprendiendo a encontrar algún consuelo en la calma. Roxane puso las manos sobre el piano y tocó las notas iniciales del "Claro de luna". Entonces tomó una de las manos del señor Hosokawa y tocó las mismas notas, muy lentas, bellas y tristes. Y él la siguió una y otra vez hasta que pudo hacerlo por sí solo.

Gen fue hasta la ventana y miró a través. La llovizna había cesado, pero el aire todavía estaba pesado y gris, como si fuera el anochecer. Gen quiso mirar su reloj, sabiendo que era demasiado temprano para estar tan oscuro, y encontró que el reloj no estaba en su sitio. ¿Por qué la estaba esperando? ¿Porque quería enseñarle a leer? Ya tenía bastante que hacer sin encargarse también de eso. Cada una de las personas presentes tenía un pensamiento que necesitaba traducción. Tenía suerte de encontrar un minuto a solas, un minuto para mirar por la ventana. No necesitaba otro trabajo.

"He pasado horas mirando por esa ventana", le dijo un hombre en ruso. "Ahí nunca llega nada. Se lo juro."

"A veces basta con mirar", dijo Gen, manteniendo la vista fija hacia delante. Casi nunca tenía oportunidad de hablar en ruso. Era una lengua que utilizaba para leer a Pushkin y Turgueniev. Le gustaba oir su propia voz manejando tantas consonantes duras, aun cuando sabía que su acento no era muy bueno. Debía practicar. Era una oportunidad, si uno escogía verlo de ese modo, tener a tantos hablantes nativos en una habitación. Los tres rusos, Fyodorov, Ledbed y Berezovsky, en general se mantenían apartados de los demás, jugando a las cartas y fumando un suministro de cigarrillos aparentemente interminable de cuya fuente nadie estaba seguro. Los franceses podían entender algunas palabras en español y los italianos recordaban un poco del francés aprendido en la escuela, pero el ruso, igual que el japonés, era un idioma aislado. Hasta las frases más sencillas provocaban sólo una expresión de perplejidad.

"Usted siempre está tan ocupado", dijo Fyodorov. "A veces lo envidio. Nosotros lo observamos ir para arriba y para abajo, para arriba y para abajo, y todos reclaman su atención. Sin duda usted nos envidia a nosotros, que no hacemos nada. Le gustaría tener un poco más de tiempo para usted mismo ¿verdad? ¿Tiempo para mirar por la ventana?" Lo que el ruso le estaba diciendo era que lamentaba ser otra molestia, otra frase que necesitaba ser convertida, y que no se lo pediría si no fuera importante.

Gen sonrió. Fyodorov había desistido de la gentileza de rasurarse y en poco más de dos semanas le había crecido una barba imponente. Para cuando salieran de allí se parecería a Tolstoi. "Tengo mucho tiempo hasta cuando estoy ocupado. Usted mismo sabe que éstos son los días más largos de la historia. Mire, me deshice de mi reloj. Pensé que era mejor no saber."

"Admiro eso", dijo el ruso, contemplando la muñeca desnuda de Gen. Tocó la piel con un índice pesado. "Eso muestra que usted es alguien que realmente piensa."

"Así que no crea que me está quitando el tiempo."

Fyodorov se quitó su propio reloj y lo dejó caer en su bolsillo, en un gesto de solidaridad, y envolvió su muñeca con la otra mano para disfrutar su nueva libertad. "Ahora podemos hablar. Ahora que nos hemos liberado del tiempo."

"Absolutamente", dijo Gen, pero apenas lo había dicho cuando dos figuras pasaron caminando junto al muro del jardín, con sus rifles en alto. Las chaquetas y gorras que llevaban estaban mojadas por la lluvia de hacía un rato y mantenían la cabeza baja, en lugar de mirar a su alrededor como Gen imaginaba que deberían hacerlo si estaban esperando algo. Era difícil decir cuál de ellos era Carmen. Desde tan lejos en la lluvia volvía a ser un muchacho. Gen esperaba que ella alzara los ojos y lo viera, que pudiera pensar que estaba esperándola, a pesar de que reconocía que era una idiotez. Sin embargo, había estado esperando verla y se sintió mejor de alguna manera suponiendo que fuera ella en primer lugar y no sólo otro adolescente colérico.

Fyodorov observó a Gen y a las dos figuras de afuera hasta que habían pasado. "Usted los observa permanentemente", dijo. "Eso es actuar con inteligencia. Yo soy un holgazán. Al principio llevaba la cuenta de ellos, pero están por todas partes. Como conejos. Creo que hacen entrar a más de ellos durante la noche."

Gen quería señalar con el dedo y decir: ésa es Carmen, pero no sabía qué explicaría con eso. En cambio asintió con la cabeza.

"Pero no perdamos el tiempo con ellos. Tengo mejores maneras de perder el tiempo de usted. ¿Fuma?", preguntó sacando un pequeño paquete azul de cigarrillos franceses. "¿No? ¿No le importa...?"

No bien había encendido un cerillo cuando el vicepresidente llegó con un cenicero que colocó en una mesita frente a ellos. "Gen", dijo con asentimiento cortés, "Víctor." Se inclinó hacia ellos, una cortesía que había aprendido de los japoneses. Después siguió adelante, para no interrumpir la conversación que no podía entender.

"Un hombre maravilloso este Rubén Iglesias. Casi me hace desear ser ciudadano de este maldito país para poder votar por él como presidente." Fyodorov aspiró el humo a través del cigarrillo y después lo expulsó con lentitud. Estaba tratando de encontrar la manera correcta de comenzar su pedido. "Como usted puede imaginar, hemos estado pensando mucho en la ópera", dijo.

"Por supuesto", dijo Gen.

"¿Quién sabía que la vida puede ser algo tan inesperado? Yo pensaba que a estas alturas estaríamos muertos, o si no muertos, implorando constantemente por nuestras vidas, pero en cambio me siento a considerar la ópera."

"Nadie podría haberlo predicho", dijo Gen inclinándose hacia delante en forma casi imperceptible para ver si lograba divisar a Carmen antes de que desapareciera de vista por completo, pero era demasiado tarde.

"Siempre he tenido mucho interés por la música. La

ópera es muy importante en Rusia. Usted lo sabe. Es virtualmente una cosa sagrada."

"Me lo puedo imaginar." Ahora le hubiera gustado tener su reloj. Si lo tuviera podría tomarle el tiempo a ella y ver cuántos minutos le tomaba volver a pasar frente a la ventana. Ella podía convertirse en su propio tipo de reloj. Pensó en pedirle ayuda a Fyodorov, pero era evidente que éste tenía su mente ocupada en otras cosas.

"La ópera llegó tarde a Rusia. En Italia el idioma se prestaba a ese tipo de canto, pero a nosotros nos llevó más tiempo. Como usted sabe, nuestro idioma es complicado. Los cantantes que hoy tenemos en Rusia son muy buenos. No me quejo del talento que posee nuestro país, pero como que ahora estoy vivo, sólo existe una cantante en verdad genial. Muchos grandes cantantes, voces brillantes, pero sólo una genial. Y ella nunca ha estado en Rusia, que yo sepa. ¿No cree usted que las probabilidades de encontrarse atrapado en una casa con un verdadero genio son notablemente escasas?"

"Sí que lo creo", respondió Gen.

"Encontrarme aquí con ella y no ser capaz de decirle cualquier cosa es, bueno, desafortunado. No; le soy honesto, es frustrante. ¿Y qué tal si somos liberados mañana? Es por lo que rezo y 'sin embargo' ¿no me pasaría el resto de la vida diciéndome: nunca hablaste con ella? Estaba ahí mismo, en la misma habitación, y tú no te molestaste en buscar la manera de decirle algo. ¿Qué significaría vivir con esa frustración? Supongo que no tanto antes de que ella hubiera vuelto a cantar. Yo estaba preocupado con mis propios pensamientos, con las circunstancias inmediatas, pero ahora que la música llega de una forma tan regular todo ha cambiado. ¿No le parece?"

Y Gen tuvo que concordar. No lo había pensado antes en esos términos exactamente, pero era verdad. Había alguna diferencia.

"¿Y qué probabilidades había, siendo yo un rehén en un país que no conozco con una mujer a la que admiro con la mayor sinceridad, de que también hubiera un hombre como usted, que tiene buen corazón y habla tanto mi idioma como el de ella? Dígame ¿qué probabilidades? ¡Una en millones! Y es por eso, por supuesto, por lo que he acudido a usted. Estoy interesado en contratar sus servicios de traducción."

"No es nada tan formal", dijo Gen. "Con mucho gusto hablaré con la señorita Coss. Podemos ir ahora mismo. Yo le diré cualquier cosa que usted quiera decirle."

Ante eso el corpulento ruso palideció y aspiró tres veces su cigarrillo, nervioso. Tan enormes eran los pulmones de este hombre que el cigarrillo casi se acabó tras ese súbito estallido de atención. "No hay prisa para eso, amigo mío."

"A menos que seamos liberados mañana."

El otro asintió y sonrió. "Usted no perdona una." Apuntó a Gen con los restos de su cigarrillo. "Usted está pensando. Usted está diciéndome que es hora de que me declare."

Gen pensó que tal vez había entendido mal el verbo *declarar*. Podría tener otros significados, él era capaz de hablar ruso pero su comprensión carecía de matices. "Lo único que le estoy diciendo es que la señorita Coss está ahí, si usted quiere hablar con ella."

"Podemos hacerlo mañana ¿no? Le hablaré en la mañana...", dando una palmada con fuerza sobre el hombro de Gen, "en caso de que seamos tan afortunados. ¿Le parece bien por la mañana?"

"Estaré aquí."

"Inmediatamente después de cantar", dijo Fyodorov, y después agregó: "pero sin precipitación".

Gen le dijo que le parecía razonable.

"Bien, bien. Eso me dará tiempo para ordenar mis pensamientos. Estaré despierto toda la noche. Es usted muy bueno. Su ruso es muy bueno."

"Gracias", dijo Gen. Había tenido la esperanza de poder hablar un poco con él de Pushkin, había cosas que deseaba saber sobre *Eugenio Onieguin* y *La reina de espadas*, pero Fyodorov ya se había apartado y regresaba con lentitud a su rincón, como un boxeador listo para el segundo asalto. Los otros dos rusos que estaban esperándolo, fumaban.

El vicepresidente estaba de pie en la cocina contemplando una caja de vegetales, calabazas de cuello largo y curvo y berenjenas color púrpura, tomates y dulces cebollas amarillas. La veía como una mala señal; señal de que los hombres que rodeaban la casa estaban cansándose de su secuestro. ¿Cuánto duraban estas crisis? ¿Seis horas? ¿Dos días? Después de eso arrojaban gas lacrimógeno y todos se rendían. Pero de alguna manera estos terroristas de cuarta categoría habían impedido cualquier rescate. Tal vez era porque había muchos rehenes. Tal vez era por el muro que rodeaba la residencia vicepresidencial o por temor de matar de manera accidental a Roxane Coss. Por la razón que fuera, su situación ya había alcanzado su segunda semana. Era perfectamente concebible que ya no ocuparan la primera página de los periódicos, y que en las noticias de la noche su historia hubiera caído al segundo o incluso al tercer lugar. La gente había seguido con sus vidas. Ahora adoptaban una posición más práctica, como lo evidenciaban los alimentos que tenía delante. El vicepresidente imaginaba a su grupo como los supervivientes de un naufragio, mirando indefensos mientras el último helicóptero enviado a buscarlos y rescatarlos giraba al encaminarse hacia tierra. La prueba estaba en esos alimentos. Al principio todo venía preparado, sandwiches y cazuelas de arroz con pollo. Después empezó a venir en una forma que requería cierta preparación, pan, carne y queso envueltos por separado. Pero esto, esto era algo muy diferente. Quince pollos crudos, rosados y fríos, cuyas panzas engrasaban la mesa, cajas de vegetales, bolsas de frijoles secos, latas de manteca. Sí, había suficiente comida, los pollos parecían haber sido robustos, pero la cuestión era cómo realizar la transformación. ¿Cómo convertir eso en una comida? Rubén creía que su obligación era responder a esa pregunta, pero no sabía nada de su propia cocina. No sabía dónde estaba el colador. No distinguía la mejorana del tomillo. Se preguntó si su esposa los distinguía. A decir verdad, hacía demasiado tiempo que otros se encargaban de sus necesidades. Se había dado cuenta de eso en las últimas semanas, mientras barría los pisos y tendía las camas. Tal vez hubiera sido útil a la sociedad, pero en lo que toca a los asuntos domésticos él había llegado a convertirse en una especie de elegante falderillo. De niño no había recibido entrenamiento doméstico alguno: ni una sola vez le habían pedido que pusiera la mesa o pelara una zanahoria. Sus hermanas le hacían la cama y doblaban su ropa. Había hecho falta el estado de cautiverio para obligarlo a entender la operación de su propia lavadora y secadora. Cada día había una lista interminable de cosas de que ocuparse. Aun si trabajaba sin parar desde el momento en que despertaba en la mañana hasta que caía como un montón de huesos exhausto sobre su pila de cobijas, no lograba mantener la casa en el estado en que había estado acostumbrado a verla. ¡Cómo cantaba esa casa hacía tan poco...! No podía contarse cuántas muchachas iban y venían quitando el polvo y lustrando, planchando camisas y pañuelos, limpiando las telarañas más imperceptibles de las esquinas del cielorraso. Lustraban las tiras de bronce en la base de la puerta de entrada. Mantenían la despensa llena de pasteles y betabeles en salmuera. Tras de sí, en las habitaciones, dejaban el más vago aroma del talco que usaban después del baño (que su esposa les compraba a cada una de ellas para su cumpleaños, cada año, en una generosa caja redonda con una gruesa borla encima) y por eso todo olía como un manojo de jacintos espolvoreado con talco. Ni un solo objeto de esa casa reclamaba su atención, ninguno solicitaba su intercesión. Incluso esas manos amorosas y contratadas bañaban, cepillaban y llevaban a la cama a sus hijos. Era perfecto, siempre y completamente perfecto.

¡Y sus invitados! ¿Quiénes eran esos hombres que nunca llevaban sus platos al fregadero? A los terroristas, por lo menos, podía perdonarlos: en su mayoría eran niños y, además, se habían criado en la selva. (Eso le recordaba a su propia madre, quien cuando él se olvidaba de cerrar la puerta principal le decía: "¡Debería mandarte a vivir en la selva, donde no tuvieras que preocuparte por cosas como las puertas!".) Los rehenes estaban acostumbrados a valets y secretarias, y si bien tenían cocineros y doncellas, tal vez nunca los veían. No sólo otros manejaban sus casas por ellos, sino que lo hacían tan silenciosa y eficazmente que ellos jamás tenían que presenciar las operaciones.

Desde luego, Rubén podría haberse desentendido de todo. Después de todo, en realidad ni siquiera era su casa. Podía haberse quedado viendo cómo las alfombras criaban moho en los charcos de refresco derramado y esquivar la basura que rodeaba los depósitos demasiado llenos, pero él era ante todo y sobre todo el anfitrión. Sentía que era su responsabilidad mantener cierta apariencia de que se estaba llevando a cabo una fiesta. Pero además, pronto descubrió que le gustaba. No sólo lo disfrutaba sino que creía, con toda modestia, que tenía cierto talento para eso. Cuando se arrodillaba apoyando las manos para encerar los pisos, éstos brillaban en respuesta a sus atenciones. De todos los trabajos que había que hacer, el que más le gustaba era planchar. Se asombraba de que no hubieran confiscado la plancha: bien utilizada de seguro podía ser tan mortal como un fusil, tan pesada, tan increíblemente caliente. Cuando planchaba las camisas de hombres sin camisa que esperaban de pie, pensaba en el daño que podría hacer. Claro que no podría vencerlos a todos (¿podía una plancha desviar las balas? se preguntaba), pero podría liquidar a dos o tres antes de que le dispararan. Con una plancha, Rubén podría caer luchando, y pensar en ello lo hacía sentirse menos pasivo, más como un hombre. Metía la punta plateada y ardiente de la plancha en un bolsillo y después la deslizaba por una manga. Arrojaba nubes de vapor que lo hacían empaparse de sudor. El cuello, había llegado a comprenderlo muy rápido, era la clave de todo.

Planchar era otra cosa. Planchar estaba a su alcance. Pero estaba perdido en lo que concernía a la comida cruda, y por eso ahora estaba allí contemplando fijamente todo lo que estaba tendido frente a él. Decidió meter los pollos al refrigerador: estaba seguro de que había que mantener la carne fresca. Y después fue a buscar ayuda.

"Gen", dijo. "Gen, necesito hablar con la señorita Coss."

"¿Usted también?", preguntó Gen.

"Yo también", respondió el vicepresidente. "¿Por qué, hay fila? ¿Tengo que tomar un turno?"

Gen sacudió su cabeza y los dos juntos fueron a ver a Roxane. "Gen", dijo ella, y tendió las dos manos como si no los hubiera visto en años. "Señor vicepresidente." Desde que llegó la música ella había cambiado, o había vuelto a ser ella misma. Ahora se parecía más a la famosa soprano traída a una fiesta a un precio fabuloso para cantar seis arias. De nuevo irradiaba esa especie de luz que pertenece sólo a los muy famosos. Rubén siempre se sentía un tanto débil cuando estaba tan cerca de ella. Roxane tenía puesto el suéter de su esposa y llevaba puesta alrededor del cuello la pañoleta de seda negra cubierta de pájaros coloridos como joyas. (¡Oh, cómo adoraba su esposa esa pañoleta que había venido de París! Nunca la usaba más de una o dos veces por año y la guardaba cuidadosamente doblada en su caja original. ¡Con qué facilidad Rubén había servido ese tesoro a Roxane!) De pronto lo dominó la súbita necesidad de decirle cómo se sentía con respecto a ella. Cuánto significaba su música para él. Se controló recordando los pollos limpios, como desnudos. "Usted debe perdonarme", dijo el vicepresidente con la voz que se le rompía por la emoción. "Usted hace tanto por nosotros, tal como están las cosas... Sus ensayos han sido un regalo enviado por Dios, aunque no sé cómo puede usted llamarlos ensayos. Eso parece implicar que el canto podría mejorar." Se llevó los dedos a los ojos y sacudió la cabeza. Estaba cansado. "Pero no es eso lo que vine a decirle. Me pregunto si podría molestarla con un favor."

"¿Quiere que cante algo en especial?" Roxane acariciaba el borde de la pañoleta.

"Jamás presumiría saberlo. Cualquier canción que usted elija es la canción que estado deseando escuchar."

"Muy impresionante", le dijo Gen en español.

Rubén le lanzó una mirada que aclaraba que no tenía interés en comentarios. "Necesito consejo en la cocina. Alguna ayuda. No me malentienda, jamás le pediría que hiciera algún trabajo, pero si sólo pudiera darme una pequeñísima guía para la preparación de nuestra comida estaría muy en deuda con usted."

Roxane miró a Gen y parpadeó: "Debe de haber entendido mal lo que dijo."

"No lo creo."

"Inténtelo de nuevo."

El español era para un lingüista lo que la rayuela para un triatleta. Si Gen manejaba el ruso y el griego, era muy poco probable que entendiera mal una frase en español. Una frase sobre la preparación de la comida, no sobre el estado del alma humana. Después de todo, traducía del y al español la mayor parte del tiempo. Era lo más cercano que tenían a una lengua común. "Discúlpeme", le dijo Gen a Rubén.

"Dígale que necesito algo de ayuda con la comida."

"¿Cocinar la comida?", preguntó Roxane.

Rubén meditó un instante sobre eso. Asumiendo que no estaba pidiendo ayuda para servir la comida ni para comerla, entonces sí, lo único que quedaba era cocinarla. "Cocinar."

"¿Por que pensaría que yo sé cocinar?", le preguntó Roxane a Gen.

Rubén, cuyo inglés era malo, pero no desesperanzado,

indicó que ella era mujer. "Esas dos muchachas, me imagino que no deben saber cocinar más que platos nativos que no les gustarían a los demás", dijo a través de Gen.

"Es una cuestión latina ¿no cree usted?", le dijo ella a Gen. "En realidad no puedo sentirme ofendida. Es importante tener presentes las diferencias culturales." Dedicó a Rubén una sonrisa que era amable pero no contenía ninguna información.

"Creo que es lo mejor", dijo Gen, y después le informó a Rubén: "Ella no sabe cocinar."

"Tal vez cocine poquito", dijo Rubén.

Gen sacudió la cabeza. "Creo que no sabe nada en absoluto."

"Pero no nació cantando ópera", dijo el vicepresidente. "Debe de haber tenido infancia." Hasta su propia esposa, que había crecido rica, que había sido una niña mimada con todos los lujos disponibles, sabía cocinar.

"Posiblemente, pero me imagino que alguien cocinaba para ella."

Roxane, ahora fuera de la conversación, se apoyó hacia atrás en los cojines del sofá forrados en seda dorada, alzó las manos y se encogió de hombros. Era un gesto encantador, esas manos tan suaves nunca habían lavado un plato ni limpiando un chícharo. "Dígale que su cicatriz se ve mucho mejor", le dijo ella a Gen. "Quiero decir algo amable. Gracias a Dios que aquella muchacha suya todavía estaba aquí cuando ocurrió. De lo contrario podría haberme pedido a mí que le cosiera la cara, también."

"¿Quiere que le diga que tampoco sabe coser?", dijo Gen.

"Más vale que se entere de una vez." La soprano sonrió y agitó la mano despidiendo al vicepresidente.

"¿Usted sabe cocinar?", preguntó Rubén a Gen.

Gen ignoró la pregunta. "He oído a Simon Thibault quejarse mucho de la comida, y da la impresión de que sabe de lo que habla. De todos modos, es francés. Los franceses saben cocinar."

"Hace dos minutos yo habría dicho lo mismo sobre las mujeres", dijo Rubén.

Pero Simon Thibault probó ser una mejor apuesta. A la sola mención de los pollos crudos su rostro se iluminó. "¿Y vegetales?", preguntó. "Alabado sea Dios, algo que todavía no se ha arruinado."

"Éste es su hombre", dijo Gen.

Los tres juntos caminaron a la cocina, abriéndose paso por entre el laberinto de hombres y muchachos que pasaban el tiempo en el gran salón o en la sala. Thibault fue de inmediato hacia los vegetales. Sacó una berenjena de la caja y la hizo girar entre sus manos. Casi podía ver su propio reflejo en la piel lustrosa. Pegó la nariz a ese oscuro charol morado: no olía mucho, y sin embargo había algo vagamente oscuro y lodoso, algo vivo que le hacía desear morderlo. "Esta cocina está muy bien", dijo. "Déjeme ver las ollas."

Así que Rubén abrió los armarios y los cajones y Simon Thibault emprendió su inventario sistemático: batidores de alambre y vasijas, exprimidores de limones, papel pergamino y trastos para baño María. Había todas las ollas imaginables en todos los tamaños, hasta llegar a algo que debía de pesar quince kilos vacío y donde podía caber un niño de dos años no muy grande. Era una cocina acostumbrada a la preparación de cenas-coctel para quinientas personas. Una cocina preparada para alimentar a las masas. "¿Dónde están los cuchillos?", dijo Thibault.

"Los cuchillos están en los cintos de esos gorilas," dijo el vicepresidente. "No sé si planean hacernos trocitos con el cuchillo de picar carne o bien aserrarnos hasta morir con el cuchillo del pan."

Thibault tamborileó con los dedos sobre la cubierta de acero del área de trabajo. Se veía bien, pero en su casa de París él y Edith tenían mármol. ¡Que formidable masa podía palotearse sobre el mármol! "No es mala idea", dijo. "Nada mala. Prefiero que se guarden los cuchillos. Gen, vaya y dígale a los generales que tenemos que cocinar nuestra comida o comer los pollos crudos, aunque no creo que se resistan a un pollo crudo. Dígales que comprendemos que no estamos calificados moralmente para manejar la cuchillería y que necesitamos algunos guardias, dos o tres, para cortar y picar. Pídales que manden a las muchachas y quizá a ese muchacho en pequeño."

"Ismael", dijo Rubén.

"Ése es un muchacho que puede asumir su responsabilidad", dijo Thibault.

Hubo un cambio de guardia, o por lo menos Gen vio a otros dos jóvenes soldados ponerse sus gorras y encaminarse afuera, pero no vio a Carmen. Si había entrado debía de estar en alguna parte de la casa que estaba fuera de los límites impuestos a los rehenes. Discretamente la buscó por todas partes a donde se le permitía ir, pero no tuvo suerte.

"General Benjamín", dijo al encontrar al general en el comedor, examinando el periódico con un par de tijeras. Estaba recortando todos los artículos que se referían a ellos, como si pudiera mantenerlos a todos a oscuras censurando el periódico. La televisión estaba encendida a todas horas, pero los rehenes siempre eran conducidos fuera de la habitación cuando venían las noticias. Sin embargo, lograban oir fragmentos desde el pasillo. "Ha habido un cambio en la comida, señor", a pesar de que el diplomático era Thibault, Gen creía que tal vez él mismo tenía más posibilidades de conseguir lo que querían. Era la diferencia de sus naturalezas. El francés tenía muy poca experiencia en ser deferente.

"¿Y ese cambio?". El general no alzó los ojos.

"No está cocida, señor. Han enviado cajas de vegetales y algunos pollos". Por lo menos los pollos estaban desplumados. Por lo menos estaban muertos. Quizá era sólo cuestión de tiempo antes de que la cena entrara por la puerta caminando por sí sola, antes que la leche llegara caliente y bien guardada dentro de una cabra.

"Entonces cocínenla." Cortó una línea recta atravesando la página 3 por el medio.

"El vicepresidente y el embajador Thibault están planeando hacer eso, pero necesitan usar algunos cuchillos."

"Nada de cuchillos", dijo ausente el general.

Gen esperó un momento, con el puño el general Benjamín hizo pequeñas pelotas los artículos que había cortado y la sumó a una pila de pelotas de papel bien apretadas. "Por desgracia eso es un problema. Yo sé muy poquito de cocina pero entiendo que los cuchillos son indispensables para preparar los alimentos."

"Nada de cuchillos."

"A lo mejor si los cuchillos vienen con personas. Si usted pudiera destacar a un par de soldados para que se encargaran de picar, entonces habría control sobre los cuchillos. Es mucha comida. Después de todo, somos cincuenta y ocho personas."

El general Benjamín suspiró. "Yo sé cuántos somos aquí. Le agradecería que no me lo repitiera." Alisó lo que quedaba del periódico y lo dobló de nuevo. "Dígame una cosa, Gen. ¿Juega usted ajedrez?"

"¿Ajedrez, señor? Sé cómo jugar, pero no diría que soy muy bueno."

El general juntó las puntas de todos los dedos y se las llevó a los labios. "Le mandaré a las muchachas para que ayuden en la cocina", dijo. El herpes apenas había empezado a avanzar hacia el ojo, y aun en esa etapa incipiente estaba claro que los resultados serían desastrosos.

"Si pudiera mandar uno más. Quizá a Ismael. Es un muchacho muy bueno."

"Dos son suficientes."

"El señor Hosokawa juega ajedrez", dijo Gen. No debería proponer a su patrón para prestar servicios a cambio de un muchacho extra para picar, pero la verdad era que, en materia de ajedrez, el señor Hosokawa era bastante brillante, siempre le estaba pidiendo a Gen que jugara con él en los vuelos largos y siempre quedaba decepcionado de que Gen no pudiera durar más de veinte jugadas. Pensó que posiblemente el señor Hosokawa podría disfrutar el juego tanto como el general Benjamín.

Benjamín alzó el rostro y su cara hinchada y escarlata parecía mostrar agrado. "Encontré un tablero en la habitación del niño. Me gusta la idea de que le enseñaran ajedrez a un niño tan chico. Creo que es una herramienta notable para moldear el carácter. Yo enseñé a jugar ajedrez a todos mis hijos."

Eso era algo que a Gen nunca había considerado, que el general Benjamín tuviera hijos, que tuviera un hogar y una esposa o cualquier tipo de existencia fuera del grupo que estaba allí. Gen nunca se había detenido a pensar dónde vivían, ¿sería en algún tipo de tienda, en hamacas colgadas entre las fuertes ramas de los árboles de la selva? ¿O acaso ser revolucionario era como un empleo normal? ¿Se despedía cada mañana de su esposa con un beso y la dejaba en su bata, sentada a la mesa, bebiendo té de coca? ¿Llegaba de regreso a la casa por la noche y disponía las piezas en el tablero mientras estiraba las piernas y fumaba un cigarrillo? "Me gustaría ser mejor en el juego."

"Bueno, quizá yo pueda enseñarle algo. No puedo imaginarme qué tendría que enseñarle a usted." Como todos los soldados, el general Benjamín tenía un enorme respeto por la capacidad de Gen para los idiomas. Se imaginaba que si era capaz de hablar en ruso, inglés y francés, probablemente podía hacer cualquier cosa.

"Se lo agradecería mucho", dijo Gen.

Benjamín asintió con la cabeza. "Por favor pregúntele a su señor Hosokawa si podría venir cuando le resulte conveniente. No habrá necesidad de traducción. Escríbame aquí las palabras *jaque* y *jaque mate* en japonés. Me tomaré el trabajo de aprenderlas si viene a jugar." El general Benjamín tomó una de las arrugadas hojas de periódico y volvió a alisarla. Le dio a Gen un lápiz y éste escribió las dos palabras sobre los titulares. El que él vio decía: "Poca esperanza".

"Le mandaré algo de ayuda para la comida", dijo el general. "Irán en seguida."

Gen inclinó la cabeza. Quizá fuera más respeto del que merecía el otro, pero allí no había nadie para verlo.

Podía parecer que les habían quitado todas las opciones, encerrados en una casa con un adolescente iracundo y armado de pie frente a cada puerta. No había libertad ni confianza, ni siquiera la libertad suficiente para que merecieran un cuchillo para cortar un pollo. Las cosas más simples en las que creían, como que tenían derecho a abrir una puerta, que eran libres de salir de la casa, habían dejado de ser ciertas. En cambio esto era cierto: Gen no fue de inmediato a ver al señor Hosokawa. No fue a decirle lo del ajedrez. ¿Qué diferencia había si esperaba hasta la noche? El señor Hosokawa jamás sabría que él había demorado: ciertamente no había nadie más que hablara español y japonés para decírselo. Al otro lado del salón, el señor Hosokawa estaba sentado con Roxane Coss en el banco de palo de rosa del piano. Mejor dejarlo allí. Él era feliz de estar con ella; ella le enseñaba algo en el piano: sus manos y luego las suyas se movían sobre las teclas. Las notas espaciadas y repetitivas formaban una música de fondo para el salón.

Era demasiado pronto para decir algo pero para la música se mostraba más promisorio que para el español. Dejémoslo ahí por el momento. Aun desde esa distancia Gen podía ver cómo ella se apoyaba contra él cuando tocaba las notas más bajas. El señor Hosokawa estaba feliz, y Gen no necesitaba ver su cara para saber eso. Sabía que su patrón era un hombre inteligente, motivado, razonable, y si bien nunca había pensado en él como un hombre infeliz, nunca había pensado que disfrutara particularmente de la vida. ¿Entonces por qué no dejar imperturbable ese placer? Gen podía decidir por él mismo; el señor Hosokawa podría practicar sin interrupción y Gen volvió a la cocina, donde el vicepresidente Iglesias y el embajador Thibault hablaban de salsas.

"Le mandaré a las muchachas para que ayuden en la cocina", fue lo que había dicho el general Benjamín.

Las palabras resonaban en la cabeza de Gen igual que las notas espaciadas del "Clair de lune". Fue a la cocina y en cuanto traspasó las puertas abatibles alzó las dos manos, como un boxeador triunfante después de un fácil nocaut.

"¡Ah, miren eso!", exclamó el vicepresidente. "El muchacho genio regresa victorioso."

"Lo estamos desperdiciando en cuchillos y ayudantes de cocina", dijo Thibault en el buen español que había aprendido cuando creyó que sería el embajador francés en España. "Deberíamos mandar a este joven a Irlanda del Norte. Deberíamos mandarlo a la franja de Gaza."

"Deberíamos darle el trabajo de Messner. Entonces quizá saldríamos de aquí."

"Sólo eran algunos cuchillos", dijo Gen con humildad.

"¿Consiguió hablar con Benjamín?", preguntó Rubén.

"Por supuesto que habló con Benjamín." Thibault hojeaba un libro de cocina de la pila que había frente a él. Por la forma en que su dedo corría adelante y atrás por los renglones parecía estar haciendo una lectura rápida. "Tuvo éxito ¿no? Usted sabe que Alfredo y Héctor hubieran insistido en el pollo crudo: mejor, para hacer más rudos a los hombres. ¿Y qué dijo el buen camarada?"

"Que mandaría a las muchachas. Dijo que no a Ismael pero no me sorprendería que apareciera." Gen tomó una zanahoria de la caja y la frotó en el fregadero.

"A mí me pegaron en la cara con un revólver", dijo alegremente el vicepresidente. "Y a usted le asignan personal."

"¿Qué tal un simple *coq au vin*?", propuso Thibault.

"Confiscaron todo el *vin*", dijo Rubén. "Aunque podríamos mandar a Gen con otro pedido. Quizá está guardado en algún sitio por aquí mismo, a menos que se lo hayan bebido todo."

"No hay *vin*", dijo con tristeza Simon Thibault, como si fuera algo peligroso, como si fuera un cuchillo. Era imposible. En París uno podía ser descuidado, podía permitir que el vino se le acabara por completo porque cualquier cosa que deseara, una caja, una botella o una copa, siempre estaba a media cuadra de distancia. Una copa de Borgoña en otoño en una mesa posterior de la *brasserie* Lipp, la luz cálida y amarillenta bajo la que reflejaba los barrotes de bronce que había alrededor del bar. Edith con su suéter azul marino, el cabello recogido en la nuca y enrollado en un chongo informal, sus manos pálidas rodeando la copa. Con qué claridad lo veía todo, la luz, el suéter, el rojo oscuro del vino bajo los dedos de Edith. Cuando se mudaron al Corazón de las Tinieblas hicieron que enviaran cajas con doce botellas cada una a la vez, vino suficiente para quitar la sed a toda una ciudad durante una sequía. Thibault trató de convertir en bodega lo que en realidad era un sótano húmedo y sucio. El vino francés era la piedra angular de la diplomacia francesa. Él regalaba botellas de vino como si fueran mentas. Los invitados se quedaban hasta más tarde en sus fiestas. Se quedaban eternamente parados en el sendero que llevaba hacia el portón y decían buenas noches, buenas noches, pero no parecían irse nunca. Al final, Edith volvía a entrar, traía una botella para cada uno de ellos, y se las metía entre las manos renuentes. Entonces se desperdigaban en la oscuridad, cada uno de vuelta a su auto y a su chofer, aferrando su presea.

"Ésta es mi sangre." Thibault alzaba su copa hacia su esposa cuando, por fin, los invitados se habían ido. "La derramaré por ti y nadie más." Juntos recorrerían la sala levantando servilletas arrugadas, apilando platos. Desde mucho antes habían despachado al ama de llaves. Era un acto de intimidad, una pura expresión de amor. Estaban solos de nuevo. Ponían su casa en orden.

"¿No hay alguna clase de *coq sans vin*?" Rubén se inclinó hacia adelante para ver el libro. ¡Cuántos libros había en su casa que nunca había visto! Se preguntó si le pertenecían a él o a la casa.

Thibault arrojó la punta de la chalina de Edith por sobre su hombro. Dijo algo sobre asar al horno y volvió su cabeza para leer, tan pronto había mirado la página cuando la puerta se abrió de nuevo y entraron tres personas: Beatriz, la alta; Carmen, la bonita, y después Ismael, cada uno con dos o tres cuchillos.

"Usted nos solicitó, ¿verdad?", le dijo Beatriz a Gen. "En este momento estoy fuera de servicio. Iba a mirar televisión."

Gen miró el reloj en la pared. "Ya se hizo tarde para su programa", dijo tratando de mantener los ojos fijos en ella.

"Hay otras cosas", respondió ella. "Hay montones de buenos programas. 'Manden a las mujeres para que lo hagan.' Siempre es lo mismo."

"No sólo mandaron a las mujeres", dijo Ismael, a la defensiva.

"Prácticamente", dijo Beatriz.

Ismael enrojeció e hizo girar el mango de madera de su cuchillo entre las palmas de sus manos.

"El general nos dijo que viniéramos a ayudar con la comida", dijo Carmen. Le hablaba al vicepresidente y no volvió los ojos hacia Gen, quien no la miraba ¿por qué parecía entonces que se estaban mirando fijamente uno al otro?

"Estamos muy agradecidos", dijo Simon Thibault. "No sabemos nada sobre el manejo de los cuchillos. Si nos confiaran algo tan peligroso como los cuchillos es probable que en cosa de minutos aquí habría un baño de sangre. No quiero decir que nos convertiríamos en asesinos, pero nos cortaríamos los dedos y sangraríamos hasta morir aquí mismo en el suelo."

"Pare ya", dijo Ismael con una risita. Hacía poco se había hecho uno de esos cortes de pelo amateur que se ofrecían por ahí: donde antes su cabeza había estado cubierta por pesados rizos, el cabello presentaba un corte irregular muy al ras. En algunos lugares quedaba erizado como pasto, mientras que en otros se podía alisar bien. En unos pocos puntos había desaparecido casi por completo y se veían pequeños parches relucientes de piel rosada, como la de un ratón recién nacido. Le habían dicho que con el corte se vería mayor, pero en realidad sólo se veía con muy mal aspecto.

"¿Sabe cocinar alguno de ustedes?", preguntó Rubén.

"Un poquito", dijo Carmen, estudiando la posición de sus pies sobre el tablero blanco y negro del suelo.

"Claro que podemos cocinar", dijo tajante Beatriz. "¿Quién piensa usted que cocina para nosotros?"

"Sus padres. Es una posibilidad", dijo el vicepresidente.

"Somos adultos. Sabemos cuidarnos solos. No tenemos padres que nos cuiden como si fuéramos niñitos." Beatriz sólo estaba irritada por perderse la televisión. Después de todo, había hecho todo su trabajo, había patrullado el piso alto y había montado guardia por dos horas ante la ventana. Había limpiado y aceitado las armas de los generales y la suya propia. No era justo que la hubieran llamado a la cocina. Había un programa lindísimo que pasaba al terminar la tarde: una muchacha con un chaleco cubierto de estrellas y una falda amplia, que cantaba canciones de vaqueros y bailaba con botas de tacón alto.

Ismael suspiró y colocó sus tres cuchillos sobre la mesa frente a él. Sus padres estaban muertos. Una noche un grupo de hombres se había llevado a su padre de la casa y nadie lo había vuelto a ver. Su madre había muerto de una simple gripe once meses antes. Ismael tenía casi quince años, aun cuando su cuerpo no aportaba ninguna evidencia de ello. No era un niño, si ser un niño significaba que uno tenía padres que cocinaran su cena.

"Entonces conocen la cebolla", dijo Thibault alzando una en su mano.

"Mejor que usted", dijo Beatriz.

"Entonces tomen ese cuchillo peligroso y piquen unas cuantas cebollas", dijo Thibault mientras les pasaba unas tablas de picar y recipientes. ¿Por qué las tablas de picar no se consideraban armas? Agarra firmemente los dos bordes con las manos y queda claro que esos grandes trozos de madera son del tamaño correcto para golpear a alguien en la parte posterior de la cabeza. ¿Y por qué no los cuencos para ese propósito? La pesada cerámica en colores pastel parecía inofensiva, como recipiente para plátanos, pero una vez rotos ¿en que se diferenciaban de un cuchillo? ¿No sería igual de fácil clavar un trozo de cerámica en un corazón humano? Thibault pidió a Carmen que picara el ajo y rebanara los pimientos morrones. A Ismael le mostró una berenjena: "Pelar, quitar las semillas y picar."

El cuchillo de Ismael era largo y pesado. ¿Quién de ellos manejaba con destreza un cuchillito de pelar papas para su defensa personal? ¿Quién se había apropiado los cuchillos para las toronjas? Cuando trató de pelar la berenjena terminó por clavar el cuchillo casi diez centímetros en la esponjosa carne amarilla. Thibault lo observó por un momento y después tendió las manos. "Así no", le dijo. "No quedará nada para comer. Dame aquí."

Ismael se detuvo, examinó su trabajo y después le tendió la verdura tasajeada y el cuchillo. Lo extendió con la hoja hacia Thibault. ¿Qué sabía él de modales en la cocina? Entonces Thibault tomó las dos cosas, el cuchillo y la berenjena, una en cada mano. Con gran habilidad y rapidez empezó a pelarla.

"¡Deje eso!", chilló Beatriz. Al gritar dejó caer su propio cuchillo, la hoja resbaladiza de cebolla y una lluvia de cebolla picada que se desparramó por el suelo como una nieve mojada y espesa. Sacó el revólver de su cinturón y lo apuntó hacia el embajador.

"¡Jesús!", exclamó Rubén Iglesias.

Thibault no entendía qué había hecho. Al principio pensó que la muchacha se había enojado porque había corregido a Ismael. Pensó que el problema era por la berenjena, y por lo tanto primero dejó sobre la mesa la berenjena y después el cuchillo.

"Habla en voz baja", le dijo Carmen a Beatriz en quechua. "Nos vas a meter a todos en problemas."

"Él tomó el cuchillo."

Thibault levantó sus manos vacías, mostrando al revólver las palmas lisas.

"Yo le di el cuchillo", dijo Ismael. "Yo se lo di."

"Sólo iba a pelar la berenjena", dijo Gen. No podía reconocer ni una sola palabra de esa lengua que hablaban entre ellos.

"Se supone que él no debe tocar el cuchillo", dijo Beatriz en español. "El general nos dijo eso. ¿Nadie lo escuchó?" Mantenía su revólver apuntado, y sus gruesas cejas señalaban hacia abajo. Los ojos empezaban a aguársele por los vapores de la cebolla, y pronto las lágrimas le corrían por las mejillas, cosa que todos interpretaron mal.

"Escuchen esto", dijo Thibault con voz muy tranquila, siempre con las manos levantadas. "Todos pueden colocarse a cierta distancia de mí y le mostraré a Ismael cómo se pela una berenjena. Tú sigues apuntándome con el revólver y si te parece que estoy por hacer algo raro me disparas. También puedes dispararle a Gen si hago algo terrible."

Carmen dejó su cuchillo sobre la mesa.

"Yo no creo que..." empezó Gen, pero nadie le prestaba atención. Sintió una pequeña dureza fría en el pecho, como si un carozo de cereza se le hubiera metido en el corazón. No quería que le dispararan y tampoco que alguien propusiera algo así.

"¿Que yo puedo dispararle a usted?", dijo Beatriz. No era su asunto darle permiso ¿verdad? De cualquier forma nunca había tenido intención de dispararle a nadie.

"Adelante", dijo Ismael, sacando su propio revólver y apuntando al embajador. Estaba tratando de mantener seria su cara, pero sin mucho éxito. "Yo también le dispararé si es necesario. Enséñeme a pelar la berenjena. Ya he matado a hombres por menos que una berenjena." *Berenjena,* ésa era la palabra en español. Una hermosa palabra. Podría ser el nombre de una mujer.

Y así Thibault tomó el cuchillo y emprendió su tarea. Sus manos se mantuvieron firmes mientras pelaba y dos revólveres le apuntaban. Carmen no participó: regresó a picar los ajos, haciendo sonar su cuchillo contra la tabla con golpes marcados e iracundos. Thibault mantenía la vista fija en el brillo profundo de la piel negra-morada. "Es difícil con un cuchillo tan grande. Se trata de deslizarlo justo por debajo de la superficie. Imagínate que estás pelando un pescado. Fíjate. Bien fluido. Es un trabajo delicado." Toda la belleza de la berenjena cayó al suelo en cintas.

Había algo tranquilizante en ello, la forma en que la piel entera se desprendía limpiamente. "Muy bien", dijo Ismael. "Ya entiendo. Ahora démelo." Bajó su arma y extendió las manos. Thibault hizo girar el cuchillo para ofrecerle el suave mango de madera y otra berenjena. ¿Qué diría Edith al escuchar que lo habían matado por una berenjena o por encender la televisión? Si le tocaba morir, esperaba al menos un poquito de honor en su muerte.

"Bueno", dijo Rubén secándose la cara con un trapo de cocina. "Aquí nunca ocurre nada sin importancia."

Beatriz enjugó sus lágrimas con la manga verde oscuro de su chaqueta. "Cebollas", dijo, metiéndose de nuevo al cinturón el revólver recién aceitado.

"Con mucho gusto lo haría por usted si en cualquier momento me considera capaz", dijo Thibault, y fue a lavarse las manos.

Gen estaba de pie junto al fregadero tratando de decidir la mejor manera de formular su pregunta. Cualquier modo de hacerla le parecía descortés. Le habló a Thibault en francés: "¿Por qué le dijo que podía dispararme a mí?", susurró.

"Porque a usted *no le dispararían*. A usted todos ellos lo quieren mucho. Fue un gesto inofensivo de mi parte. Pensé que me daría más credibilidad. En cambio decirle que podía dispararme a mí, *eso sí* fue arriesgado. Yo no les importo nada, mientras que a usted lo consideran importantísimo. No es como si les dijera que pueden dispararle al pobre Rubén. Esa muchacha tal vez quisiera dispararle a Rubén."

"Pero con todo", dijo Gen. Quería ser firme en relación con ese punto pero sentía que se le escapaba. A veces sospechaba que él era el más débil de los cautivos.

"Me dijeron que usted le regaló su reloj de pulsera."

"¿Quién le dijo eso?"

"Todos lo saben. Ella lo anda exhibiendo en cada ocasión que se le presenta. ¿Cree que le va a disparar al hombre que le regaló su reloj?"

"Bueno, eso es lo que no sabemos."

Thibault se secó las manos y con un brazo enlazó despreocupadamente el cuello de Gen. "Yo jamás les permitiría dispararle a usted, igual que no les permitiría dispararle a mi propio hermano. Le voy a decir una cosa, Gen: cuando todo esto termine usted debe ir a visitarnos a París. En el mismo segundo en que esto termine renuncio a mi puesto y Edith y yo nos mudamos de vuelta a París. Cuando tenga deseos de viajar de nuevo, traiga al señor Hosokawa y a Roxane. Si quiere puede casarse con una de mis hijas, así sería mi hijo más que mi hermano." Se inclinó y susurró al oído de Gen: "Entonces todo esto nos parecerá muy divertido."

Gen aspiró el aliento de Thibault. Trató de absorber algo de ese valor, de esa despreocupación. Trató de creer que algún día todos estarían en París, en el departamento de los Thibault, pero no podía imaginárselo. Thibault besó a Gen junto al ojo izquierdo y lo dejó irse. Él mismo fue a buscar una cacerola grande.

"Hablando en francés", le dijo Rubén a Gen. "Eso es una gran descortesía."

"¿Cómo puede ser descortés el francés?"

"Porque aquí todos hablamos español. Ya no recuerdo la última vez que estuve en una habitación donde todos hablaban el mismo idioma y ahora usted se pone a hablar en una lengua que yo no logré aprender en la secundaria." Y era verdad, cuando hablaban en español, en la cocina, nadie necesitaba esperar a que le explicaran nada, nadie se veía obligado a quedarse mirando al aire mientras los otros decían frases ininteligibles. Nadie se preguntaba con suspicacia si lo que estaban diciendo no era, en realidad, algo horrible acerca de ellos. De las seis personas presentes en la cocina, sólo Rubén tenía el español como lengua materna. Gen hablaba japonés, Thibault francés y el trío de los cuchillos había aprendido primero el quechua en su aldea y después un híbrido de español y quechua del cual trataban de extraer el español, con variables grados de éxito.

"Usted podría tomarse el día libre", le dijo Ismael al traductor. Una espiral larga y flexible de cáscara de berenjena colgaba de su cuchillo. "No es necesario que se quede."

Ante eso, Carmen, quien había mantenido los ojos fijos en el ajo que picaba, alzó la vista. El valor que había hallado por tan breves instantes la noche anterior ahora le faltaba por completo; todo el día lo mejor que había podido hacer era esquivar a Gen, pero eso no significaba que deseara que éste se fuera. Ella necesitaba creer que la habían enviado a la cocina por alguna razón. Rogó a santa Rosa que la timidez que caía sobre ella como una niebla que la cegaba se alzara tan súbitamente como había descendido.

Gen no tenía intención de irse. "Traducir no es lo único que sé hacer", dijo. "Puedo lavar los vegetales. Puedo revolver algo si hay algo que revolver."

Thibault regresó cargando una enorme olla de metal en cada mano. Las colocó una después de otra sobre la estufa, donde cada una cubría tres hornillas. "¿Oí hablar de irse? ¿A poco es Gen quien está pensando en irse?"

"Yo estaba pensando en quedarme."

"¡Nadie se va de aquí! Comida para cincuenta y ocho ¿no es eso lo que esperan? No puedo perder ningún par de manos, aunque sean las del muy valioso traductor. ¿Estarán pensando que vamos a hacer esto todas las tardes, para cada comida? ¿Qué creen que soy, el responsable de un servicio de alimentación? ¿Ya están picadas las cebollas? ¿Puedo preguntar en qué estado están las cebollas, o me va a amenazar con dispararme?"

Beatriz agitó su cuchillo hacia Thibault. Tenía la cara roja y mojada de llorar. "Yo lo habría matado si hubiese sido necesario y no lo hice, así que usted debería estar agradecido. Y ya piqué sus estúpidas cebollas. ¿Ahora ya terminó conmigo?"

"¿Le parece que la cena ya está lista?", dijo Thibault vertiendo aceite en las ollas y encendiendo las llamas azules del gas. "Vaya a lavar los pollos. Gen: tráigame la cebolla. Saltee esas cebollas."

"¿Por qué va a freír él la cebolla?", dijo Beatriz. "Son mis cebollas. Y no voy a lavar los pollos porque para eso no se necesita un cuchillo. A mí me mandaron acá sólo para trabajar con los cuchillos."

"Voy a matarla", dijo Thibault en un cansado francés.

Gen tomó el recipiente lleno de cebollas y lo sujetó contra su pecho. Nunca era el momento apropiado o cualquier momento era el apropiado, dependiendo de cómo se viera. Podían quedarse ahí, separados uno del otro por seis losetas de cerámica sin decir nunca nada, o bien uno de ellos, cualquiera de los dos, podía dar un paso adelante y empezar a hablar. Gen tenía la esperanza que fuera Carmen, pero de hecho Gen también tenía la esperanza de que los liberaran a todos, y ninguna de esas cosas parecía probable. Gen le dio la cebolla picada a Thibault, quien la arrojó a las dos ollas donde chirrió y siseó como la propia Beatriz. Reuniendo el escaso valor que todavía le quedaba, Gen fue al cajón junto al teléfono, que colgaba desnudo sobre la pared sin su cable. Encontró un pequeño bloc de papel y una pluma. Escribió las palabras "cuchillo", "ajo", "muchacha", cada una en su propio trozo de papel, y se las llevó a Carmen, mientras Thibault discutía con Beatriz sobre quién iba a mover las cebollas. Trató de tener presentes todos los idiomas que había estudiado, todas las ciudades que había conocido, todas las palabras importantes de otros hombres que habían pasado por su boca. Lo que ahora se pedía a sí mismo era poco, y sin embargo sentía que las manos le temblaban. "Cuchillo", dijo, dejando el primer trozo de papel sobre la mesa. "Ajo", y colocó ese trozo sobre los ajos. "Muchacha", y ese trozo se lo dio a Carmen, quien lo miró por un minuto y después se lo echó al bolsillo.

Carmen asintió e hizo un ruido, algo como "ah", no del todo una palabra.

Gen suspiró. Ahora era un poco mejor, pero sólo ligeramente. "¿Quiere aprender?"

Carmen asintió con la cabeza de nuevo, con los ojos fijos en la manija de un cajón. Trataba de ver en esa manija a santa Rosa de Lima, una mujer diminuta con manto azul en equilibrio sobre la barra plateada y curva. Trató de encontrar su voz a través de la oración. Pensó en Roxane Coss, que le había trenzado el cabello con sus propias manos. ¿No debería darle fuerza eso?

"No sé si soy muy buen maestro. Estoy tratando de enseñarle español al señor Hosokawa. Él escribe palabras en una libretita y se las aprende de memoria. Tal vez podríamos intentar lo mismo con usted."

Después de un minuto de silencio Carmen profirió el mismo sonido, un pequeño "ah" que no comunicaba ninguna información, salvo la de que lo había oído. Era una idiota. Una tonta.

Gen miró a su alrededor. Ismael lo estaba observando pero no parecía importarle.

"¡La berenjena está perfecta!", dijo Rubén. "Thibault ¿ya viste esta berenjena? Cada cubo es exactamente del mismo tamaño."

"Se me olvidó quitarle las semillas", dijo Ismael.

"Las semillas no importan", dijo Rubén. "Las semillas serán buenas para ti como cualquier otra cosa."

"Gen ¿se va a encargar de freír?", dijo Thibault.

"Un minuto", dijo Gen alzando la mano. En un susurro le dijo a Carmen: "¿Ha cambiado de opinión? ¿Quiere que la ayude?"

Y entonces al parecer la santa le dio a Carmen un fuerte golpe entre los omóplatos y la palabra que tenían atorada en la garganta se soltó de repente, como un trocito de materia dura que le obstruyera la tráquea. "Sí", dijo jadeante. "Sí."

"¿Entonces tendremos prácticas?"

"Todos los días." Carmen tomó las palabras *cuchillo* y *ajo* y se las metió al bolsillo junto con *muchacha*. "Yo aprendí mis letras, pero hace mucho que no practico. Antes las hacía todos los días, pero después empezamos el entrenamiento para esto."

Gen podía verla en las montañas, donde siempre hacía frío por la noche, sentada junto al fuego, el rostro congestionado por el calor y la concentración, un mechón de cabello oscuro cayéndole de atrás de la oreja, como estaba ahora. Tiene un bloc barato y un cabo de lápiz. En su mente él está al lado de ella, le elogia las líneas rectas de su *T* y la *H*, la curva delicada de la *Q*. Desde afuera puede oir la última llamada de los pájaros que ya regresan a sus nidos antes de que oscurezca. En otro tiempo había pensado que ella era un muchacho y ese sentimiento lo aterraba. "Vamos a repasar las letras", dijo él. "Empezaremos por ahí."

"¿Soy yo la única que tiene que trabajar?", gritó Beatriz.

"¿Cuándo?", Carmen sólo dibujó la palabra con los labios.

"Esta noche", dijo Gen. Apenas podía creer lo que deseaba en ese momento. Deseaba estrecharla en sus brazos. Deseaba besar la raya donde se dividía su cabello. Deseaba tocar sus labios con las puntas de los dedos. Deseaba susurrarle cosas en japonés. Tal vez pudiera enseñarle japonés también, si tenían tiempo.

"Esta noche en el cuarto de la porcelana", dijo ella. "Enséñeme esta noche."

Siete

El cura tenía razón acerca del tiempo, aun cuando el sol apareció más tarde de lo que él había predicho. A mediados de noviembre la garúa había terminado. No fue disminuyendo ni haciéndose más leve: sólo paró, de manera que un día todo estaba saturado como un libro caído en una bañera y al día siguiente el aire estaba brillante y seco y extremadamente azul. Al señor Hosokawa le recordaba la época de la floración de los cerezos en Kyoto, y a Roxane Coss le recordaba octubre sobre el lago Michigan. Estaban de pie juntos, temprano por la mañana, antes de que ella empezara a cantar. Él le señaló un par de pájaros amarillos, brillantes como crisantemos, parados en la rama de un árbol que nunca habían visto antes. Estuvieron un rato picoteando la corteza esponjosa y después se alejaron volando, primero uno y luego el otro, por encima y sobre el muro. Uno por uno todos los rehenes y sus guardianes se acercaron a las ventanas alrededor de la casa, miraron para afuera, parpadearon y volvieron a mirar. Fueron tantas las personas que pegaron las manos y las narices contra los vidrios que el vicepresidente Iglesias tuvo que acudir con un trapo y una botella de amoniaco a limpiar cada uno de los vidrios. "Miren el jardín", dijo sin dirigirse a nadie en particular. "La maleza está tan alta como las flores." Se podría haber pensado que con tanta lluvia y tan poca luz la marcha del crecimiento podría haberse detenido, cuando en realidad todo había prosperado. Tanto las plantas silvestres como las cultivadas podían oler la selva distante en el aire y estiraban sus raíces hacia abajo y estiraban sus hojas hacia arriba en un intento de transformar de nuevo el jardín del vicepresidente en un lugar salvaje. Bebieron hasta la última gota de lluvia. Podrían haber soportado un año más de tiempo húmedo.

Si las dejaban el tiempo suficiente libres a sus deseos tomarían la casa y derribarían el muro del jardín. Después de todo otrora ese jardín había sido parte de una unidad continua, del denso y retorcido camino de lianas que llegaba hasta las orillas arenosas del oceano. Lo único que les impedía tomar la casa era el jardinero, que arrancaba todo lo que le parecía indigno del lugar, lo quemaba y después recortaba el resto. Pero ahora el jardinero estaba de vacaciones por tiempo indefinido.

El sol llevaba apenas una hora brillando y en ese tiempo varias de las plantas habían crecido medio centímetro.

"Tendré que hacer algo respecto del jardín", Rubén suspiró, no por saber dónde hallaría el tiempo para todo lo que necesitaba hacerse en la casa. Ni tampoco porque fuera probable que lo dejaran salir, en primer lugar. Y menos que le dieran todo lo que necesitaría: tijeras para cortar el cerco, tijeras de podar, azada. Todo lo que había en el cobertizo del jardinero eran armas mortales.

Al abrir las ventanas del salón, el padre Arguedas agradeció a Dios la luz y la dulzura del aire; a pesar de que él se hallaba en la casa, al otro lado del jardín y detrás del muro, podía oir el ruido de la calle con más claridad sin la lluvia que apagaba los sonidos. Ya nadie les gritaba mensajes por encima del muro, pero todavía podía imaginar una multitud de hombres y armas. El sacerdote sospechaba que ya no tenían ningún plan de acción o bien que tenían un plan tan complejo que ya no los incluía a ellos exactamente. El general Benjamín continuaba recortando de los periódicos cualquier mención de sus circunstancias, pero mientras tanto habían logrado escuchar en la televisión el fragmento de una conversación según la cual estaban cavando un túnel, que la policía planeaba continuar cavando hasta llegar a la casa, y por lo tanto la crisis terminaría tal como había comenzado, con extraños que irrumpen de improviso en la sala y reorientan el curso de sus vidas, pero nadie creía eso. Era muy improbable, demasiado parecido a una película de espías como para ser real. El padre Arguedas contempló sus propios pies, sus baratos zapatos negros de agujetas apoyados en aquella alfombra tan cara, y se preguntó qué estaría ocurriendo en realidad debajo del piso. Rogó que fueran liberados, rogó que cada uno de ellos fuera liberado sano y salvo, pero no rogó ser liberado por un túnel. No rogó, en absoluto, que lo rescataran. Rogó sólo por la voluntad de Dios, Su amor y protección. Trató de limpiar su corazón de pensamientos egoístas y al mismo tiempo agradecer todo lo que Dios le había concedido. La misa, por mencionar sólo un ejemplo. En su vida anterior (porque así era como pensaba ahora en ella) sólo se le permitía celebrar misa para los miembros de su parroquia cuando todos los demás curas estaban enfermos o de vacaciones y aun entonces le daban la misa de las seis de la mañana o una misa del martes. Sus responsabilidades dentro de la iglesia eran, sobre todo, más o menos las mismas que tenía antes de ser sacerdote: distribuía el pan que él no había bendecido por el pasillo de la extrema izquierda del templo, o encendía las velas o las apagaba soplando. Aquí, después de mucha discusión, los generales accedieron a permitir que Messner trajera los implementos necesarios para la comunión, y el domingo anterior el padre Arguedas había celebrado la misa en el comedor con todos sus amigos. Asistieron personas que no eran católicas y personas que, aunque no entendían una palabra de lo que estaba diciendo, cayeron arrodilladas. Siempre era más probable que la gente rezara cuando quería algo específico. Los jóvenes terroristas cerraron los ojos e inclinaron profundamente el mentón en sus pechos, mientras que los generales se quedaron al fondo de la habitación. Pudo ser algo diferente por completo. Hoy día muchas organizaciones terroristas querían abolir toda la religión, en especial el catolicismo. Si hubieran sido secuestrados por La Dirección Auténtica en lugar de por La Familia de Martín Suárez, mucho más razonable, nunca les hubieran permitido rezar. La LDA hubiera arrastrado cada día a un rehén a la azotea para que la prensa lo viera, para después meterle una bala en la cabeza y apresurar las negociaciones. El padre Arguedas pensaba en esas cosas mientras descansaba sobre la alfombra de la sala, ya entrada la noche. Eran afortunados en realidad. No había otra manera de verlo. ¿No había todavía libertad en el sentido más profundo si había libertad para rezar? En su misa, Roxane Coss cantó el "Ave María", hecho de belleza tan avasalladora que (y él no quería parecer competitivo) simplemente no podría ser superado en ninguna iglesia, en ningún lugar, incluyendo a Roma. Su voz era tan pura, tan leve, que abría el techo y llevaba sus peticiones directo hacia Dios. Pasaba por encima de ellos como un batir de alas, de manera que hasta los católicos que ya no practicaban su fe, y los no católicos que habían ido sólo porque no había otra cosa que hacer, y todos los que no tenían idea de lo que estaba diciendo, y los ateos fríos como la piedra a quienes de todos modos no les importaba, debido al canto salieron conmovidos, confortados, sintiendo quizá la más ligera palpitación de la fe. El sacerdote contempló la pared de estuco ligeramente amarillécida que los protegía de cualquier cosa que estuviera esperando para ocurrir afuera. Debe haber tenido tres metros de altura y en algunas partes estaba cubierta de hiedra. Era un muro muy hermoso, no muy diferente al que debe de haber rodeado al Monte de los Olivos. Tal vez no fuera evidente de inmediato pero ahora él veía que semejante muro podía considerarse una bendición.

Esa mañana Roxane cantó a Rossini, en armonía con el clima. Una canción, *Bella crudele,* la cantó siete veces. Estaba claro que trataba de perfeccionar algo, de llegar a algo situado en el centro mismo de la partitura que sentía no haber alcanzado aún. Ella y Kato se comunicaban a su manera. Ella señalaba una línea de notas, él la tocaba. Ella tamborileaba con los dedos el ritmo sobre la parte superior del piano. Él la tocaba de nuevo. Ella cantaba esa misma línea sin acompañamiento. Él la tocaba sin ella. Ella cantaba mientras él tocaba. Parecían andar en círculos uno alrededor del otro, ambos olvidados de los sentimientos, interesados sólo en la música. Ella cerraba los ojos mientras él se movía por el comienzo, y después inclinaba ligeramente la cabeza aprobando. ¡Él hacia un trabajo tan sencillo de la partitura! No había nada de balandronada exhibicionista en los movimientos de sus brazos: todo lo mantenía en una escala pequeña y perfecta para la voz de ella. Cuando tocaba para él mismo era otra cosa, pero cuando era el acompañante tocaba como alguien que trataba de no despertar a los vecinos.

Roxane se mantenía tan erguida que resultaba fácil olvidar cuán pequeña era. Apoyaba su mano sobre el piano y después cruzaba sus palmas sobre el corazón. Cantaba. Le había dado por seguir el ejemplo de los japoneses y había desistido de usar zapatos. El señor Hosokawa había adoptado la tradición de su anfitrión y había conservado sus zapatos puestos durante la primera semana de cautiverio, pero al paso del tiempo sintió que no podía soportarlo más. Usar zapatos dentro de la casa era una costumbre bárbara. Usar zapatos dentro de la casa era casi tan indigno como el ser secuestrado. Y cuando se quitó los zapatos inmediatamente lo siguieron Gen y Kato, y el señor Yamamoto, el señor Aoi, el señor Ogawa y Roxane. Ella andaba por ahí luciendo un par de calcetines deportivos tomados en préstamo del vicepresidente, cuyos pies no eran mucho más grandes que los de ella. Ahora cantaba en calcetines. Cuando logró la canción de la forma precisa la llevó directo hasta el final, sin una sola confusión o duda. Era imposible decir que su forma de cantar había mejorado, pero algo había en su interpretación de los versos que había cambiado de modo casi imperceptible. Cantaba como si estuviera salvándole la vida a cada persona que estaba en la habitación. Una brisa agitó por un instante los visillos de la ventana, pero todo lo demás estaba inmóvil. De la calle no llegaba ni un rumor. Hasta los dos pájaros amarillos estaban mudos.

La mañana que la lluvia terminó, Gen esperó hasta que se cantara la última nota y luego fue a pararse al lado de Carmen; era un momento particularmente bueno para conversar sin ser notados porque después de que Roxane soltaba la última nota todos vagaban en estado de confusión y aturdimiento. Si alguien hubiera pensado en salir por la puerta es posible que nadie lo hubiera detenido, pero nadie pensaba en irse. Cuando el señor Hosokawa fue a buscarle su agua, Roxane se puso de pie para acompañarlo y enlazó su brazo al de él.

"Está enamorada de él", le susurró Carmen a Gen, y por un instante muy breve entendió mal, oyó solamente la palabra "enamorada", después se detuvo y se obligó a recordar la frase completa. Podía hacerlo con facilidad. Era como si tuviera una grabadora en la cabeza.

"¿La señorita Coss? ¿Enamorada del señor Hosokawa?"

Carmen asintió haciendo apenas el mínimo gesto con la cabeza, pero él había aprendido a leerla. ¿Amor?

Lo que él había visto, y se había esforzado todo lo posible por no ver, era que el señor Hosokawa estaba enamorado de Roxane. La idea de que lo contrario fuese posible nunca se le había ocurrido, y le preguntó a Carmen qué veía.

"Todo", susurró Carmen. "El modo como lo mira, el modo como lo busca. Siempre está sentada con él, y ni siquiera pueden hablar. Él es tan apacible. Es lógico que ella quiera estar con él."

"¿Ella te lo dijo?"

"Quizá." Carmen sonrió. "A veces me habla por las mañanas, pero no sé qué dice."

Por supuesto, pensó Gen viéndolos alejarse. Su patrón y la soprano. "Yo me imaginaría que todos están enamorados de ella. ¿Cómo puede ella siquiera escoger?"

"¿Tú estás enamorado de ella?", preguntó Carmen, y lo miró a los ojos de una manera que habría sido imposible una semana antes. Fue Gen quien tuvo que ver a otra parte.

"No", dijo él. "No." Gen estaba enamorado de Carmen. Y aun cuando todas las noches se encontraba con ella en el cuarto de la porcelana y la ayudaba con la lectura y la escritura, nunca lo había revelado. Hablaban de vocales y consonantes. Hablaban de diptongos y posesivos. Ella copiaba letras en un cuaderno. Por muchas palabras que él le diera, ella pedía más. Con gusto lo habría mantenido despierto toda la noche, repitiendo, practicando, haciendo preguntas. Él pasaba toda su vida en un estado de confusión onírica en el que nunca estaba del todo despierto ni completamente dormido. A veces se preguntaba si eso era amor o tan sólo la falta de descanso había inspirado ese deseo en su corazón. Tropezaba. Se deslizaba en los grandes sillones de orejas y en los minutos que lograba dormir soñaba con Carmen. Sí, era tímida, y sí, era una terrorista de la selva, pero era tan lista como cualquiera de las muchachas que había conocido en la universidad. Se veía por la manera como captaba las cosas. No necesitaba sino el mínimo de instrucción. Devoraba la información como el fuego devora el heno y pide más. Todas las noches se quitaba su arma y la colocaba en el aparador con frente de vidrio junto a la salsera azul. Cada noche se sentaba en el suelo con su cuaderno equilibrado arriba de sus rodillas, y el lápiz afilado. En la universidad no había muchachas como Carmen. Nunca había habido una muchacha como Carmen. Qué sentido del humor haría falta para creer que la mujer que uno ama no está en Tokio, ni en París, ni en Nueva York, ni en Atenas: la mujer que uno ama es una muchacha que se viste como un muchacho y vive en una aldea en la selva, cuyo nombre tú no tienes derecho a saber, a pesar de que ese nombre no te serviría de mucho si quisieras encontrarla. La mujer que amas deja su revólver al lado de una salsera azul por las noches para que puedas enseñarle a leer. Entró en tu vida por un ducto de aire acondicionado y cómo se irá es la pregunta que te mantiene despierto en los pocos momentos libres que tienes para dormir.

"El señor Hosokawa y la señorita Coss", dijo Carmen. "Entre toda la gente que hay en el mundo, ellos dos se encontraron. ¿Cuántas probabilidades hay de eso?"

"¿Y qué hay de la señora Hosokawa?", preguntó Gen. Él no conocía bien a la esposa de su patrón, pero la veía con frecuencia, una mujer digna de manos frías y voz calmada. Ella lo llamaba *señor Watanabe*.

"La señora Hosokawa vive en Japón", dijo Carmen, desviando los ojos hacia la cocina, "que está como a un millón de kilómetros de aquí. Además, él no va a regresar a casa muy pronto, y aunque lo lamento por la señora Hosokawa, no creo que eso signifique que el señor Hosokawa debería estar solo."

"¿Qué quieres decir con eso de que él no va a regresar a casa?"

Carmen regaló a Gen una sonrisa muy ligera e inclinó la cabeza hacia atrás para que él pudiera verle la cara bajo la visera de su gorra. "Aquí es donde vivimos ahora."

"No para siempre", dijo Gen.

"Creo", dijo Carmen dibujando las palabras con la boca sin emitir sonido alguno. Estaba preguntándose si había hablado de más. Sabía que debía lealtad ante todo a los generales, pero decirle cosas a Gen no era como decírselas a cualquier otra persona. Gen sabía guardar un secreto porque todo lo de ellos era secreto: el cuarto de la porcelana, la lectura. Ella le tenía una confianza absoluta. Con dos dedos pellizcó ligeramente el dorso de la mano de él y después se alejó. Él espero un minuto antes de seguirla. Caminaba en silencio, con movimientos pequeños y relajados. Nadie la notaba cuando pasaba a su lado. Entró al baño pequeño junto al vestíbulo. Todos aquellos bonitos jabones con perfume de rosas habían desaparecido y las toallas estaban sucias, pero el cisne de oro seguía anidado sobre el lavabo y cuando uno movía las manijas en forma de alas el agua todavía brotaba de su largo cuello. Carmen se quitó la gorra, se lavó la cara y trató de peinarse el cabello con los dedos. Su rostro en el espejo se veía demasiado tosco, demasiado oscuro. En su casa algunos la habían llamado bonita pero ahora ella había visto la belleza y sabía que era algo que nunca podría poseer. Algunas mañanas, sólo unas pocas, Roxane había estado todavía dormida cuando Carmen entraba en su habitación llevándole el desayuno, y Carmen dejaba la bandeja y tocaba su hombro. Los grandes ojos pálidos de Roxane se abrían parpadeando, le sonreía a Carmen, se arrebujaba en las cobijas y con un gesto le indicaba a Carmen que se acostara a su lado sobre las cálidas sábanas bordadas. Carmen cuidaba que sus botas sucias quedaran fuera de la cama, y las dos cerraban los ojos y se tomaban cinco minutos adicionales de sueño, Roxane jalando las cobijas hasta el cuello de Carmen. ¡Cuán rápido soñaba Carmen con sus hermanas, con su madre! En sólo unos cuantos minutos de sueño venían todas a visitarla. Todas querían verla allí, anidada entre los cojines de una cama tan cómoda al lado de aquella mujer inconcebible. ¿Quién no estaría enamorado de Roxane Coss?

"¡Gen!", dijo Victor Fyodorov cuando se acercaba a la puerta del baño. "¿Cómo puede ser tan difícil encontrarlo a usted cuando no tiene a donde ir?"

"No me di cuenta... "

"Su voz esta mañana ¿no le parece? ¡La perfección!"

Gen concordó.

"Entonces, ahora es el momento de hablarle."

"¿Ahora?"

"Ahora sé que éste es el momento justo."

"Esta semana le pregunté todos los días."

"Y yo nunca estaba totalmente preparado, es verdad, pero esta mañana cuando ella repitió una y otra vez la pieza de Rossini supe que ella comprendería mis deficiencias. Es una mujer compasiva, hoy tuve la certeza de eso." Fyodorov retorcía sus grandes manos una sobre la otra como si estuviera lavándolas bajo una invisible corriente de agua. Aunque su voz sonaba tranquila, había una clara expresión de pánico en sus ojos, el filoso olor del pánico en la piel.

"Para mí este momento no es el más..."

"Para *mí* es este momento", dijo Fyodorov, y agregó en voz muy baja: "O perderé el valor de hablarle." Fyodorov se había afeitado su espesa barba, el proceso había sido doloroso y largo, debido a la mala calidad de las hojas de afeitar, y había dejado tras de sí una vasta extensión de cara rosada y casi en carne viva. Había hecho que el vicepresidente le lavara y planchara su ropa, mientras él esperaba de pie junto a la lavadora, con escalofrío y una toalla enrollada a la cintura. Se había bañado y se había recortado los vellos de la nariz y las orejas con unas tijeritas para cutícula que había obtenido de Gilberto a cambio de un pequeño soborno: un paquete de cigarrillos. Aprovechando la oportunidad se cortó las uñas y trató de hacer algo por su cabello, pero eso resultó ser una tarea demasiado grande para unas tijeritas para cutícula. Había hecho todos los esfuerzos posibles. Sin duda éste era el día.

Gen hizo un gesto hacia la puerta del baño: "Estaba en camino."

Fyodorov miró por encima de su hombro y después tendió la mano como para guiar a Gen hacia allí. "Claro, claro, por supuesto. No es nada. Si es sólo eso, puedo esperar. Lo que se tarde. Tómese su tiempo. Estaré afuera de la puerta: sólo quiero asegurarme de ser el primero en la fila de nuestro traductor cuando haya terminado." El sudor corría por los costados de la camisa de Fyodorov, dejando una nueva mancha oscura dentro de una historia de manchas mucho más claras. Gen se preguntó si se refería a eso cuando decía que no podía esperar mucho más.

"Un minuto", dijo suavemente, y se deslizó adentro sin llamar.

"Quisiera entender lo que estabas diciendo", dijo Carmen riendo. Hizo una imitación de las palabras, un ruso inventado que sonaba parecido a "yo nunca galleta mesa."

Gen se llevó un dedo a los labios. El lugar era pequeño y muy oscuro: paredes de mármol negro, piso de mármol negro. Una de las bombillas junto al espejo se había quemado. Tendría que acordarse de preguntarle a Rubén por una bombilla nueva.

Ella, sentada sobre el lavabo, se incorporó. "Sonaba muy importante. ¿Era Ledbed, el ruso?" dijo en un susurro.

Gen le dijo que era Fyodorov.

"Oh, el grandote. ¿Cómo puedes también saber ruso? ¿Cómo sabes tantas lenguas?"

"Es mi trabajo."

"No, no. Es porque tú entiendes algo, y yo quiero saberlo, también."

"No tengo más que un minuto", susurró él. Estaba tan cerca del cabello de ella, aún más oscuro y profundo que el mármol. "Tengo que traducir para él. Me está esperando junto a la puerta."

"Podemos hablar esta noche."

Gen sacudió la cabeza. "Quiero hablar sobre lo que dijiste antes. ¿Qué es eso de que ahora vivimos aquí?"

Carmen suspiró. "Sabes que no lo puedo decir. Pero piénsalo bien: ¿sería una cosa tan terrible que todos nos quedáramos aquí en esta linda casa?" El baño medía un tercio del cuarto de la porcelana. Las rodillas de ella tocaban sus piernas. Si él trataba de retroceder, aunque fuera medio paso, se sentaría en el inodoro. Ella deseaba tomarle la mano. ¿Por qué querría dejarla, dejar este lugar?

"Esto tiene que terminar tarde o temprano", dijo él, "las cosas de este tipo no continúan indefinidamente, alguien las detiene."

"Sólo si hacen cosas terribles. Nosotros no hemos lastimado a nadie. Nadie es infeliz aquí."

"*Todos* son infelices aquí." Pero incluso mientras lo estaba diciendo Gen no estaba muy seguro de que fuera verdad. El rostro de Carmen se volvió hacia abajo y contempló sus propias manos puestas sobre el regazo.

"Ve y traduce", dijo.

"Si hay algo que deberías decirme..."

Los ojos de Carmen se habían aguado y pestañeó con fuerza. Qué ridículo para ella ponerse a llorar. ¿Sería algo tan terrible quedarse? ¿Que estuvieran juntos hasta que ella supiera hablar un perfecto español, leer y escribir, aprender inglés y entonces quizá un poco de japonés? Pero eso era sólo su propio egoísmo, y ella lo sabía, Gen tenía razón al querer alejarse de ella. Ella no le ofrecía nada. Sólo le quitaba su tiempo. "Yo no sé nada."

Fyodorov tocó a la puerta. Su nerviosismo creciente no le permitió contenerse más. "¿Tra-duuuc-tor?", dijo como cantando.

"Un minuto", dijo Gen desde adentro.

Se había acabado el tiempo y ahora Carmen había derramado un par de lágrimas. Necesitaban pasar juntos días enteros. Necesitaban semanas y meses ininterrumpidos para decir todas las cosas que hacía falta decir. "Quizá tengas razón", dijo él por fin. Ella estaba sentada sobre el lavabo de mármol negro, delante del espejo, de modo que él podía ver al mismo tiempo su rostro y estrecha espalda. La veía en el gran espejo oval con marco de hoja de oro, con su propio rostro sobre el hombro de ella, mirándola. En su propia cara él veía un amor exhibido en forma tan evidente que con seguridad a esas alturas ella ya sabía todo lo que había que saber sobre él. Estaba tan cerca de ella que entre los dos poseían cada molécula del aire de esa minúscula habitación, y el aire se puso denso con el deseo de ellos y trabajó para acercarlos. Sólo un diminuto paso adelante y el rostro de él estaba en el cabello de ella y los brazos de ella alrededor de la espalda de él y ya se estaban abrazando. Parecía tan sencillo llegar a eso, un alivio tan magnífico, que él no podía imaginar por qué no la había estado abrazando todo el tiempo desde la primera vez que se encontraron.

"¿Traductor?", dijo Fyodorov, y ahora su voz sonaba un poco preocupada.

Carmen se inclinó y lo besó. No tenían tiempo para besos pero ella quería que él supiera que en el futuro lo tendrían. Un beso entre tanta soledad era como una mano que te levantaba para sacarte del agua, que te alzaba del lugar donde te estabas ahogando hacia una irresponsable abundancia de aire. Un beso, otro beso. "Ve", murmuró ella.

Y Gen, que no deseaba nada en el mundo más que a esa muchacha y las paredes de ese baño, la besó nuevamente. Estaba mareado y sin aliento, y tuvo que apoyarse un minuto contra el hombro de ella antes de poder apartarse. Carmen bajó del lavabo y se puso de pie detrás de la puerta, la abrió y lo envió de vuelta al mundo.

"¿Se siente usted mal?", preguntó Fyodorov, más irritado que preocupado. Ahora la parte posterior de la camisa se le adhería pesadamente a los hombros. ¿Acaso el traductor no sabía que eso no iba a ser fácil para él? Todo el tiempo que había dedicado, primero a considerar si debía o no hablar, hasta que decidió hablar, y después de tomar esa decisión, resolver lo que le iba a decir. En su corazón los sentimientos estaban claros, pero traducir esos sentimientos en palabras era otra cosa por completo. Ledbed y Berezovsky le simpatizaban pero eran rusos, comprendían lo doloroso del amor de Fyodorov. Con franqueza, ellos experimentaban dolores similares. No era imposible que eventualmente ellos también encontraran la presencia de ánimo necesario para abordar al traductor y pedirle que los llevara ante la soprano. Cuanto más hablaba Fyodorov de los deseos de su corazón, más seguros estaban ellos de que era una enfermedad que los había contagiado a todos.

"Me disculpo por la tardanza", dijo Gen. La habitación frente a él se derretía y ondulaba como la línea del horizonte en el desierto. Se recargó contra la puerta cerrada del baño. Adentro estaba ella, separada de él por menos de tres centímetros de madera.

"No tiene buena cara", dijo el ruso, y ahora parecía preocupado. Sentía afecto por el traductor. "Su voz se escucha débil."

"Estaré bien se lo aseguro."

"Me parece que está pálido. Tiene los ojos muy húmedos. Si está realmente enfermo es posible que los generales lo dejen ir. Desde que se murió el acompañante se precian de ser muy comprensivos en materia de salud."

Gen parpadeó intentando detener el vaivén de los muebles, pero las brillantes rayas de una otomana siguieron palpitando al ritmo de su sangre. Se irguió y sacudió la cabeza. "Míreme", dijo sin mucha seguridad, " ya estoy bien. No tengo intención de irme." Miró el sol que entraba por las altas ventanas, las sombras de las hojas que caían sobre la alfombra. Al final, parado allí con el ruso, Gen pudo comprender lo que Carmen había dicho. ¡Mira esta sala! Los cortinajes y los candelabros, los cojines hondos y blandos de los sillones, los colores, oro y verde y azul, cada matiz una joya. ¿Quién no desearía estar en esa sala?

Fyodorov sonrió y le dio una palmada en la espalda. "¡Qué hombre es usted! Todo por el pueblo. Oh, yo lo admiro enormemente."

"Todo por el pueblo", repitió Gen. El idioma eslavo era como aguardiente de peras en su lengua.

"¡Entonces vamos a hablar con Roxane Coss! No hay tiempo para que me lave de nuevo, si me detengo ahora perderé el valor para siempre."

Gen encabezó el camino hasta la cocina, pero igual podía haber estado caminando solo. No tuvo un solo pensamiento para Fyodorov, para lo que sentía o lo que quería decir. La cabeza de Gen estaba llena de Carmen. Ella sentada allí en el lavabo. Siempre la recordaría allí. Años más tarde cuando pensara en ella siempre la vería como era aquel día, sentada sobre el mármol negro, con sus pesadas botas de trabajo remendadas con cinta aislante, las manos quietas sobre la fría cubierta del lavabo. Su cabello colgaba suelto y recto, partido a la mitad y apretado detrás de esas orejas tan delicadas. Pensó en el beso, en los brazos de ella envolviéndolo, pero el mayor placer era ver su rostro con la dulce forma exacta de un corazón, sus ojos castaño oscuros y las cejas rebeldes, la boca redonda que deseaba tocar. El señor Hosokawa se distraía con facilidad de sus estudios. Dile una palabra un día y al siguiente es muy posible que la haya olvidado. Y se reía de sus errores y colocaba palomitas diminutas junto a las palabras que había escrito mal. Carmen no era así. Decirle algo a Carmen era coserlo para siempre en los sedosos repliegues de su cerebro, ella cerraba los ojos y decía la palabra, la deletreaba en voz alta y por escrito, y de ahí en adelante era suya. No necesitaba preguntarle de nuevo. Seguían adelante, esforzándose en la noche como si los persiguieran lobos. Ella quería más de todo. Más vocabulario, más verbos. Quería que le explicara las reglas gramaticales y de puntuación. Quería gerundios, infinitivos y participios. Al final de la clase, cuando ambos estaban demasiado cansados para decir una palabra más, ella se recargaba contra las puertas de los armarios del cuarto de la porcelana y bostezaba: "Explícame las comas", decía en momentos así, con altas pilas de platos por encima de su cabeza: un servicio en oro para veinticuatro personas, y otro para sesenta, con una ancha banda azul cobalto en las orillas y cada taza colgaba quieta de su propio ganchito particular.

"Es muy tarde. No necesitas aprender las comas esta noche."

Ella cruzaba los brazos sobre su pecho angosto y deslizaba la espalda hacia el piso. "Las comas terminan la frase", decía, obligándolo a corregirla, a explicarle.

Gen cerraba los ojos, se inclinaba y apoyaba la cabeza en las rodillas. El sueño era un país para el cual él no podía conseguir visa. "Las comas", decía a través de un bostezo, "hacen una pausa en la oración y separan ideas."

"Ah", dijo Fyodorov. "Está con su patrón."

Gen alzó los ojos y Carmen desapareció. Él se encontraba en la cocina con Fyodorov. El cuarto de la porcelana estaba sólo a un metro y medio de distancia. Hasta donde él sabía, Carmen y él eran los únicos que entraban allí alguna vez. El señor Hosokawa y Roxane estaban de pie ante el fregadero. Lo que resultaba muy extraño era que nunca hablaban y, sin embargo, siempre parecían tener una conversación. Ignacio, Guadalupe y Humberto estaban sentados a la mesa del desayuno limpiando armas; un rompecabezas de metal inconexo desplegado frente a ellos, sobre hojas de periódico, mientras las aceitaban una por una. Thibault estaba sentado a la mesa con ellos, leyendo libros de cocina.

"Supongo que tendré que intentarlo de nuevo más tarde", dijo Fyodorov tristemente. "Cuando no esté tan ocupada."

Roxane Coss no parecía estar ocupada en lo más mínimo. Tan sólo estaba de pie, recorriendo con su dedo el canto de un vaso, con la cara ladeada hacia la luz. "Por lo menos deberíamos preguntar", dijo Gen. Quería cumplir con su obligación y no tener a Fyodorov detrás de él, diciendo que ahora podía hablar y, dos minutos después, que era incapaz de hacerlo.

Fyodorov sacó un pañuelo grande de su bolsillo y se frotó la cara con él, como si estuviera tratando de eliminar una mancha de mugre.

"No hay razón para hacer esto ahora. No vamos a ningún lado. No nos van a liberar nunca. ¿No es suficiente con verla cada día? Ése es el mayor de los lujos. Todo lo demás es egoísmo de mi parte. ¿Qué puedo, en realidad, decirle?"

Pero Gen no lo escuchaba. El ruso estaba lejos de ser su idioma favorito, y si su concentración se relajaba por un instante todo se le volvía una nebulosa de duras consonantes cirílicas como granizo rebotando en un techo de cinc. Le sonrió a Fyodorov y asintió; una forma de holgazanería que jamás se hubiera permitido en el mundo real.

"¿No es notable la luz del sol?", le dijo el señor Hosokawa a Gen cuando lo vio allí de pie. "De pronto tengo hambre y lo único que puede alimentarme es la luz del sol. Todo lo que quiero hacer es estar de pie junto a las ventanas. Me pregunto si será una deficiencia de alguna vitamina."

"Supongo que a estas alturas a todos nos pasa", dijo Gen. "Ya conoce usted al señor Fyodorov."

El señor Hosokawa se inclinó hacia Fyodorov y éste, confuso, se inclinó a su vez y después se inclinó ante Roxane, quien respondió con una inclinación hacia él, aunque no tan profunda; juntos en círculo, parecían un grupo de gansos sumergiendo sus largos cuellos en el agua. "Él desea hablar con Roxane sobre la música", dijo Gen, primero en japonés, y luego en inglés. Tanto el señor Hosokawa como Roxane le sonrieron a Fyodorov, quien se llevó el pañuelo a la boca como si fuera a empezar a morderlo.

"Entonces me iré a mi ajedrez." El señor Hosokawa miró su reloj. "Íbamos a jugar a las once, no voy a llegar demasiado temprano."

"Estoy seguro de que no es necesario que vaya usted", dijo Gen.

"Pero tampoco es necesario que me quede." El señor Hosokawa miró a Roxane con cierta ternura en su expresión que, en silencio pareció cubrir todos sus argumentos: él se iba, iba a jugar ajedrez, ella podía venir y sentarse junto a ellos más tarde si lo deseaba. Hubo un breve intercambio de sonrisas entre los dos y después el señor Hosokawa se marchó por las puertas abatibles. Su paso tenía una ligereza que Gen no recordaba haber visto antes. Caminaba con la cabeza alta. Llevaba los pantalones del tuxedo arrugados y su camisa ya grisácea con gran dignidad.

"Es un gran hombre, su amigo", dijo ella lentamente, observando el lugar vacío donde había estado el señor Hosokawa.

"Siempre lo he pensado así", dijo Gen. Seguía perplejo, pese a lo que le había explicado Carmen. Pero reconoció esa mirada que hubo entre los dos. Él estaba enamorado y el sentimiento le resultaba tan totalmente extraño que le costaba creer que otros también pudieran experimentarlo. Salvo, por supuesto, Simon Thibault, que estaba allí sentado con sus libros de cocina llevando la chalina de su esposa como una bandera. Todo el mundo sabía que Thibault estaba enamorado.

Roxane levantó la cabeza hacia la gran estatura de Fyodorov y cambió la expresión de su rostro. Ahora estaba lista para escuchar, preparada para recibir sus cumplidos profesionales, para hacer que el otro sintiera que lo que estaba diciendo en realidad significaba algo para ella. "Señor Fyodorov ¿no estaría más cómodo sentado en la sala?"

Fyodorov se tambaleó bajo el peso de una pregunta directa. Dio la impresión de que la traducción lo confundía, y justo cuando Gen se aprestaba a repetirla, respondió: "Yo estoy cómodo donde usted esté cómoda. Con mucho gusto me quedaría en la cocina. Creo que es una habitación excelente en la que, en lo personal, no he pasado el tiempo suficiente." En realidad, por mucho que confiara en Ledbed y Berezovsky, prefería declararse en un lugar donde nadie pudiera oirlo furtivamente en ruso ni en inglés. El ocasional golpe de un cañón contra la mesa o Thibault chasqueando la lengua al leer una receta le parecían preferibles a que lo escucharan quienes no quería que lo hicieran.

"De hecho, este lugar está bien para mí", dijo Roxane, tomando un sorbo de su vaso de agua. La visión hizo temblar a Fyodorov: el agua, sus labios. Tuvo que desviar la vista. ¿Qué era lo que quería decirle? ¿No sería más apropiado escribirle una carta en lugar de decírselo? El traductor podía traducirla. Una palabra es una palabra ya sea dicha o escrita.

"Creo que necesito una silla", dijo Fyodorov.

Gen oyó la debilidad en su voz y corrió a traer una silla, pero antes de que llegara, el ruso ya se estaba derrumbando y Gen apenas fue capaz de deslizarla a tiempo debajo de él. Con una gran exhalación que podría haber significado el final de todo, el hombrón inclinó la cabeza hacia el piso.

"Dios mío", dijo Roxane inclinándose sobre él, "¿está enfermo?" Tomó un trapo de cocina de la manija del refrigerador, lo humedeció con el agua de su vaso, y después apoyó la tela húmeda y fresca sobre la extensión rosada de su cuello. Él gimió levemente cuando ella apoyó su mano sobre la tela.

"¿Sabe usted qué es lo que le pasa?", Roxane le preguntó a Gen. "Se veía muy bien cuando entró, y ahora está igual que Christopf, el color, la debilidad. ¿Es posible que sea diabético? ¡Tóquelo, está frío!"

"Dígame lo que dice ella", masculló Fyodorov entre sus rodillas.

"Quiere saber qué le pasa a usted", dijo Gen.

Hubo un largo silencio y Roxane deslizó sus dedos por el cuello de él para sentir el golpeteo uniforme de su pulso. Dos de sus delicados dedos se estacionaron bajo el gran alero de la oreja de él. "Dígale que es amor", dijo Fyodorov.

"¿Amor?"

Fyodorov asintió con la cabeza. Tenía el cabello espeso y ondulado, y no muy limpio. En las sienes se había vuelto bastante gris pero la coronilla de su cabeza, que Gen y Roxane veían, todavía era oscura, la coronilla de un hombre joven.

"Usted nunca me dijo nada sobre el amor", dijo Gen sintiéndose defraudado, sintiendo que ahora lo habían colocado en una posición incómoda.

"No estoy enamorado de usted Gen", dijo Fyodorov. "¿Por qué le iba a hablar de amor a usted?"

"Yo no creí estar aquí para traducir eso."

Con verdadero esfuerzo, Fyodorov se levantó. Su piel no sólo era húmeda y floja, sino que tenía el color y la consistencia de la de un verdadero molusco. "¿Y entonces qué es lo que vino a traducir?, ¿qué le parece apropiado? ¿Vamos a hablar sólo del tiempo? ¿Desde cuándo le corresponde a usted decidir qué es lo apropiado para que las personas se digan?"

Fyodorov tenía razón. Gen tuvo que admitirlo. Aquí los sentimientos personales del traductor no tenían lugar. A Gen no le correspondía editar la conversación. De hecho, casi ni siquiera debería escucharla. "Muy bien", dijo. Era fácil sonar cansado en ruso. "Muy bien, entonces."

"¿Qué está diciendo?", preguntó Roxane, trasladando el paño húmedo a la frente, en vista de que ahora el ruso estaba sentado.

"Quiere saber qué es lo que usted está diciendo", le dijo Gen a Fyodorov. "¿Debo decirle que es amor?"

Fyodorov sonrió débilmente. Era mejor ignorar todo eso. Hasta ahí no había hecho nada irreparable, no era más que una pequeña debilidad. Su única esperanza era empezar por el principio, pronunciar el discurso que había ensayado cientos de veces frente a Ledbed y Berezovsky. Se aclaró la garganta: "En mi país soy secretario de Comercio", empezó con una voz delgada. "Es un nombramiento directo y podría perder el puesto en cualquier momento." Trató de chasquear los dedos pero no pudo arrancarles algún sonido. "Pero por ahora es un muy buen empleo y estoy agradecido. Saber lo que uno tiene cuando lo tiene es lo que hace afortunado a un hombre." Trató de mirarla a los ojos, pero era demasiado para él. Sentía una licuadora en su intestino bajo.

Gen tradujo, tratando de no pensar a dónde iba todo eso.

"Pregúntele si se siente mejor", le dijo Roxane. "Creo que ahora su color es mejor." Apartó el trapo de la frente de Fyodorov y él pareció decepcionado.

"Quiere saber cómo se siente usted ahora."

"¿Está escuchando lo que le digo?"

"Usted puede decirlo tan bien como yo."

"Dígale que me siento perfectamente. Dígale que Rusia nunca tuvo intención de invertir capital en este pobre país." Mantuvo los ojos fijos en los de Roxane Coss todo el tiempo que pudo, pero cuando empezó a agotarlo demasiado los desvió hacia Gen. "Nosotros tenemos un país pobre propio, además de muchos otros países pobres al lado que tenemos que apoyar. Cuando llegó la invitación para asistir a esta fiesta mi amigo el señor Berezovsky, que es un gran empresario, estaba aquí y me dijo que debería venir. Me dijo que usted iba a cantar. Berezovsky, Ledbed y yo estudiamos juntos y éramos grandes amigos. Ahora yo estoy en el gobierno, Berezovsky en los negocios y Ledbed, podríamos decir que él se ocupa de préstamos. Estudiamos juntos en San Petersburgo hace un siglo. Ahora se llama San Petersburgo de nuevo. Y siempre íbamos a la ópera. Como éramos jóvenes comprábamos un boleto por pocos rublos y nos quedábamos de pie al fondo. Pero luego llegaron los trabajos, y con los mejores trabajos llegaron los asientos apropiados. Nuestro ascenso en el mundo podría marcarse por nuestra posición en la sala de ópera, por lo que pagamos y, más tarde, por lo que nos daban. Tchaikovsky, Mussorgsky, Rimsky-Korsakov, Prokofiev, vimos todo lo ruso."

La traducción era lenta y todas las partes involucradas tenían que esperar mucho. "Rusia tiene hermosas óperas," dijo Roxane. Arrojó la servilleta al lavabo y fue en busca de una silla, ya que nadie le traía una y se veía que la historia sería larga. Cuando fue a agarrar una, el muchacho llamado César brincó de la mesa donde estaba limpiando su arma y la llevó para ella.

"Gracias", le dijo ella en español. Era todo lo que sabía.

"Lo siento", dijo Gen, que seguía de pie. "No sé qué estaba pensando."

"Supongo que estaba pensando en ruso", dijo Roxane. "Eso es suficiente para llenar cualquier cabeza. ¿Tiene alguna idea de a dónde va toda esta historia?"

Fyodorov sonrió en silencio. Ahora tenía las mejillas sonrosadas.

"Bueno, no me lo diga, quiero sorprenderme. Pienso que éste es el espectáculo de hoy." Ella se reclinó hacia atrás y cruzó las piernas, y después hizo un gesto con la mano indicándole a Fyodorov que continuara.

Fyodorov esperó un momento. Estaba repensando su posición por completo. Después de semanas de planeación ahora se daba cuenta de que el curso que había escogido no era para nada el correcto. Lo que tenía que decirle no empezaba en la escuela. Ni siquiera empezaba en la ópera, a pesar de que ése era el lugar a donde lo había conducido. La historia que debería estar contándole empezaba mucho antes de eso. Comenzó de nuevo, pensando en Rusia y en su infancia, en las oscuras escaleras en zigzag que llevaban al departamento donde vivía su familia. Inclinó los hombros hacia delante, hacia Roxane, preguntándose en qué dirección quedaría Rusia con respecto al punto donde estaba sentado.

"Cuando yo era niño la ciudad se llamaba Leningrado, pero usted ya sabe eso. Por algún tiempo se llamó Petrogrado pero nadie estaba contento con eso. La ciudad debería tener un nombre viejo o uno nuevo, pero ninguno que tratara de ser un poco de ambos. En aquellos tiempos vivíamos todos juntos, mi madre y mi padre, mis dos hermanos y mi abuela, que era la madre de mi madre. Era mi abuela la que tenía el libro de pinturas, una cosa enorme." Fyodorov alzó las manos para marcar las dimensiones del libro en el aire. "Nos decía que se lo había regalado un admirador suyo de Europa cuando ella tenía quince años, un hombre que ella llamaba Julián. No sé si eso era verdad. Mi abuela era buena para contar historias. Hasta hoy es un misterio para mí, no sólo cómo llegó a tener ese libro sino cómo logró conservarlo durante la guerra. Es extraordinario que no haya tratado de venderlo o siquiera de quemarlo como combustible, porque hubo épocas en que la gente quemaba cualquier cosa, o que no se lo hayan robado, puesto que debe de haber sido una cosa difícil de esconder. Pero cuando yo era niño ya habían pasado muchos años desde la guerra y ella era una anciana. En aquella época no íbamos a los museos a ver las pinturas. Pasábamos caminando al lado del Palacio de Invierno, un lugar maravilloso, pero nunca entramos. Me imagino que no había dinero para esas cosas. Pero por las noches mi abuela sacaba el libro y nos decía a mis hermanos y a mí que nos fuéramos a lavar las manos. No me dejó siquiera tocar las páginas hasta que cumplí diez años, pero igual me lavaba las manos sólo por el privilegio de mirar. Lo guardaba envuelto en un acolchado bajo el sofá de la sala donde dormía. Llevarlo y traerlo le costaba bastante esfuerzo pero no permitía que nadie la ayudara. Cuando estaba segura de que la mesa estaba limpia colocaba el acolchado con el libro dentro y lo desdoblaba lentamente. Luego se sentaba. Era de pequeña estatura y nosotros estábamos de pie a su lado, era muy delicada con respecto a la luz sobre la mesa: no podía ser demasiado fuerte porque temía que los colores fueran desvaneciéndose, pero tampoco tan débil que le hiciera temer que los cuadros no fueran comprendidos por completo. Usaba unos guantes blancos de algodón muy sencillos que guardaba sólo para esas ocasiones, e iba pasando las páginas mientras nosotros mirábamos. ¿Puede imaginárselo? No voy a decirle que éramos muy pobres, porque éramos tan pobres o tan ricos como todo el mundo. Vivíamos en un departamento muy pequeño, yo compartía la cama con mis hermanos. Nuestra familia no se diferenciaba de todas las demás del edificio salvo por ese libro. Tan extraordinario era ese libro. Se llamaba *Obras maestras del periodo impresionista*. Nadie sabía que lo teníamos. No se nos permitía hablar de él porque mi abuela tenía miedo de que alguien viniera a tratar de quitárselo. Las pinturas eran de Pissarro, Bonnard, Van Gogh, Monet, Manet, Cézanne, cientos de pinturas. Los colores que veíamos por las noches mientras ella pasaba las páginas eran milagrosos. Y debíamos estudiar cada uno de los cuadros: ella decía que cada uno de ellos merecía atención. Había noches en que no pasaba más de dos páginas y estoy seguro de que transcurría un año antes de que viéramos el libro entero. Era un libro muy bueno, creo yo, hecho por expertos. Por supuesto que no he visto los originales de todos esos cuadros, pero los que vi años después eran tal como los recordaba. Mi abuela nos contaba que hablaba francés en su juventud, y nos leía los textos bajo las láminas lo mejor que podía. Pero creo que inventaba, porque las historias cambiaban. Sin embargo, eso no tenía importancia. Eran historias hermosas. 'Éste es el campo donde Van Gogh pintaba girasoles', decía por ejemplo. 'Todo el día se estaba sentado al sol ardiente bajo el cielo azul. Cuando las nubes blancas pasaban enroscándose él las recordaba para futuros cuadros y aquí, en este lienzo, colocó esas nubes.' Así nos hablaba, fingiendo que leía. A veces leía hasta veinte minutos seguidos cuando no había más que unas pocas líneas de texto. Nos decía que eso ocurría porque el francés es una lengua mucho más complicada que el ruso y cada palabra contenía el significado de varias frases. ¡Había tantos cuadros que considerar! Tardé muchos, muchos años en memorizarlos todos. Aún ahora puedo decirle el número de pacas de heno que hay en el campo y de qué dirección viene la luz." Fyodorov hizo una pausa para dar a Gen oportunidad de alcanzarlo, y él aprovechó para mirar a las personas reunidas alrededor de la mesa: su abuela, ya muerta, su madre y su padre, muertos, su hermano menor, Dimitri, ahogado en un accidente de pesca a los veintiún años de edad. Ahora sólo quedaban dos. Se preguntó por su hermano Mikal, que debía estar siguiendo la historia de su secuestro en los noticiarios de allá. Si yo muriera aquí, pensó Fyodorov, Mikal se quedaría solo en este mundo, sin otro familiar para consolarlo. "De vez en cuando no sacaba el libro. Decía que estaba cansada. Decía que tanta belleza la lastimaba. A veces podía pasar hasta una o dos semanas sin Seurat. Recuerdo haber estado casi frenético, tal era la dependencia que había llegado a sentir por esas pinturas. Pero era todo lo demás, la espera, lo que nos hacía amar ese libro con locura. Pude haber tenido una vida y en cambio tuve otra debido a aquel libro que mi abuela protegió", dijo, ahora con la voz más tranquila. "¿Qué milagro es ése? Me enseñaron a amar las cosas bellas, me dieron un lenguaje para hablar de la belleza. Más tarde eso se extendió a la ópera, al ballet, a la arquitectura que veía, y aún más tarde llegué a comprender que lo que había visto en los cuadros podía verlo en los campos o en un río. Podía verlo en la gente. Todo eso se lo atribuyo a aquel libro. Hacia el final de su vida, ella ya no podía levantarlo y me mandaba a mí a traerlo. Las manos le temblaban tanto que temía rasgar el papel y por eso nos dejaba volver las páginas. Para entonces mis manos ya eran demasiado grandes para los guantes pero ella me enseñó a usarlos entre dos dedos para mantener todo limpio." Fyodorov suspiró, como si de alguna manera ese recuerdo fuera el que más lo conmovía. "Ahora ese libro lo tiene mi hermano, que es médico y vive fuera de Moscú. Cada pocos años nos lo pasamos el uno al otro. Ninguno de los dos podría vivir totalmente sin él. He tratado de encontrar otro ejemplar pero sin éxito. Creo que no existe otro libro igual a ése en todo el mundo." A través del habla Fyodorov había logrado relajarse. Hablar era lo que mejor hacía. Sentía que respiraba con facilidad. Hasta ese momento no había hecho ninguna conexión entre el libro y el objeto de su historia y ahora se preguntaba cómo no lo había visto antes. "Para mi abuela fue una tragedia que ninguno de nosotros mostrara talento para la pintura. Incluso al final de sus días, cuando yo estudiaba administración en la universidad, me decía que lo intentara una vez más. Pero no se trataba de algo que yo fuera capaz de aprender. Le gustaba decir que mi hermano Dimitri habría sido un gran pintor; pero eso sólo porque Dimitri estaba muerto. De los muertos podemos imaginar lo que nos dé la gana. Mis hermanos y yo éramos excelentes observadores. Algunas personas nacieron para hacer gran arte y otras para apreciarlo, ¿no lo cree? Formar parte de la audiencia es una especie de talento en sí mismo, ya sea uno el espectador en la galería o esté escuchando la voz de la mejor soprano del mundo. No todos pueden ser el artista. Tienen que existir aquellos que sólo atestiguan el arte, que aman y aprecian lo que tienen el privilegio de ver y escuchar."

Fyodorov hablaba con lentitud, haciendo grandes pausas entre sus oraciones para que Gen no tuviera dificultades en seguir lo que decía, pero a causa de ello era difícil decir si había terminado de hablar o no.

"Es una historia muy bonita", dijo Roxane.

"Pero tiene un propósito."

Roxane volvió a reclinarse en su sillón para oir el propósito de la historia.

"Quizá no sea evidente de inmediato que soy un hombre con una comprensión profunda del arte, y quiero que usted lo sepa. El secretario de Comercio de Rusia, ¿qué significaría eso para usted? Y, sin embargo, debido a mis antecedentes, siento que estoy especialmente calificado."

De nuevo Roxane esperó para ver si el párrafo seguía, y cuando le pareció que no, le preguntó: "¿Calificado para qué?"

"Para amarla a usted", dijo Fyodorov. "Yo la amo."

Gen miró a Fyodorov y parpadeó, sintiendo que toda la sangre se le iba de la cara.

"¿Qué dijo?", preguntó Roxane.

"Adelante", dijo Fyodorov. "Dígaselo."

Roxane tenía el cabello estirado hacia atrás y sujeto con una banda elástica color rosa que le habían dado, proveniente del dormitorio de la hija mayor del vicepresidente. Sin maquillaje ni joyas, sin su cabello enmarcándole el rostro, cualquiera podría haberla considerado una mujer de aspecto común o incluso cansado, si no sabía de lo que era capaz. Gen pensó que era muy paciente al haber escuchado tanto rato, manteniendo los ojos fijos en Fyodorov, sin desviarlos nunca para mirar por la ventana. Pensó que el hecho de que hubiera escogido al señor Hosokawa para hacerle compañía cuando había otros hombres más jóvenes presentes, hombres que sabían inglés, hablaba bien de su carácter. No es necesario decir que Gen admiraba enormemente el canto de Roxane Coss. Cada día, cuando ella cantaba, se sentía muy conmovido, pero no la amaba. No es que temiera que ella pensara que lo que le estaba diciendo era que él, Gen, la amaba, pero no lograba hablar. Nunca antes había pensado en ello pero ahora que lo pensaba, nunca había dicho ni escrito esas palabras, ni a otra persona ni para otra persona. Las tarjetas de cumpleaños y las cartas que enviaba a su familia terminaban con la frase: *por favor cuídate mucho.* Nunca le había dicho "te amo" a sus padres ni a sus hermanas. No se lo había dicho a ninguna de las tres mujeres con las que había dormido en su vida, ni a las muchachas de la escuela con las que ocasionalmente había caminado rumbo a clase. Tan sólo era que nunca se le había ocurrido decirlo, y ahora, en el primer día de su vida en el que habría sido apropiado hablarle de amor a una mujer, tenía que declarársele a otra mujer en nombre de otro hombre.

"¿No me va a decir?", dijo Roxane. La segunda vez que lo preguntó sólo había un ligerísimo aumento del interés en su voz. Fyodorov esperaba, con las manos crispadas y un aire de gran alivio que se extendía por su cara. Ya había dicho lo suyo. Había llevado las cosas tan lejos como había podido.

Gen tragó la saliva que se le había juntado en la lengua y trató de mirar a Roxane como un hombre de negocios: "Está calificado para amarla a usted, dice. Él dice: la amo a usted." Gen le daba un marco a su traducción para hacerla sonar lo más formal posible.

"¿Ama mi canto?"

"La ama a usted", dijo Gen cortante. No sentía necesidad de consultar a Fyodorov sobre eso. El ruso sonreía.

Ahora sí, Roxane desvió la vista. Respiró hondo y por varios minutos miró hacia fuera por la ventana como si hubiera habido alguna especie de oferta y ella estuviera considerándola. Cuando volvió a mirar al interior de la habitación le sonrió a Fyodorov. Su expresión era tan apacible, tan tierna, que, por un instante, Gen pensó que tal vez correspondiera al amor del ruso. ¿Era posible que semejante declaración alcanzara el efecto deseado? ¿Qué ella lo amara simplemente porque él la amaba a ella?

"Victor Fyodorov", dijo ella. "Su historia es notable."

"Muchas gracias." Fyodorov inclinó la cabeza.

"Me pregunto qué fue de aquel joven de Europa, Julián", dijo ella, y ahora parecía estar hablando para sí misma. "Una cosa es regalarle a una mujer un collar, que viene en una cajita. Incluso un collar muy caro no da mucho trabajo. Pero regalarle a una mujer un libro como ése, traerlo desde otro país, eso me parece extraordinario. Me lo imagino cargándolo en el tren todo envuelto en papel."

"Si hemos de creer que Julián existió."

"No hay razón para no creerlo. Lo cierto es que no haría ningún daño creer la historia que le contó."

"Estoy seguro de que tiene razón. De ahora en adelante la recordaré como la pura verdad."

La cabeza de Gen estaba llena de Carmen de nuevo. Deseaba que estuviera esperándolo, aún sentada en el lavabo de mármol negro, pero sabía que no era posible. Probablemente en esos momentos estaba de patrulla, caminando por los corredores del segundo piso con un rifle, al tiempo que conjugaba verbos en voz muy baja.

"En cuanto al amor", dijo al final Roxane.

"No hay nada que decir", la interrumpió Fyodorov. "Es un regalo. Ahí está. Algo que yo le doy. Si tuviera un collar o un libro de pinturas le daría eso en lugar de mi amor, o además de mi amor."

"Entonces usted es muy generoso con los regalos."

Fyodorov se encogió de hombros. "Quizá tenga usted razón. En otro escenario sería ridículo, demasiado grandioso. En otro escenario no ocurriría porque usted es una mujer famosa y yo, en el mejor de los casos, estrecharía su famosa mano por un segundo mientras usted se sube a su automóvil después de una función. Pero en este lugar la oigo cantar todos los días. En este lugar la veo comer su cena, y lo que siento en mi corazón es amor. No tiene sentido no decirle esto, esta gente que nos tiene tan amablemente secuestrados podría decidir matarnos después de todo. Es una posibilidad. Y si ése es el caso ¿por qué me voy a llevar este amor conmigo al otro mundo? ¿Por qué no darle a usted lo que le pertenece?"

"¿Y qué pasa si no tengo nada para darle a usted?" Roxane parecía interesada en la argumentación de Fyodorov.

Él sacudió la cabeza. "¡Cómo puede decir eso, después de todo lo que me ha dado! Pero no se trata de quién le dio qué a quién. No es ése el modo de pensar en los regalos. No estamos haciendo un negocio. ¿Acaso no me gustaría que usted me dijera que también me ama? ¿Que lo que desea es ir a Rusia a vivir con el secretario de Comercio, asistir a las cenas de gala y tomar el café en mi cama? Es un pensamiento muy atractivo, sin duda, pero a mi esposa no le gustaría. Cuando usted piensa en el amor piensa como una americana: debe pensar como un ruso, es una visión más extensa."

"Los americanos tenemos la mala costumbre de pensar como americanos", dijo Roxane en forma amable. Después de eso sonrió a Fyodorov y, por un momento, todos quedaron en silencio. La entrevista había llegado a su fin y no quedaba nada que decir.

Finalmente, Fyodorov se puso de pie y juntó las manos con una palmada. "Bueno, por lo menos me siento mucho mejor. ¡Qué carga ha sido esto para mí! Ahora podré descansar. Ha sido usted muy amable al escucharme." Le tendió la mano a Roxane, y cuando ella se levantó y le tendió la suya él se la besó y la alzó un momento para apoyarla contra su mejilla. "Recordaré para siempre este día, este momento, su mano. Ningún hombre podría pedir más que esto." Sonrió y la dejó apartarse. "Es un día maravilloso. Usted me ha dado algo maravilloso a cambio." Se volvió y salió de la cocina sin dirigir una palabra a Gen. En su excitación había olvidado por completo que Gen estaba allí, como sólo se puede olvidar cuando una traducción ha transcurrido sin tropiezos.

Roxane se sentó en su sillón y Gen tomó asiento en el lugar que había ocupado Fyodorov. "Bueno", dijo ella. "Eso fue en verdad agotador."

"Yo estaba pensando lo mismo."

"Pobre Gen", Roxane inclinó la cabeza a un lado. "Cuántas cosas aburridas le toca escuchar."

"Esto fue incómodo, pero no aburrido."

"¿Incómodo?"

"¿No le resulta incómodo que un desconocido venga y se le declare?" Pero no debía ser incómodo para ella. Seguramente a cada hora alguien se enamoraba de ella. Debería tener un equipo de traductores dedicados a interpretar propuestas de amor y matrimonio.

"Es más fácil amar a una mujer cuando uno no entiende nada de lo que dice", dijo Roxane.

"Ojalá nos trajeran algunos conejos", le dijo Thibault a Gen, en francés. *Des lapins*. Estaba tamborileando con los dedos en el libro de cocina. "¿A ustedes les gusta el conejo, muchachos?", preguntó a los terroristas en español. *Conejo*.

Los muchachos alzaron la vista de su trabajo. La mayor parte de las armas ya estaban de nuevo armadas. Estaban limpias al empezar la tarea y ahora sólo estaban más limpias. Una vez que uno se acostumbraba a las armas, y siempre que no estuvieran apuntándole, uno casi podía verlas como esculturas casi discretas e interesantes para colocar sobre las mesitas de café. "Cuyos", dijo el alto, Gilberto, el que no hacia mucho había pensado en dispararle a Thibault en la confusión con respecto al televisor.

"¿Cuyos?", dijo Simon Thibault. "¿Qué es cuyos, Gen?"

Gen pensó en ello durante un minuto. Todavía tenía la cabeza llena de ruso. "Así les llaman aquí a esas cosas peludas, no los hamsters..." Tronó los dedos: "¡Conejillos de Indias!"

"Lo que ustedes quieren comer no son conejos, sino cuyos", dijo Gilberto. "¡Muy tiernos!"

"Oh", dijo César, abrazando el cañón de su rifle con las manos. "¡Qué no daría yo ahora por un cuyo!" Se mordió suavemente las puntas de los dedos de sólo pensar en ese placer. César tenía una piel bastante mala, pero parecía que se le había ido limpiando durante su reclusión.

Thibault cerró el libro. En París, una de sus hijas había tenido un gordo conejillo de Indias en una gran pecera cuando era niña. Se llamaba Milou y era un pobre sustituto del perro que ella quería en realidad. Edith terminó por alimentarlo, porque le daba lástima verlo pasar día tras día en la soledad, observando a través del vidrio el transcurrir de la vida familiar. A veces, Edith le permitía sentarse en su regazo mientras leía, y ahí se quedaba Milou hecho una pelotita contra el borde del suéter de Edith, con el hocico temblando de placer. Ese conejillo de Indias era el hermano de Thibault, porque todo lo que él deseaba ahora era el privilegio que había tenido aquel animal, el derecho a echarse con la cabeza en el regazo de su esposa, el rostro vuelto hacia el borde de su suéter. ¿Y ahora Thibault debía imaginarse al animalito (que había muerto mucho antes, aunque él no podía recordar cuándo ni cómo) despellejado y cocido? Milou como cena. Una vez que se le ha puesto nombre a algo es imposible comérselo. Una vez que uno lo ha visto en su mente como un hermano, debe disfrutar todas las libertades de un hermano. "¿Y cómo se cocinan?"

Siguió una conversación sobre la mejor forma de cocinar un cuyo o conejillo de Indias y cómo era posible adivinar la suerte abriéndole la panza cuando todavía estaba vivo. Gen miró para otro lado.

"Las gentes se aman por toda clase de razones", dijo Roxane, a quien su ignorancia del español mantenía inocente de la conversación sobre cuyos asados a fuego lento en un asador. "La mayor parte del tiempo nos aman por lo que hacemos, no por lo que somos. Pero no es tan malo ser amado por lo que uno puede hacer."

"Pero lo otro es mejor", dijo Gen.

Roxane alzó los pies y abrazó sus rodillas contra el pecho. "Es mejor. No me gusta decir 'mejor', pero es mejor. Es muy halagüeño cuando alguien te ama por lo que eres capaz de hacer pero ¿por qué lo amas tú? Si alguien te ama por lo que eres tiene que conocerte, lo que significa que tú también lo conoces." Roxane le sonrió a Gen.

Una vez que todos habían dejado la cocina, primero los otros muchachos y después Gen, Roxane y Thibault, las personas a las que había llegado a considerar como "los adultos", en lugar de "los rehenes", César empezó a cantar la pieza de Rossini mientras terminaba su trabajo. Tenía la cocina para él solo por un minuto y quería aprovechar ese raro momento a solas.

El sol entraba a través de las ventanas y hacía brillar el cañón de su rifle y a él le encantaba oir las palabras en su boca. Ella lo había cantado tantas veces esa mañana que había tenido tiempo de memorizar todas las palabras. No importaba que no comprendiera el idioma, sabía lo que *significaba*. Las palabras y la música se fusionaban y se convertían en parte de él. Cantó el estribillo una y otra vez, casi en un susurro por temor a que alguien lo oyera, se burlara de él, lo castigara. Eso lo sentía con demasiada fuerza como para pensar que cantar podía darle resultado. Sin embargo, deseaba poder abrirse como ella lo hacía, lanzar toda su voz, hurgar dentro de sí mismo para ver qué había allí en realidad. Sentía una gran emoción cuando ella cantaba lo más fuerte, lo más alto. Si no hubiera tenido su rifle para sostener delante de él se habría puesto en ridículo, porque el canto de ella le provocaba una pasión tan violenta y dolorosa que el pene se le endurecía casi antes de que ella terminara la primera línea y se iba poniendo cada vez más duro, a medida que la canción progresaba, hasta que él quedaba perdido en una confusión de placer y terrible dolor, deslizando en forma imperceptible el rifle para arriba y para abajo, lo que lo conducía al alivio. Se apoyó de vuelta contra la pared, mareado y electrizado. Esas furiosas erecciones eran para ella. Todos los muchachos presentes soñaban con tenderse encima de ella y llenarle la boca con sus lenguas mientras se impulsaban hacia el interior de su cuerpo. La amaban, y en esas fantasías que venían a ellos dormidos y despiertos ella les devolvía ese amor. Pero para César era más que eso. César sabía que estaba duro por la música. Como si la música fuera algo separado que uno podía penetrar, amar, coger.

Ocho

La suite para invitados donde los generales celebraban sus reuniones incluía un saloncito, y allí era donde el señor Hosokawa y el general Benjamín jugaban ajedrez durante horas. Parecía ser lo único capaz de distraer a Benjamín del dolor del herpes. Desde que le había llegado al ojo había surgido, además, una infección, que a su vez había producido una conjuntivitis, y ahora ese ojo estaba color rojo fuego y rodeado de pústulas. Cuanto más se concentraba en el ajedrez más conseguía hacer a un lado el dolor. Nunca lo olvidaba, pero durante las partidas no tenía que estar exactamente en el centro de su atención.

Por mucho tiempo a los invitados sólo se les permitía acceder a áreas limitadas de la casa, pero ahora que las cosas se iban aflojando el acceso a otras áreas se hizo esporádico. El señor Hosokawa ni siquiera sabía que ese saloncito existía hasta que lo invitaron a jugar ajedrez allí. Era una habitación pequeña, con una mesa de juego y dos silloncitos junto a la ventana, un pequeño sofá, un *secretaire* con todo lo necesario para escribir y un librero con puertas de vidrio lleno de ejemplares encuadernados en piel. Había cortinas amarillas en la ventana, una alfombra floreada azul en el piso y la pintura enmarcada de un velero. No era, en modo alguno, una habitación excepcional, pero era pequeña, y una habitación pequeña, después de tres meses en la vasta caverna de la sala, daba al señor Hosokawa un gran sentimiento de alivio, esa estrechez tranquilizadora que sienten los niños cuando los envuelven en suéteres y un abrigo. No había pensado en ello hasta la tercera vez que jugaron, pero en Japón una persona nunca se encontraba en salones tan grandes, a menos que fuera un salón de banquetes o el teatro de la ópera. Le gustaba el hecho de que en esa habitación, si se paraba en una silla podía tocar el cielorraso con las puntas de los dedos. Estaba especialmente agradecido por cualquier cosa que le hiciera sentir el mundo más próximo y familiar. En los últimos meses, todo lo que el señor Hosokawa había sabido o sospechado alguna vez acerca del modo como funciona la vida había probado ser incorrecto. Donde antes había interminables horas de trabajo, negociaciones y transacciones, ahora había partidas de ajedrez con un terrorista por el cual sentía un afecto inexplicable. Donde antes había una familia respetable que funcionaba con un orden perfecto, ahora había un grupo de personas a las que quería pero con las que no podía hablar. Donde antes había unos minutos de ópera en el estéreo a la hora de irse a acostar, ahora había horas de música todos los días, la calidez viviente de una voz con toda su perfección y falibilidad, y la mujer que poseía esa voz se sentaba a su lado, riendo, y sosteniendo su mano. El resto del mundo pensaba que el señor Hosokawa sufría, y él jamás podría explicarles que ese no era el caso. El resto del mundo. Nunca podía arrojarlo por completo de su mente. Y la comprensión de que tal vez perdería cada dulzura que había llegado a su vida sólo lo hacía estrechar más todas esas cosas contra su pecho.

El general Benjamín jugaba ajedrez bien, pero no mejor que el señor Hosokawa. Ninguno de los dos era del tipo que gusta de jugar con el reloj especial: ambos se tomaban cada jugada como si el tiempo aún no hubiera sido inventado. Como los dos eran igualmente pacientes y lentos, ninguno se impacientaba nunca con el otro. Una vez el señor Hosokawa fue hasta el pequeño sofá y cerró los ojos mientras esperaba su turno, y cuando despertó el general Benjamín todavía estaba moviendo su caballo para adelante y para atrás sobre los mismos tres escaques, con mucho cuidado de no despegar los dedos de la cabeza del caballo. Empleaban estrategias diferentes. El general Benjamín trataba de controlar el centro del tablero. El señor Hosokawa jugaba a la defensiva: un peón aquí, después un caballo. Ganaba una vez uno, después el otro, y ninguno de los dos hacía comentarios sobre ello. Con franqueza, el juego era más tranquilo sin lenguaje. No hacía falta alabar las jugadas astutas ni lamentar un peligro pasado por alto. Tocaban la reina o el rey, una vez significaba jaque y dos jaque mate, porque ninguno de los dos conseguía recordar las palabras que Gen les había apuntado. Incluso el final de las partidas llegaba con tranquilidad, con una breve inclinación de cabeza a manera de reconocimiento y después el trabajo de acomodar todo de nuevo para que al día siguiente, cuando llegaran, todo estuviera listo para comenzar. Ninguno de ellos hubiera soñado con salir de la habitación dejando las piezas en desorden del lado equivocado del tablero.

Aun cuando la casa era enorme, de la forma en que se viera, los residentes de la casa del vicepresidente no tenían ninguna intimidad, con excepción de Carmen y Gen, que se reunían a las dos de la mañana en el cuartito de la porcelana para mantener sus lecciones en secreto. La ópera, la cocina y los juegos de ajedrez eran para el consumo público. La suite para invitados estaba del mismo lado de la casa que el estudio donde la televisión parloteaba hora tras hora, de modo que si alguno de los jóvenes terroristas andaba en busca de entretenimiento lo más probable era que ignorara el ajedrez. Los rehenes, cuando se les permitía avanzar por el corredor, dependiendo del humor de quien estuviera sosteniendo el rifle, a la puerta, tenían más probabilidades de quedarse a ver diez o quince minutos de una partida, y si tenían suerte, en ese tiempo podían alcanzar a ver una sola jugada. Estaban acostumbrados al futbol. Al ajedrez trataban de considerarlo una especie de deporte, ciertamente era un juego, pero querían ver que ocurriera algo. La habitación tenía en los espectadores el mismo efecto que un servicio litúrgico muy largo, las conferencias sobre álgebra o el Halcion.

Los únicos observadores que lograban quedarse y nunca se dormían eran Roxane e Ismael. Roxane iba a ver jugar al señor Hosokawa que, después de todo, pasaba buena parte de su tiempo viéndola a ella, e Ismael se quedaba porque quería llegar a jugar ajedrez con el general Benjamín y el señor Hosokawa, aunque no estaba seguro de que tal cosa estuviera permitida. Todos los terroristas más jóvenes trataban de conocer sus límites y no pedir más de lo que les correspondía. Como todos los niños, es posible que, de vez en cuando, trataran de ir más allá, pero respetaban a sus generales y sabían no pedir demasiado. Podían quedarse demasiado tiempo viendo la televisión, pero jamás se atrasaban cuando les tocaba guardia. No le pidieron a Messner que trajera litros de helado. Eso sólo los generales podían hacerlo, y sólo lo habían hecho dos veces. No se peleaban entre ellos, aunque por momentos la tentación de hacerlo era casi insoportable. Los generales castigaban severamente las riñas, y el general Héctor se encargaba de azotar a los muchachos más duro y por más tiempo de lo que hubiera hecho cualquier otro de ellos para enseñarles que tenían que trabajar juntos. Si surgía una necesidad muy grande, una discusión que no se podía resolver de alguna otra manera, se encontraban en el sótano, se quitaban las camisas y tenían cuidado de no golpearse en la cara.

Había cosas que eran contrarias a las reglas; reglas que se memorizaban y repetían en ejercicios. Algunas reglas (hablar con respeto a cualquier oficial superior) se mantenían firmes, otras (nunca hablar con un rehén salvo para corregirlo) se fueron aligerando hasta desaparecer. No siempre estaba claro qué permitían o prohibían los generales. Ismael, en silencio, memorizaba el tablero. No conocía los nombres de las piezas porque en esa habitación nadie hablaba nunca. Practicaba en su cabeza la forma más apropiada de abordar el tema. Consideró la posibilidad de pedirle a Gen que preguntara por él. Gen tenía un modo de hacer que las cosas parecieran particularmente importantes. O bien podía pedirle a Gen que le pidiera a Messner, que era quien manejaba las negociaciones. Pero en esos días Gen parecía muy ocupado y Messner no parecía estar haciendo un gran trabajo, considerando que todos aún seguían allí. Por encima de todo deseaba pedírselo al vicepresidente, hombre por el cual sentía la mayor estima y al que consideraba su amigo, pero los generales se esforzaban por ridiculizar a Rubén, y cualquier cosa que pidiera de seguro sería negada.

De manera que si Ismael quería algo, la única persona a la que lógicamente podía volverse era él mismo, y después de esperar algunos unos días más, encontró el valor necesario para hacer la pregunta. Cada día era igual al siguiente y por lo tanto razonó que nunca habría un momento justo ni errado para preguntar. El general Benjamín acababa de completar su jugada y el señor Hosokawa apenas empezaba a considerar su siguiente posición. Roxane estaba sentada en el pequeño sofá, el cuerpo echado hacia delante con los codos sobre las rodillas; las manos hacían un confortable soporte bajo la barbilla. Observaba el tablero como si fuera algo que de repente pudiera tratar de escapar. Ismael deseó poder hablarle a ella, y se preguntó si ella también estaría tratando de aprender a jugar.

"Señor", empezó Ismael, con un filoso cuchillo de hielo alojado en la garganta.

El general Benjamín alzó los ojos y parpadeó. No había notado al muchacho en el cuarto. Era un muchacho tan pequeño. Era huérfano, y su tío lo había alistado en la causa sólo algunos meses antes del ataque, con el argumento de que todos los muchachos de la familia eran pequeños pero después crecían de golpe en forma impresionante, aunque el general Benjamín empezaba a dudar de que eso fuera cierto. El cuerpo de Ismael no parecía estar planeando hacer nada impresionante. Sin embargo, hacía lo posible por seguir el ritmo de los otros y soportar sus burlas. Y era útil tener por lo menos una persona tan pequeña, alguien a quien podían alzar y meter por las ventanas. "¿Qué pasa?"

"Estaba pensando, señor, si usted podría..." Ahí se detuvo, se dominó y empezó de nuevo. "Estaba pensando que si tienen tiempo, más tarde yo podría jugar con el ganador." De pronto se le ocurrió que había cincuenta por ciento de posibilidades de que el ganador fuera el señor Hosokawa, y entonces ésa podía ser una solicitud equivocada. "O con el perdedor."

"¿Juegas ajedrez?", preguntó el general Benjamín.

El señor Hosokawa y Roxane mantenían los ojos fijos en el tablero. Hubo una época en que, por cortesía, por lo menos habrían mirado a la persona que hablaba, aun cuando no pudieran entender una sola palabra de lo que se estaba diciendo. Ahora ambos sabían un poco de español pero no se molestaron en alzar la vista. El señor Hosokawa planeaba un ataque contra el alfil del general. Roxane podía ver lo que estaba pensando.

"Supongo que sí. He estado mirándolos y creo que ahora lo entiendo."

El general Benjamín rio, pero no era una risa malévola. Tocó al señor Hosokawa en el brazo. El señor Hosokawa levantó los ojos hacia él, empujó sus lentes hacia arriba del puente de su nariz y observó mientras el general Benjamín tomaba una de las pequeñas manos de Ismael en la suya y la colocaba sobre un peón y después hacía saltar al peón por todo el tablero, de escaque en escaque. Se movió entre los tres, y fue suficientemente claro. El señor Hosokawa sonrió y le dio al muchacho una palmadita en el hombro.

"Entonces jugarás con el ganador", dijo el general Benjamín. "Ya está arreglado."

Ismael, sintiéndose muy afortunado, se sentó a los pies de Roxane y se puso a mirar el tablero igual que ella, como si fuera algo vivo. Sólo le quedaba media partida para aprender todo lo que necesitaba saber del ajedrez.

Gen dio unos golpecitos en el marco de la puerta del cuarto. Detrás de él estaba Messner. Todo en la apariencia de éste denotaba un gran cansancio, menos su cabello, tan brillante como la luz del día. Seguía usando una camisa blanca, pantalones negros y corbata negra. Al igual que la de los rehenes y terroristas, su ropa se veía algo ajada. Cruzó los brazos y observó el juego. En la universidad había formado parte del equipo de ajedrez, viajaba en autobuses para jugar con los franceses, los italianos. Le hubiera gustado jugar ahora, pero si se quedaba tres horas en la casa, se esperaba que, al salir, tuviera algo significativo que mostrar para justificarlo.

El general Benjamín alzó una mano sin mirar. Empezaba a sentir que su alfil estaba en peligro.

Messner siguió la dirección de su mirada y pensó en decirle al general que el alfil no era el verdadero problema, pero Dios sabía que Benjamín jamás lo habría escuchado. "Dígale que he traído los periódicos de hoy", le dijo a Gen en francés. Podría haber dicho lo mismo en español pero sabía que el general sólo respondería con una mirada indignada si le hablaba a la mitad de una jugada.

"Se lo diré."

Roxane Coss alzó una mano saludando a Messner pero no apartó los ojos del tablero, igual que Ismael, que sentía que la amarga bilis del miedo se le revolvía en el esófago. Quizá no sabía jugar ajedrez, después de todo.

"¿Está planeando sacarnos de aquí pronto?", preguntó Roxane.

"Nadie se mueve", dijo Messner tratando de hablar con ligereza. "Nunca he visto un punto muerto semejante." Se sentía extrañamente celoso de Ismael, sentado allí a los pies de ella. Sólo tendría que deslizar su mano unos cinco centímetros para rozar su tobillo.

"Podrían rendirnos por hambre", dijo Roxane Coss

con voz firme y tranquila, como si no quisiera perturbar a los jugadores. "La comida no es mala; no es tan mala como debería ser si en realidad quisieran mover las cosas. No pueden estar muy interesados en liberarnos cuando, en esencia, nos dan todo lo que pedimos."

Messner se rascó la nuca. "Ah, me temo que esto es culpa de usted. Si creía que era famosa antes de llegar a este lugar debería leer lo que ahora dicen de usted. Al lado suyo, Callas parece una cantante del coro. Si trataran de rendirlos por hambre el gobierno sería derrocado en una tarde."

Roxane levantó los ojos hacia él y parpadeó largamente, con aire teatral: "¿Eso significa que si salgo viva de aquí puedo cobrar el doble?".

"Puede cobrar el triple."

"Dios mío", dijo Roxane enseñando los dientes, y a Messner el solo verlos le rompía el corazón. "¿Se da cuenta de que acaba de decirle cómo derrocar al gobierno y él ni siquiera se enteró? Es todo lo que desea y ni se enteró."

El general Benjamín tenía la mano sobre su alfil y lo balanceaba a un lado y al otro. Las palabras pasaban por encima de él, a su alrededor, como el agua pasa sobre una piedra.

Messner observaba a Ismael. El muchacho parecía estar conteniendo el aliento hasta que el general decidiera su jugada. Más que en cualquier otra negociación en la que le hubiera tocado involucrarse, Messner se daba cuenta de que en realidad no le importaba quién ganara ésta. Pero tampoco era eso, porque los gobiernos siempre ganaban. Era que en realidad no le molestaría ver que esta gente escapara con vida, todos ellos. Deseaba que pudieran utilizar el túnel que los militares estaban excavando, deseaba que pudieran meterse de vuelta en los conductos del aire acondicionado y regresar a su túnel y por ahí a sus cuarteles rodeados de hojas, dondequiera que estuviesen. No es que fuera un grupo brillante, pero quizá por eso no merecían el castigo que eventualmente los alcanzaría. Sentía lástima por ellos, eso era todo. Nunca antes había sentido lástima por los secuestradores.

Ismael suspiró cuando el general Benjamín apartó su mano del alfil y escogió, en cambio, el caballo; era una mala jugada. Hasta Ismael se daba cuenta. Se echó hacia atrás en el sofá, y cuando lo hizo Roxane le pasó un brazo sobre el hombro y le puso el otro sobre su cabeza, tocando el cabello de él de una forma tan ausente como cuando tocaba el suyo propio. Pero Ismael apenas lo sentía: tenía los ojos fijos en la partida de ajedrez, que con seis jugadas más, ya había terminado.

"Bueno, eso fue suficiente", dijo el general Benjamín sin dirigirse a nadie en particular. Apenas terminaba el juego volvían a abrirse las compuertas que ponían al dolor en movimiento. Estrechó la mano al señor Hosokawa en la forma breve y formal que acostumbraban hacerlo después de cada juego. El señor Hosokawa se inclinó varias veces y el general Benjamín se inclinó en respuesta, una costumbre extraña se le había pegado como a veces se pega el tic nervioso de alguien. Terminadas las inclinaciones se estiró y después hizo una seña a Ismael para que ocupara su sitio. "Pero sólo si el caballero desea jugar de nuevo. No vayas a obligarlo. Gen, pregúntele al señor Hosokawa si prefiere esperar y jugar mañana."

El señor Hosokawa tenía deseos de jugar con Ismael, quien ya se estaba acomodando en el silloncito caliente que antes ocupara el general Benjamín. Empezó a ordenar las piezas.

"¿Qué tiene usted para mí?", le preguntó el general Benjamín a Messner.

"Sólo más de lo mismo, en realidad." Messner hojeó un fajo de papeles. Una carta imperativa del presidente. Una carta imperativa del jefe de policía. "No van a ceder. Tengo que decírselo, en todo caso me parece que ahora están menos dispuestos que antes. El gobierno no se siente muy incómodo con la manera como van las cosas aquí. La gente empieza a acostumbrarse a la situación. Pasan por la calle y ni siquiera se detienen." Le pasó la lista diaria de demandas de los militares, que Gen tradujo. Algunos días ni siquiera se molestaban en reformular las contrademandas: simplemente hacían copias y cambiaban las fechas con lápiz.

"Bueno, ya verán: somos genios para esperar. Podemos esperarlos para siempre." El general Benjamín movía la cabeza con desgano mientras iba echándole un vistazo a los papeles. Después abrió el pequeño *secretaire* francés y sacó uno de sus propios fajos de papeles, que Gen había mecanografiado a máquina la noche anterior. "Usted déle a ellos éstos."

Messner tomó los papeles sin mirarlos. Sería otra vez lo mismo. Durante el último mes sus demandas se habían vuelto cada vez más temerarias: liberación de prisioneros políticos de otros países —hombres a quienes ni siquiera conocían—, distribución de comida a los pobres, reforma de las leyes electorales. Esto último se le había ocurrido al general Héctor después de leer algunos libros de leyes del vicepresidente. Lejos de reducir sus demandas, el no conseguir nada sólo los hacía desear más. Como siempre, lanzaban advertencias, amenazaban con empezar a matar a los rehenes, pero *amenaza*, *promesa* y *demanda* habían pasado a ser un conjunto de adjetivos decorativos. No tenían más importancia que los sellos y firmas que el gobierno agregaba a sus papeles.

El señor Hosokawa dejó que Ismael empezara. El chico abrió con su tercer peón. El general Benjamín se sentó a ver el juego.

"Deberíamos hablar de esto", dijo Messner.

"No hay nada de que hablar."

"Me parece", empezó Messner. Sentía el peso de la responsabilidad. Comenzaba a pensar que si él hubiese sido un hombre más inteligente, a estas alturas ya habría resuelto esta cuestión en las conversaciones. "Hay cosas que ustedes deben considerar."

"Shh", dijo el general Benjamín llevándose un dedo a los labios. Señaló al tablero: "Están empezando."

Messner apoyó la espalda contra la pared, súbitamente exhausto. Ismael apartó la punta del dedo de su peón.

"Permítame acompañarlo afuera", dijo Roxane a Messner.

"¿Qué dice?", preguntó el general Benjamín.

"Dice que va a acompañar al señor Messner hasta la puerta."

El general Benjamín no tenía deseos de acompañarlos. Estaba interesado en ver si el muchacho en realidad sabía jugar.

"Dígame qué van a hacer", dijo Roxane mientras caminaban por el corredor. Gen los acompañaba y los tres hablaban en inglés.

"No tengo idea."

"Alguna idea debe de tener", dijo Roxane.

Él la miró. Cada vez que la veía volvía a sorprenderse de lo pequeña que era. Por las noches, en su recuerdo, ella era enorme, poderosa. Sin embargo, de pie junto a él era tan pequeña que podría haberse deslizado debajo de su abrigo, si él llevara abrigo, tan pequeña que podría haberla sacado de la casa calladamente debajo de un brazo. En su casa de Ginebra tenía la prenda perfecta, un *trench coat* que había sido de su padre, y éste era un hombre más grande que él. Messner lo usaba de todos modos, debido a una mezcla de afecto y sentido práctico, y se levantaba como una tienda detrás de él cuando caminaba. "Yo no soy más que el muchacho de las entregas: traigo los papeles, llevo los papeles, me encargo de que haya suficiente mantequilla para el pan. No me dicen nada."

Roxane enlazó su brazo al de él, no en forma coqueta sino como la heroína de una novela inglesa del siglo XIX que sale a caminar con un caballero. Messner podía sentir el calor de su mano a través de la manga de su camisa. No tenía ningún deseo de abandonarla adentro. "Dígame", susurró ella. "Estoy perdiendo la noción del tiempo. Algunos días pienso que aquí es donde vivo, y donde siempre voy a vivir. Si lo supiera con certeza podría sentirme arraigada. ¿Entiende eso? Si esto va a durar mucho tiempo, quisiera saberlo."

¿No era algo extraordinario verla todos los días, por las mañanas estar de pie afuera, con la multitud, para oirla cantar? "Yo me imagino", dijo Messner en voz baja, "que va a durar mucho tiempo."

Gen caminaba detrás de ellos como un mayordomo bien entrenado, discreto y a la vez presente por si lo necesitaban de alguna forma. Él escuchaba. Messner lo dijo: *va a durar mucho tiempo*, y él pensó en Carmen, y en todas las lenguas que podría enseñarle a una muchacha inteligente. Ellos podrían necesitar mucho tiempo.

Cuando Rubén vio acercarse a los tres avanzó rápidamente por el corredor antes que cualquiera de los soldados pudiera cortarle el paso. "¡Messner!", exclamó. "¡Esto es un milagro!, yo estoy esperándolo y usted logra deslizarse justo a mi lado sin que lo vea. ¿Cómo está nuestro gobierno? ¿Ya me han hallado sustituto?"

"Imposible", dijo Messner. Roxane dio un paso para separarse, un paso atrás hacia Gen, y Messner sentía enfriarse el aire a su alrededor.

"Necesitamos jabón", dijo el vicepresidente. "Todo tipo de jabones, jabón en barra, jabón para lavar los trastes, jabón para ropa." Messner estaba distraído. Su conversación con Roxane debía haber durado más. No necesitaban a Gen.

Messner a veces soñaba en inglés. Nunca había un momento para estar solo. "Veré que puedo hacer".

La cara de Rubén se ensombreció. "No le estoy pidiendo nada tan complicado."

"Lo traeré mañana", dijo con una voz que se suavizaba. ¿Por qué toda esta repentina ternura? Messner quería regresar a Suiza, donde el cartero, que nunca lo reconocía cuando se cruzaban en el pasillo, siempre colocaba la correspondencia en la casilla correcta. Quería ser innecesario, desconocido. "Su rostro se curó finalmente."

El vicepresidente, percatándose de la ridiculez de su enojo y de la gran responsabilidad de su amigo, se tocó su propia mejilla. "Pensé que nunca iba a ocurrir. Es una cicatriz tremenda ¿verdad?"

"Lo convertirá en el héroe del pueblo", dijo Messner.

"Diré que usted me la hizo", dijo Rubén viendo los ojos pálidos de Messner. "Una pelea de cuchillos en un bar."

Messner fue hacia la puerta y alzó sus brazos. Beatriz y Jesús, los dos guardias junto a la puerta, lo catearon, hasta que él se sintió embarazado por la persistencia de las manos de Beatriz. Ya de por sí llamaba la atención la forma en que lo agitaban cuando entraba. No podía entender por qué tenía que repetirse todo el procedimiento para su salida. ¿Qué estaba sacando a escondidas?

"Piensan que usted podría estarse llevando el jabón", dijo el vicepresidente, como si estuviera leyendo la mente de su amigo, "se preguntan adónde se ha ido todo el jabón, si ninguno de ellos lo ha estado usando".

"Regrese al sofá", dijo Jesús, y marcó la dirección con dos dedos que puso en la parte superior de su arma. De cualquier forma el vicepresidente estaba listo para una siestecita y siguió su camino sin más. Messner cruzó la puerta sin decir adiós.

Roxane siempre estaba pensando. Pensaba en Messner y tenía la impresión de que él mismo hubiera preferido ser uno de los rehenes antes que soportar la carga de ser la única persona en el mundo que podía entrar y salir libremente. Pensaba en *Lieder* de Schubert, en arias de Puccini, en las funciones que se había perdido en Argentina y a estas alturas también en Nueva York, funciones que le había costado mucho negociar y que habían sido muy importantes para ella, aunque en aquel momento no había admitido. Pensaba en lo que cantaría al día siguiente en el salón ¿más Rossini? Y sobre todo pensaba en el señor Hosokawa, y en cómo había llegado a depender de él. Estaba segura de que se habría vuelto loca en la primera semana si él no hubiera estado allí, pero por supuesto, si él no hubiera estado allí ella nunca habría ido a ese país, nunca se lo habrían pedido. Su vida habría continuado como un tren cumpliendo su horario: Argentina, Nueva York, una visita a Chicago y después de regreso a Italia. Ahora estaba completamente parada. Pensó en Katsumi Hosokawa sentado junto a la ventana, escuchándola cantar, y se preguntó cómo era posible amar a alguien con quien uno ni siquiera podía hablar. Ahora ella creía que había una razón para que todo esto ocurriera: el cumpleaños de él y la invitación a ella para que fuera, en cierto modo, su regalo, y el hecho de estar atrapados allí todo ese tiempo. ¿De qué otro modo se habrían conocido? ¿De qué otro modo habría llegado a conocer a alguien con quien no podía hablar y que vivía al otro lado del mundo, a menos que le fuera dada esa enorme extensión de tiempo vacío para sólo estar sentados y esperar juntos? Tendría que ocuparse de Carmen, eso era lo primero.

"Tú conoces a Carmen", le dijo a Gen. Iban de regreso por el corredor a ver cómo seguía la partida de ajedrez, pero ella lo detuvo a la mitad del recibidor, donde no estaban cerca de ninguna puerta.

"¿Carmen?"

"Yo sé que sabes quién es, pero además la conoces un poco ¿no? Los he visto hablando a los dos."

"Claro." Gen sintió un rubor que le subía por el pecho y trató de controlarlo mediante un esfuerzo de su voluntad, como si uno pudiera controlar semejante cosa.

Pero Roxane no lo estaba viendo. Su mirada parecía ligeramente perdida, como si estuviera cansada. Era apenas mediodía, pero ella con frecuencia estaba cansada después de cantar por la mañana, y los guardias la dejaban subir sola para volverse a dormir. Si Carmen no estaba de guardia a veces Roxane la buscaba y la tomaba de la muñeca y Carmen la seguía. Era mucho más fácil dormir cuando Carmen estaba allí. Carmen tal vez tenía veinte años menos que ella, pero tenía algo especial, algo que tranquilizaba a Roxane. "Es una chica encantadora. Me trae el desayuno por las mañanas. A veces de noche abro la puerta de mi cuarto y ella está durmiendo en el pasillo", dijo. "Pero no siempre."

No siempre. No cuando estaba con él.

Roxane lo miró y sonrió levemente. "Pobre Gen, siempre estás en el centro de todo. Todo el que tenga un secreto tiene que manejarlo a través de ti."

"Estoy seguro de que hay muchas cosas que ignoro."

"Y yo, como todo el mundo, necesito que me hagas un favor." Porque si Messner estaba en lo cierto, si iban a pasar todavía mucho tiempo allí como rehenes, entonces ella merecía tener eso. Y si al final de ese largo tiempo de todos modos los mataban, porque siempre se hablaba de eso, de que los militares los matarían para capturar a los terroristas, o los terroristas los matarían en un momento de desesperación (aunque a ella eso le parecía más difícil de creer), entonces lo merecía aún más. Y si llegaba a realizarse la tercera posibilidad, la de que los liberaran pronto sanos y salvos, de que todos regresaran a sus vidas normales y dejaran esto atrás, entonces era cuando más lo merecía, porque de seguro en ese caso nunca volvería a ver a Katsumi Hosokawa. "Busca a Carmen y dile que esta noche duerma en otra parte. Y dile que no me lleve el desayuno por la mañana. ¿Harás eso por mí?"

Gen asintió.

Pero no le había pedido lo suficiente. No le había pedido todo, porque ella no tenía forma de decirle al señor Hosokawa que fuera a su cuarto esa noche. Quería pedirle que fuera a su habitación pero sólo tenía una manera de hacerlo, pedirle a Gen que fuera y se lo dijera en japonés y ¿qué era exactamente lo que quería decirle? ¿Que quería que se quedara a pasar la noche? Y Gen tendría que pedirle ayuda a Carmen para encontrar la manera de llevar arriba al señor Hosokawa, ¿y qué pasaría si los descubrían, qué le pasaría al señor Hosokawa, qué le pasaría a Carmen? En otros tiempos si uno conocía a alguien y deseaba verlo quizá podían salir a cenar, a tomar una copa. Se apoyó contra la pared. Dos muchachos con armas pasaron junto a ellos pero nunca hacían burlas ni juegos cuando Roxane estaba presente. Después de pasar Roxane respiró hondo y le dijo a Gen todo lo que quería. Y él no le dijo que era una locura. La escuchó como si no estuviera pidiéndole nada extraordinario, asintiendo con la cabeza mientras ella hablaba. Quizá un traductor era algo similar a un médico, un abogado, incluso un sacerdote. Deben tener un código ético que les impide chismear. Y aunque entonces no estaba segura de la lealtad de él hacia ella, sabía que haría todo lo posible para proteger al señor Hosokawa.

Rubén Iglesias entró a lo que él todavía consideraba la suite para invitados, aunque ahora era la oficina de los generales, para vaciar las papeleras. Iba de cuarto en cuarto con una gran bolsa de basura verde, recogiendo no sólo lo que había en las papeleras sino lo que estaba regado por el suelo: botellas de refrescos, cáscaras de plátano, los recortes del periódico que había sido editado. Estos últimos Rubén se los iba echando de manera subrepticia al bolsillo para leerlos ya entrada la noche, con una linterna. El señor Hosokawa e Ismael seguían jugando ajedrez y él se detuvo en la puerta un momento para mirarlos. Estaba muy orgulloso de Ismael, que era mucho más brillante que los demás muchachos. Rubén había comprado ese tablero para enseñarle el juego a su hijo Marco, pero, sin embargo, le parecía que el niño todavía era muy pequeño para aprender. El general Benjamín estaba sentado en el sofá y después de un momento miró a Rubén. La visión de su ojo, tan seriamente infectado le quitó el aliento a Rubén.

"Ese Ismael aprende muy rápido", dijo el general Benjamín. "Nadie le enseñó a jugar ¿sabe? Aprendió sólo mirándonos." El triunfo del muchacho lo había puesto de buen humor. Le recordaba la época en que era maestro de escuela.

"Salga al corredor un momento", le dijo Rubén en voz baja. "Necesito hablarle de algo."

"Entonces hable aquí."

Rubén indicó con los ojos al muchacho, dando a entender que se trataba de un asunto privado entre hombres. Benjamín suspiró y con un esfuerzo se levantó del sofá. "Todo el mundo tiene algún problema", dijo.

Una vez fuera de la puerta, Rubén dejó en el suelo su bolsa de basura. No le gustaba hablar con los generales. Su primer encuentro con ellos había sentado un precedente y él lo seguía, pero ningún hombre sensato podía pasarlo por alto.

"¿Qué es lo que necesita?", dijo Benjamín con voz grave.

"Lo que *usted* necesita", dijo Rubén. Metió la mano al bolsillo y sacó un frasco de píldoras con su nombre. "Antibióticos. Mire, me dieron mucho más de los que necesito. Y detuvieron la infección en mi cara."

"Mejor para usted", dijo el general Benjamín.

"Y para usted. Mire, aquí hay muchas. Tómelas. Se sorprenderá al ver qué diferencia hacen."

"¿Usted es médico?"

"No hace falta ser médico para reconocer una infección, se lo aseguro."

Benjamín sonrió. "¿Y cómo sé que usted no está tratando de envenenarme, mi pequeño vicepresidente?"

"Sí, sí", Rubén suspiró. "Me propongo envenenarlo. Quiero que muramos juntos." Abrió el frasco, sacó una pastilla y se la metió en la boca, asegurándose de que Benjamín la viera allí, sobre su lengua, y después se la tragó. A continuación le pasó el frasco al general. "No le voy a preguntar qué piensa hacer usted con ellas, pero ahí las tiene, son suyas."

Y después de eso el general Benjamín volvió a la partida de ajedrez y Rubén recogió la basura y se encaminó hacia la siguiente puerta.

Era sábado, pero como todos los días eran más o menos iguales, las únicas dos personas que se interesaban en ello eran el padre Arguedas, que los sábados oía confesiones y planeaba su misa del domingo, y Beatriz, para quien los fines de semana eran una insoportable tierra baldía porque el programa que tanto le gustaba, *La historia de María*, sólo pasaba de lunes a viernes.

"Esperar es saludable", le decía el general Alfredo, a quien también le gustaba el mismo programa. "Da un sentimiento de anticipación."

"Yo no quiero esperar", dijo ella, y de pronto le pareció que podría echarse a llorar de frustración frente a esa extensión blanca y opaca de la tarde que se extendía interminable en todas direcciones. Ya había limpiado su arma, había pasado la inspección y no tenía guardia hasta la noche. Podría haber dormido una siesta o mirado una de las revistas que ya antes había hojeado cien veces sin entender nada, pero ahora la sola idea le resultaba insoportable. Quería salir de ese lugar. Quería caminar por las calles de la ciudad como cualquier otra muchacha y oir que los hombres tocaban el claxon cuando pasaban a su lado. Quería hacer algo. "Voy a ver al cura", le dijo a Alfredo. Con rapidez volvió la cara a otro lado. Llorar estaba estrictamente prohibido. Lo consideraba lo peor que podría haber hecho.

Respecto de las confesiones el padre Arguedas adoptaba la política del "traductor opcional". Si la persona quería confesarse en una lengua distinta del español, él estaría satisfecho con sentarse a escuchar y asumir que sus pecados se filtraban a través de él y eran lavados por Dios, igual como ocurriría si él hubiera entendido todo lo que estaban diciendo. Si la persona prefería que le entendieran en forma más tradicional, entonces podían traer a Gen cuando él pudiera incluirlos en su agenda. Gen era perfecto para esa tarea, ya que parecía tener una habilidad notable para no oir las palabras que salían de su propia boca. Sin embargo, hoy eso no tenía importancia porque quien iba a confesarse era Óscar Mendoza, en la lengua que ambos crecieron hablando. Se sentaron cara a cara en dos sillas arrastradas hasta el rincón: los demás respetaban el arreglo y evitaban el comedor cuando veían que el sacerdote estaba sentado allí con alguien. Al principio el padre Arguedas había planteado la idea de organizar un confesionario más ortodoxo en el armario para abrigos, pero los generales no lo permitieron. Todos los rehenes debían estar siempre en espacios abiertos donde pudieran ser vistos con claridad en todo momento.

"Bendígame, padre, porque he pecado. Han pasado tres semanas desde la última confesión. En casa me confieso cada semana, se lo juro, pero en las circunstancias actuales no hay mucha oportunidad de pecar", dijo Óscar Mendoza. "No hay bebidas, ni apuestas y sólo tres mujeres. Hasta tratar de pecar con uno mismo es casi imposible, hay muy poca privacidad."

"Nuestro modo de vivir tiene recompensas."

Mendoza asintió, aunque le costaba verlo de ese modo. "Sin embargo, tengo sueños. ¿Hay algún tipo de sueño que pueda constituir un pecado, padre?"

El sacerdote se encogió de hombros. Le gustaba la confesión, la oportunidad de hablar con las personas para tal vez aliviarlas de su carga. Podía contar con los dedos las veces que le habían permitido escuchar confesiones antes del secuestro, pero desde entonces había habido ocasiones en que varias personas esperaban para hablar con él. Quizá habría preferido que hubiera un poco más de pecado, aunque sólo fuera para que así las personas se quedaran más tiempo con él. "Los sueños provienen del subconsciente, que es un territorio muy poco claro. Sin embargo, quizá sería mejor que me lo contara. Entonces quizá podría ayudarlo."

Beatriz metió la cabeza por la puerta y su pesada trenza cayó, destacándose contra la luz. "¿Todavía no terminan?"

"Todavía no", dijo el sacerdote.

"¿Falta mucho?"

"Vete un rato a jugar. Te veré después de él."

Jugar. ¿Acaso pensaba que ella era una niña? Miró el gran reloj de Gen que ella tenía en la muñeca. La una y diecisiete minutos. Ahora entendía el reloj a la perfección, aunque la preocupaba un poco. Nunca podía pasar más de tres minutos sin ver qué hora era, por mucho que tratara de ignorarlo. Beatriz se acostó en una pequeña alfombra oriental roja del lado de afuera de la puerta, donde el cura no podía verla y ella podía oir la confesión cómodamente. Se metió la punta de la trenza en la boca. Óscar Mendoza tenía una voz tan grande como sus hombros y se le oía con facilidad incluso cuando susurraba.

"Es más o menos el mismo sueño todas las noches", dijo Óscar Mendoza y se detuvo, no muy seguro de querer decirle algo demasiado horrible a un cura tan joven. "Sueños de una violencia terrible."

"¿Contra nuestros captores?", dijo el sacerdote en voz baja.

Afuera, en el pasillo, Beatriz levantó la cabeza.

"Oh, no, nada de eso. Desearía que nos dejaran en paz pero no le deseo nada malo en particular a alguno de ellos, por lo menos no siempre. No; los sueños que tengo son acerca de mis hijas. Llego a casa de este lugar: me liberaron o me escapé, eso varía de un sueño a otro, pero cuando llego a mi casa está llena de muchachos. Es como una especie de academia para muchachos. Muchachos de todos los tamaños, blancos y morenos, gordos y delgados. Están en todas partes. Se comen lo que hay en mi refrigerador y fuman cigarrillos en mi porche. Están en mi baño utilizando mi rastrillo. Cuando paso alzan los ojos y me lanzan una mirada opaca, como de que realmente no pueden molestarse, y entonces vuelven a lo que estaban haciendo. Pero eso no es la parte terrible. Lo que pretenden esos muchachos es... *conocer* a mis hijas. Están en fila ante las puertas de los dormitorios de ellas, hasta de las dos pequeñitas. Es una cosa terrible, padre. Y por algunas de las puertas oigo risas, y por otras escucho sollozos y entonces empiezo a matar a los muchachos, uno por uno, voy recorriendo el pasillo y los voy quebrando como fósforos. Ni siquiera se apartan de mí. Todos ellos tienen la misma expresión de sorpresa cuando extiendo las manos para alcanzarlos y romper su cuello en mis manos." Las manos le temblaban violentamente, las retorció y las apretó entre sus rodillas.

Beatriz trató de espiar con discreción alrededor de la esquina para ver si el hombre estaba llorando. Le parecía detectar cierto temblor en su voz. ¿Eran ésas las cosas que soñaban las demás personas? ¿Eso era lo que venían a confesar? Miró su reloj: la una y veinte.

"Ah, Óscar, Óscar", el padre Arguedas le palmeó el hombro. "Es sólo la presión. Eso no es un pecado. Rogamos a Dios que nuestras mentes no se vuelvan hacia cosas terribles pero a veces lo hacen y eso está más allá de nuestro control."

Esa información era quizá más perturbadora. "Lo que hay que hacer entonces es aprender. Rogar a Dios por Su fuerza, por Su justicia. Entonces cuando llegue el momento de regresar a casa habrá paz en tu corazón."

"Me imagino que sí", dijo Óscar Mendoza sacudiendo la cabeza, no del todo convencido. Ahora se daba cuenta de que lo que realmente buscaba no era que el sacerdote lo absolviera, sino que le asegurara que era imposible que sucediera lo que soñaba. Que sus hijas estaban seguras y sin molestias en su casa.

El padre Arguedas lo observaba muy de cerca. Se inclinó hacia él, con la voz llena de presagios: "Rézale a la virgen. Tres rosarios. ¿Me entiendes?" Sacó del bolsillo su propio rosario y lo puso en las grandes manos de Óscar.

"Tres rosarios", dijo Óscar, y sin duda alguna presión se aflojó en su pecho apenas empezó a pasar las cuentas entre los dedos. Salió de la habitación dando las gracias al sacerdote. Por lo menos si podía rezar estaría haciendo algo.

El sacerdote dedicó unos minutos a rezar por los pecados de Óscar Mendoza y cuando terminó se aclaró la garganta y dijo en voz alta: "Beatriz ¿te divertiste?".

Ella esperó, se secó la punta de la trenza con la manga y después simplemente se volvió hasta quedar boca abajo, mirando hacia el interior: "No sé qué quiere decir".

"No deberías estar escuchando."

"Usted es un prisionero", dijo ella, pero sin mucha convicción. Jamás sería capaz de apuntar un arma contra un cura, por lo que en cambio le apuntó con el dedo: "Tengo todo el derecho a escuchar sus conversaciones".

El padre Arguedas se echó hacia atrás en su silla. "Para asegurarte de que no planeamos matarlos mientras duermen."

"Exactamente."

"Ahora puedes entrar a confesarte. Ya tienes algo que confesar. Así te resultará más fácil." Era sólo un *bluff* del padre Arguedas: ninguno de los terroristas se había confesado nunca, aunque muchos de ellos iban a misa y el padre los dejaba tomar la comunión de todos modos. Pensaba que no confesarse era quizá una regla de los generales.

Pero Beatriz nunca antes se había confesado. Allá en su pueblo el cura iba irregularmente, cuando su horario se lo permitía. El sacerdote era un hombre muy atareado que atendía a una región muy grande en las montañas. En ocasiones pasaban meses entre sus visitas y cuando iba estaba muy ocupado, no sólo con las misas, sino con bautismos y casamientos, funerales, conflictos territoriales y comuniones. La confesión se reservaba para los asesinos y los moribundos, no para muchachitas que no habían hecho nada más serio que pellizcar a sus hermanas o desobedecer a sus mamás. Era algo para los verdaderos adultos y los verdaderos malvados, y a decir verdad, Beatriz no se consideraba ninguna de las dos cosas.

El padre Arguedas alzó la mano y le habló con voz suave. En realidad él era la única persona que le había hablado en ese tono. "Ven aquí", le dijo. "Te lo voy a hacer muy fácil."

Era tan sencillo ir hacia él, sentarse en la silla. Él le dijo que inclinara la cabeza y después apoyó sus manos una a cada lado de la línea recta que dividía su cabello y empezó a rezar por ella. Beatriz ni siquiera escuchaba sus oraciones: sólo oía palabras aquí y allá, palabras hermosas como *padre*, *bendito* y *perdón*. Era tan agradable sentir el peso de sus manos sobre su cabeza. Cuando al fin las retiró después de lo que pareció ser un rato muy largo, se sintió deliciosamente liviana, libre. Alzó la cara y le sonrió.

"Ahora recuerda tus pecados", le dijo él. "Por lo general eso se hace antes de venir. Ruega a Dios que te dé el valor de recordar tus pecados y el valor de soltarlos. Y cuando llegues al confesionario debes decir: 'Padre, bendígame porque he pecado. Ésta es mi primera confesión'".

"Padre, bendígame porque he pecado. Ésta es mi primera confesión."

El padre Arguedas esperó un momento pero Beatriz sólo continuó sonriendo. "Ahora dime tus pecados."

"¿Y cuáles son?"

"Bueno, para empezar, escuchaste la confesión del señor Mendoza cuando sabías que era incorrecto hacerlo."

Ella sacudió la cabeza. "Eso no fue ningún pecado. Ya le dije que estaba cumpliendo con mi deber."

Esta vez el padre Arguedas puso sus manos sobre los hombros de ella, y tuvo el mismo maravilloso efecto calmante. "Cuando estás en confesión debes decir la verdad absoluta. Esa verdad se la estás diciendo a Dios a través de mí, y yo jamás se la diré a otra alma viviente. Esto es entre tú, yo y Dios. Es un rito sagrado y nunca, nunca debes mentir durante la confesión. ¿Entiendes eso?"

"Entiendo", susurró Beatriz. La cara de él era la más bonita de todas las caras que había aquí, más incluso que la de Gen, quien antes le gustaba un poco. Todos los demás rehenes eran demasiado viejos, y los muchachos de la tropa eran demasiado jóvenes, y los generales eran los generales.

"Por favor", dijo el sacerdote, "tienes que esforzarte por comprender esto."

Ella trató de obligarse a pensar en ello por lo mucho que le gustaba él. Con la sensación de sus manos en los hombros cerró los ojos y rezó, y de pronto todo le pareció muy claro. Sí, ella sabía que no debía haber escuchado. Lo sabía como algo que podía ver detrás de sus párpados cerrados y la hacía feliz. "Confieso que escuché." Todo lo que tenía que hacer era decirlo y ahí se iba, flotando y alejándose de ella. Ya no era más su pecado.

"¿Algo más?"

Algo más. Pensó de nuevo, mirando con esfuerzo en la oscuridad de sus ojos cerrados, el lugar donde ya sabía que los pecados se apilaban como ramitas secas y listas para prenderles fuego. Había algo más, había bastante más. Ahora empezaba a verlo todo. Pero era demasiado y no sabía cómo llamarlo, cómo formular tantos pecados en palabras. "No debería haber apuntado el arma", dijo finalmente, porque era imposible dar una forma sensata a todo ello. Sentía que aunque se quedara así para siempre jamás podría confesarlos todos. Pero tampoco se proponía dejar de hacer ninguna de esas cosas: no podía detenerse, y no se lo permitirían aunque lo quisiera, pero no lo quería. Ahora podía ver sus pecados y sabía que seguiría haciendo más y más.

"Dios te perdona", dijo el sacerdote.

Beatriz abrió los ojos y parpadeó. "¿Eso quiere decir que desaparecen?"

"Tendrás que rezar. Tendrás que arrepentirte."

"Eso puedo hacerlo." Tal vez ésa fuera la respuesta, una especie de ciclo de pecado y arrepentimiento. Podía ir todos los sábados, o incluso más seguido, y él siempre haría que Dios la perdonara, y entonces ella estaría en libertad de irse al cielo.

"Ahora quiero que digas algunas oraciones."

"No me sé todas las palabras."

El padre Arguedas sonrió, asintiendo: "Las diremos juntos. Yo te las enseñaré. Pero Beatriz, es necesario que seas buena, que ayudes. Eso es parte de tu contrición. Quiero que lo intentes por hoy solamente".

Carmen estaba en la gran sala, así como el general Héctor y media docena de los muchachos más grandes. Cuatro de ellos estaban jugando a las cartas y los demás los miraban. Habían clavado sus cuchillos en la mesa donde jugaban, cosa que llevaba al vicepresidente al borde de la demencia. Era una mesa de comienzos del siglo XIX, tallada a mano por artesanos españoles los cuales nunca imaginaron que la pulida superficie se vería erizada de cuchillos, como espinas en el lomo de un puerco espín. Gen pasó con lentitud junto a ellos. Ni siquiera intentó encontrar la mirada de Carmen: sólo podía esperar que ella lo viera y se le ocurriera seguirlo. Gen se detuvo a hablar con

Simon Thibault, que estaba acostado en un sofá cercano leyendo *Cien años de soledad* en español.

"Esto me llevará toda la vida", le dijo Thibault en francés. "Posiblemente cien años. Por lo menos sé que tengo tiempo."

"¿Quién iba a pensar que estar secuestrado era tan parecido a estar en una universidad?", dijo Gen.

Thibault rio y pasó una página. ¿Los habría oído hablar? ¿Lo estaba viendo alejarse? Gen siguió hacia la cocina, que por fortuna estaba vacía, se deslizó dentro del cuartito de la porcelana, y esperó. Todas las veces anteriores que había entrado en ese cuartito Carmen ya estaba allí, esperándolo. Nunca había estado allí solo y a la vista de todos esos platos apilados por encima de su cabeza su corazón se llenó de amor por Carmen. Con todos esos platos, dos personas podrían comer todos los días durante un año sin tener que lavar la vajilla nunca. Jamás tenía un minuto a solas, un minuto sin que alguien viniera a pedirle que dijera algo. Siempre tenía la cabeza llena con los pensamientos sobrexpresados de los demás, pero ahora estaba solo y tranquilo y podía imaginar a Carmen sentada junto a él, con sus largas y esbeltas piernas dobladas delante mientras conjugaba verbos. Ella le había pedido favores y ahora él iba a pedirle ayuda. Juntos podrían ayudar al señor Hosokawa y a la señorita Coss. Normalmente él habría dicho que la vida privada de su patrón no era asunto de su incumbencia, pero ya nadie simulaba que ésta era una vida normal. No podía pensar en la señora Hosokawa, ni en Nansei, ni en Japón. Esas cosas habían quedado tan atrás que era casi imposible creer que habían existido alguna vez. Ahora en lo que creía era en ese cuartito de la porcelana, con sus salseras y sus soperas, sus elevadas torres de platitos para el pan y la mantequilla. Creía en esa noche; de pronto se dio cuenta de que había buscado primero a Carmen, no había ido antes a hablar con el señor Hosokawa, quien tal vez seguía en su partida de ajedrez con Ismael. No podía estar en dos lugares al mismo tiempo y por fin sintió que se acomodaba, sintió el piso duro y frío bajo su trasero y un dolor muy ligero en la espalda, estaba aquí, sólo aquí, en ese país que no conocía, esperando a la muchacha a la que enseñaba y además amaba, esperando para ayudar al señor Hosokawa, a quien también amaba. Ahí estaba Gen, que había pasado de la nada a amar a dos personas.

Sin su reloj, no tenía idea del tiempo que transcurría. Ya ni siquiera podía suponerlo. Cinco minutos podían parecerle una hora. *L'amour est un oiseau rebelle que nul ne peut apprivoiser, et c'est bien en vain qu'on l'appelle, s'il lui convient de refuser.* Sólo repitió para sí las palabras, tarareando con suavidad. Deseó poder cantarlas, pero Gen no podía cantar.

Y entonces llegó Carmen, sonrojada como si hubiera venido corriendo a pesar de que, en realidad, había ido a la cocina caminando lo más lentamente que pudo. Cerró la puerta tras ella y se sentó en el suelo. "Pensé que querías decir esto", murmuró apretándose contra él como si tuviera frío. "Pensé que estarías esperándome aquí."

Gen tomó sus manos, tan pequeñas. ¿Cómo pudo haber pensado alguna vez que era un muchacho de facciones delicadas? "Necesito pedirte algo", dijo. *El amor es un pájaro rebelde que nadie puede domesticar*, pensó de nuevo, y la besó.

Carmen lo besó a su vez y le acarició el cabello, cuyo peso y brillo eran una fuente inagotable de fascinación para ella. "No quise levantarme en seguida. Pensé que era mejor esperar un poco antes de seguirte."

Él la besó. El beso tenía una lógica tan increíble, semejante atracción entre dos personas era tan intensa que era un milagro que encontraran la fuerza para no sucumbir a ella a cada segundo. Le parecía que el mundo debería ser un remolino de besos en el cual todos nos hundimos sin encontrar fuerzas para volver a subir. "Roxane Coss vino a hablar conmigo hoy. Dice que quiere que esta noche tú duermas en otro lugar, y que no le lleves el desayuno en la mañana."

Carmen lo empujó para apartarlo de ella, apoyándole una mano en el pecho. ¿Roxane Coss no quería que ella le llevara el desayuno? "¿Hice algo mal?"

"Oh, no", dijo Gen. "Roxane te quiere mucho. Me lo dijo ella misma." La estrechó en sus brazos de manera que ella respiraba en su hombro. Así era como se sentía ser un hombre con una mujer. Esto era lo que a Gen le faltaba en toda la traducción del lenguaje. "Es que tenías razón ¿sabes?, sobre lo que siente por el señor Hosokawa. Ella quiere pasar esta noche con él."

Carmen alzó la cabeza. "¿Y cómo va a llegar él arriba?"

"Roxane quiere que tú lo ayudes."

Gen vivía una vida en la que siempre estaba prisionero y sus amigos eran los otros prisioneros, y aun cuando amaba a Carmen y se relacionaba de manera cortés con otros terroristas, ni por un momento se había confundido hasta pensar que quería formar parte de LFDMS. Pero para Carmen era diferente. Ella vivía dos vidas. Por las mañanas hacía sus ejercicios y se presentaba a la revista. Llevaba su rifle durante las guardias. Guardaba en la bota un cuchillo para deshuesar y sabía usarlo. Obedecía órdenes. Tal como le habían explicado, era una parte de la fuerza que traería el cambio. Pero también era la muchacha que, por las noches, iba al cuartito de la porcelana, que estaba aprendiendo a leer en español y ya podía decir varias cosas en inglés. *Good morning. I am very well. Thank you. Where is the restaurant?* Algunas mañanas Roxane Coss le permitía meterse entre las sábanas imposiblemente suaves de su gran cama, le permitía cerrar los ojos por unos minutos y fingir que allí era su lugar. Ella fingía que era uno de los rehenes, que vivía en un mundo con tantos privilegios que no había ninguna razón para luchar. Pero por mucho que las dos partes se entendieran, siempre había dos lados, cuando ella pasaba de uno a otro debía cruzar algo. Ahora, o le decía a Gen que no podía llevar al señor Hosokawa arriba, en cuyo caso decepcionaría a Gen y al señor Hosokawa y a la señorita Coss, todos los cuales habían sido muy gentiles con ella, o bien le decía que sí podía, y en ese caso rompería todas las promesas que había hecho al partido y correría el riesgo de recibir un castigo que ni siquiera podía imaginar. Si Gen hubiera entendido algo de esto jamás se lo habría pedido. Para él se trataba sólo de ayudar, dar una mano a un amigo. Era como si sólo quisiera pedir prestado un libro. Carmen cerró los ojos simulando estar muy cansada y elevó una oración a santa Rosa de Lima. "Santa Rosa, dame tu guía, santa Rosa, dame tu claridad." Cerrando los ojos con fuerza, imploró la intercesión de la única santa que conocía, pero una santa no es mucha ayuda cuando se trata de meter de contrabando a un hombre casado en el dormitorio de una cantante de ópera. En ese asunto Carmen estaba sola.

"Claro", dijo Carmen, apretando la cabeza contra el ritmo firme del corazón de Gen. Él levantó una mano y le acarició el cabello una y otra vez, como lo hacía su mamá cuando Carmen era una niñita y tenía fiebre.

Ninguno de los rehenes, ni siquiera el propio Rubén Iglesias, conocía tan bien la mansión vicepresidencial como los miembros de LFDMS. Parte de su trabajo diario consistía en memorizar las ventanas y cuáles eran lo bastante anchas para saltar por ellas. Calculaban la caída y estimaban el golpe en términos de sus propios huesos. Cada uno de ellos sabía el largo de los corredores, desde qué habitaciones se podía disparar hacia fuera, las salidas más rápidas al techo y al jardín. Por lo tanto Carmen sabía, naturalmente, que había una escalera trasera en el corredor fuera de la cocina que llevaba a las habitaciones de la servidumbre, y que en la habitación donde solía dormir Esmeralda había una puerta que conducía al cuarto de los niños, y el cuarto de los niños tenía otra puerta hacia el corredor principal del piso alto, y que ese corredor llevaba a la habitación donde dormía Roxane Coss. Desde luego, en el piso alto también dormían otras personas. Los generales Héctor y Benjamín tenían sus cuartos allí. (El general Alfredo, que tenía gran dificultad para dormir, encontraba algún descanso en la suite para invitados de la planta baja.) Muchos de los muchachos dormían en la planta alta y no siempre en el mismo lugar, y por eso Carmen prefería acostarse en el corredor frente a la puerta del cuarto de Roxane Coss, por si acaso alguno de los muchachos despertaba inquieto en mitad de la noche. La propia Carmen había utilizado esa ruta todas las noches yendo al cuartito de la porcelana, sus pies en calcetines, silenciosos sobre la pulida madera del piso. Ella conocía la ubicación de cada tabla que crujía, de cualquier persona de sueño ligero. Sabía achatarse en las sombras cuando aparecía de repente alguien que iba al baño. Podía patinar sobre esos pisos tan silenciosamente como una hoja dibuja sobre el hielo. Carmen estaba entrenada, era una experta en permanecer en silencio. Sin embargo, también era capaz de sentir la profundidad de la capacidad de permanecer en silencio que tenía el señor Hosokawa. Gracias a Dios que Roxane Coss no se había enamorado de uno de los rusos: Carmen dudaba que alguno de ellos fuera capaz de subir las escaleras sin detenerse a fumar un cigarrillo y contar en voz alta por lo menos una ruidosa historia que nadie podía entender. Gen debía llevar al señor Hosokawa al pasillo de atrás a las dos de la mañana y ella lo llevaría a la habitación de Roxane Coss. Dos horas más tarde volvería para llevarlo de regreso. No deberían decirse una palabra, lo cual era bastante fácil. Aunque en ese caso eran aliados, no había nada que pudieran decirse.

Una vez trazado el plan, Carmen dejó a Gen para ir a ver televisión con los otros soldados, y vio una repetición de *La historia de María*. María se había ido a la ciudad en busca de su amado, al que había obligado a marcharse. Andaba por las calles llenas de gente con su maletita en una mano, y en todas las esquinas había desconocidos que acechaban en las sombras conspirando para arruinarla. En el estudio del vicepresidente todos lloraban. Cuando el programa terminó Carmen jugó a las damas, ayudó a hacer una lista de comestibles y se ofreció como voluntaria para cubrir la guardia de la tarde si alguien se estaba sintiendo cansado. Sería ejemplar en su participación voluntaria y su deseo de ayudar. No quería ver a Gen ni al señor Hosokawa ni a Roxane Coss por temor a sonrojarse frente a todos, por temor a enojarse con ellos por pedirle tanto.

¿Cuánto sabe una casa? No podía haber habido ninguna filtración y, sin embargo, flotaba en el aire una ligera tensión, un mínimo de electricidad que hacía que los hombres levantaran la cabeza y miraran y no encontraran nada. El arroz y el pescado salado que llegaron para la cena no fueron del gusto de nadie y uno por uno dejaron sobre la mesa los platos a medio comer y se alejaron. Kato empezó a tocar Cole Porter en el piano y la tarde se disolvió en una luz baja, azul. Tal vez fuera el buen tiempo y la irritación de, una vez más, no poder salir. Media docena de hombres estaban de pie frente a una ventana tratando de respirar el aire de la noche, mientras se aposentaba la oscuridad, ocultando, una flor por vez, la vista del jardín que crecía y crecía. Desde el otro lado del muro les llegaba un débil ruido de motores, automóviles que posiblemente estaban a varias cuadras de distancia de su calle, y por un momento los hombres ante la ventana recordaban que allá afuera había un mundo, pero después apartaban ese pensamiento con la misma rapidez.

Roxane Coss se había ido temprano a la cama. Igual que Carmen, una vez tomada su decisión no quería estar presente. El señor Hosokawa se sentó junto con Gen en el sofá pequeño más próximo al piano. "Dígame de nuevo", pidió.

"Ella quiere verlo a usted esta noche."

"¿Eso fue lo que dijo?"

"Carmen lo llevará a usted a la habitación de ella."

El señor Hosokawa se miró las manos. Eran manos viejas. Las manos de su padre. Tenía las uñas largas. "Es muy incómodo que Carmen esté enterada. Que usted esté enterado."

"No había otra forma."

"¿Y si resulta peligroso para la muchacha?"

"Carmen sabe lo que hace", respondió Gen. ¿Peligroso? Ella bajaba esas escaleras todas las noches hacia el cuartito de la porcelana. Él no le pediría que hiciera nada peligroso.

El señor Hosokawa asintió lentamente. Tenía una clara sensación de que el salón estaba ladeándose, que se había convertido en un barco sobre un mar un poco ladeado. Hacía muchos años, quizá desde que era niño, que había dejado de pensar qué era lo que más deseaba. Se había disciplinado para querer sólo cosas que podía tener: una industria enorme, una familia productiva, cierta comprensión de la música. Y ahora, poco después de su quincuagésimo tercer cumpleaños, en un país que en realidad nunca había visto, sentía el deseo en lo más profundo de su ser, el tipo de deseo que sólo puede surgir cuando lo que se desea está muy cerca. Cuando era niño había soñado con el amor, no sólo presenciarlo como lo hacía en la ópera, sino sentirlo él mismo. Sin embargo, después concluyó que eso era una locura. Era pedir demasiado. Esa noche deseaba cosas pequeñas, deseaba poder tomar un baño caliente, tener un traje razonable, tener un regalo que llevar, aunque sólo fueran unas flores, pero después la habitación se ladeó en dirección contraria y él abrió las manos y todo aquello cayó y ya no deseaba nada. Le había pedido que fuera a su cuarto a las dos de la mañana y no había nada más que desear en el mundo, nunca.

Cuando llegó la hora de irse a dormir, el señor Hosokawa se acostó boca arriba y miró su reloj a la brillante luz de la luna. Tenía miedo de dormirse y a la vez sabía que jamás se dormiría. Observó asombrado a Gen, que respiraba regular y pacíficamente acostado en el suelo junto a él. Lo que no sabía era que Gen despertaba todas las noches a las dos de la mañana, como un bebé que despierta para comer, y se deslizaba fuera del salón sin que nadie lo echara de menos. El señor Hosokawa observó a los que estaban de guardia, Beatriz y Sergio, y bajaba sus párpados cuando pasaban cerca de él. A veces se detenían a observar a alguno de los durmientes. Para la una de la madrugada habían desaparecido, tal como Gen le había dicho. Ése era el mundo de la noche, del que él no sabía nada. El señor Hosokawa sentía su pulso empujando las sienes, las muñecas, el cuello. Inclinó las puntas de los pies hacia abajo. Era la hora. Siempre había estado dormido. Había estado muerto. Y ahora de repente estaba vivo.

Cinco minutos antes de las dos, Gen despertó como si hubiera sonado una alarma. Se puso de pie, miró a su patrón y juntos atravesaron el salón, colocando los pies con cuidado entre sus amigos y conocidos que dormían. Ahí estaban los argentinos. Más allá los portugueses. Los alemanes al lado de los italianos. Los rusos estaban seguros en el comedor. Ahí estaba Kato, con sus queridas manos cruzadas sobre el pecho, los dedos que se agitaban ligeramente en el sueño, como un perro soñando con Schubert. Allá estaba el cura, acostado de lado con las dos manos bajo una mejilla. Y entre ellos había un puñado de soldados tendidos bocarriba como si el sueño fuera un camión que los había atropellado, con los cuellos torcidos en cualquier dirección, las bocas abiertas y los rifles entre las manos como frutas maduras.

Carmen estaba esperándolos en el pasillo que salía de la cocina, tal como Gen le había dicho, con su cabello oscuro recogido en una trenza y los pies descalzos. Miró primero a Gen y él le tocó el hombro en lugar de hablar, y todo quedó entendido entre los tres. Esperar no tenía sentido, sólo empeoraría las cosas. Carmen habría querido estar en ese momento en el cuartito de la porcelana, con sus piernas atravesadas sobre el regazo de Gen, leyendo en voz alta el párrafo que él le había escrito para que practicara, pero ella ya había tomado una decisión. Había aceptado. Para sus adentros dijo una rápida oración a la santa que ahora la ignoraba y con la misma rapidez se persignó, con la levedad de un colibrí tocando tierra cuatro veces. Después se volvió y se adelantó por el pasillo, y el señor Hosokawa la siguió silenciosamente. Gen los miró desaparecer tras el recodo sin darse cuenta de que sería peor quedarse atrás.

Cuando llegaron a la escalera estrecha y sinuosa, de tablas crujientes y baratas, sólo buenas para llevar a los sirvientes de un piso al otro, Carmen se volvió y miró al señor Hosokawa. Después, inclinándose tocó el tobillo de él y luego el suyo propio, movió sus pies juntos y cuando volvió a erguirse él asintió con la cabeza. Estaba muy oscuro, y cuando empezaran a subir las escaleras estaría más oscuro aún. Sus oraciones nunca habían fallado por completo. Trató de pensar que eso era sólo una lección, una demora necesaria, y que si llegaban a atraparlos no estaría sola para siempre.

Ahora todo lo que el señor Hosokawa podía ver era la esbelta silueta de Carmen. Trató de hacer lo que le indicaba, colocar su pie en el mismo sitio donde había pisado ella, pero no pudo evitar pensar que Carmen era mucho más pequeña que él. Sin embargo, el cautiverio lo había vuelto más delgado, y ahora que subía las escaleras daba gracias por cada gramo que había perdido. Contenía el aliento y escuchaba con atención. De veras eran silenciosos. Nunca había tenido tanta conciencia de la total ausencia de sonido. En los meses que llevaba en esa casa jamás había subido una escalera, y ese sencillo acto le resultaba ahora valeroso y osado. ¡Qué hermoso era subir la escalera! ¡Qué feliz se sentía de tener al fin una oportunidad de arriesgarse! Cuando llegaron arriba Carmen empujó la puerta con las puntas de los dedos y sobre su rostro cayó un poco de luz, como un anuncio tranquilizador de que, por lo menos, una parte del viaje había quedado atrás, ella se volvió y le sonrió. Era una linda muchacha. Era su propia hija.

Tomaron el estrecho pasillo que llevaba al cuarto de la niñera, y cuando ella abrió esa puerta se escuchó la más ligera señal de un grito. Ellos dos no hicieron ningún sonido pero la puerta dio un levísimo chasquido. Había alguien en la cama. Eso no era frecuente. La muchacha que cuidaba de los niños tenía la cama más incómoda de toda la casa y era raro que alguien durmiera allí, pero a veces ocurría, había ocurrido esa noche. Carmen apoyó la mano contra el pecho del señor Hosokawa para indicarle que esperarían allí un instante hasta asegurarse que nadie hubiera escuchado el ruido que había hecho la puerta. Sentía tan claramente el palpitar del corazón de él como si lo tuviera en la mano. Carmen respiró hondo y esperó, después asintió con la cabeza sin mirar atrás y adelantó un pie. Esto podía ser difícil, pero no imposible. No era nada comparado con irrumpir en la mansión por los conductos del aire acondicionado. Había habido otras noches en que ella había encontrado gente que dormía en esa cama.

Era Beatriz. Se había acostado a dormir en mitad de la guardia de la noche. Todos lo hacían. Carmen, al menos, lo había hecho. La guardia era demasiado larga para permanecer despierto. Sergio estaría en algún otro cuarto, desplomado en un sueño profundo y culpable. Beatriz tenía las botas puestas y no la cubría sábana alguna. En el sueño acunaba el rifle entre los brazos, como si fuera un niño. El señor Hosokawa trató de mover los pies hacia delante pero ahora tenía miedo. Cerró los ojos y pensó en Roxane Coss, pensó en el amor y trató de elevar una plegaria al amor, y cuando abrió los ojos, Beatriz se sentó en la cama de un salto y con la misma rapidez le apuntó con el rifle. Y al mismo tiempo Carmen se interpuso entre ellos. El señor Hosokawa estaba seguro de esas dos cosas: Beatriz le apuntó con el rifle y Carmen se puso frente al rifle. Fue hacia Beatriz, que debería haber sido su amiga, la única otra mujer en una tropa de tantos hombres, la agarró y la sujetó con fuerza, manteniendo el rifle apuntando al techo.

"¿Qué estás haciendo?", siseó Beatriz, porque hasta ella se daba cuenta de que era un asunto secreto. "Suéltame."

Pero Carmen siguió sujetándola, medio cayéndose sobre ella por la extraña mezcla de miedo y alivio que sentía al haber sido descubierta. "No digas nada", susurró al oído de la otra.

"¿Lo estás llevando arriba? Te estás metiendo en un lío." Beatriz luchó por desasirse y descubrió que Carmen era más fuerte de lo que se imaginaba. O tal vez sólo fuera que ella había estado profundamente dormida. Dormida durante su guardia, y era posible que Carmen pensara denunciarla.

"Shh", dijo Carmen. Sin dejar a su presa, hundió la nariz en el cabello suelto donde la trenza de Beatriz se había deshecho mientras dormía y mantuvo el puño bien cerrado. Por un segundo olvidó al señor Hosokawa: no había nada más que ellas dos y este problema inmediato. Podía sentir que la espalda de Beatriz todavía estaba caliente por la cama y en la mejilla el frío del cañón del rifle presionado contra ella, y a pesar de que ni siquiera había pensado en pedir ayuda oyó la voz de su amada santa Rosa de Lima diciéndole: "Dile la verdad".

"Está enamorado de la cantante de ópera", dijo Carmen. Ahora no le importaban los secretos. La única esperanza que le quedaba era hacer lo que le habían dicho. "Querían estar juntos a solas."

"Te matarán por esto", dijo Beatriz, aunque pensaba que tal vez no era verdad.

"Ayúdame", dijo Carmen. Su intención era decírselo sólo a la santa, pero en su desesperación las palabras se deslizaron de su boca. Por un momento Beatriz pensó que había escuchado la voz del sacerdote. Él la había perdonado. Le había dado instrucciones para ser buena. Pensó en sus propios pecados y en la oportunidad de perdonar los pecados de otros, y entonces levantó hasta donde pudo su brazo sujeto y lo apoyó ligeramente en la espalda de Carmen.

"¿Y ella lo ama?", preguntó Beatriz.

"Lo llevaré de regreso en dos horas."

Beatriz se movió entre los brazos de Carmen y ahora ésta la soltó. Apenas podía distinguir el rostro de Carmen, y no estaba por completo segura de que aquel bulto en la oscuridad fuera el señor Hosokawa. Él le había enseñado a leer la hora. Y siempre le sonreía. Una vez que llegaron al mismo tiempo a la puerta de la cocina él le hizo una inclinación. Beatriz cerró los ojos y buscó en la oscuridad su propio montón de pecados. "No diré nada", murmuró. Y de nuevo, por segunda vez en ese día, se sintió liberada, como si le hubieran quitado de encima algo de su carga.

Carmen la besó en la mejilla. Estaba llena de gratitud. Por primera vez sintió que tenía suerte. Después dio un paso atrás y volvió a desaparecer en las sombras. Beatriz había pensado extraerle otra promesa a cambio: la de que no diría que la había hallado durmiendo, pero por supuesto que no lo contaría, no podía hacerlo. Beatriz volvió a recostarse en la cama, aunque no pensaba hacerlo, en un minuto había vuelto a dormirse y todo el asunto había terminado tan de súbito como había comenzado.

A través del cuarto de los niños, donde una lucecita en forma de luna todavía brillaba débilmente en un tomacorriente de la pared, iluminando un gran tiradero de muñecas solitarias, después de pasar un baño donde relucía una tina de porcelana blanca más grande que algunas canoas en las que Carmen había viajado, salieron al corredor principal, donde la casa volvía a ser la que conocían, amplia, graciosa y grande. Carmen llevó al señor Hosokawa hasta la tercera puerta y se detuvo. Allí era donde ella dormía la mayoría de las noches, lo poco que dormía. Le había tomado la mano desde que lo separó de Beatriz y todavía la tenía agarrada. Le parecía que habían andado muchísimo y, sin embargo, en menos de un minuto los hijos del vicepresidente llegaban a la cocina desde el dormitorio de sus padres, atravesando su propia habitación, por el cuarto de Esmeralda y atravesaban las escaleras del fondo, a pesar de lo mucho que les habían dicho que no debían correr dentro de la casa. A Carmen le caía bien el señor Hosokawa y deseó poder decírselo, pero aunque hubiera sabido el idioma nunca hubiera tenido el valor. En cambio le apretó un poco la mano y después la soltó.

El señor Hosokawa se inclinó ante ella, con su cara apuntando hacia las rodillas, y se mantuvo en esa posición por un tiempo que a Carmen le pareció demasiado largo. Después se irguió de nuevo y abrió la puerta.

En el corredor del piso alto había un gran ventanal y la escalera principal estaba inundada por la brillante luz de la luna, pero Carmen no bajó por ella. Rehizo su camino hacia atrás, atravesando el cuarto de los niños y pasando junto a la cama donde Beatriz estaba durmiendo profundamente. Carmen se detuvo para apartar los dedos de Beatriz del gatillo del rifle, luego apoyó éste contra la pared y colocó una cobija sobre los hombros de la muchacha. Esperaba que Beatriz no decidiera denunciarla por la mañana, o mejor aún, que despertara creyendo que todo había sido un sueño. Bajando las escaleras de la cocina Carmen sintió otro tipo de palpitaciones salvajes. Se imaginó a Roxane Coss al otro lado de la puerta, ansiosa por toda la espera. Se imaginó al señor Hosokawa, silencioso y digno, tomándola en sus brazos. La dulzura de ese contacto, la seguridad dentro de ese abrazo... Carmen alzó la mano hasta tocar el ligero sudor que le cubría la nuca. Iba en silencio, pero los escalones venían cada vez más rápido, cuatro, tres, dos, uno y ya estaba cruzando el pasillo, entró en la cocina y se deslizó hasta detenerse dentro de aquel milagroso mundo del cuartito de la porcelana donde ya estaba Gen, sentado en el suelo con un libro sin abrir sobre las rodillas. Cuando él levantó la vista, ella se llevó un dedo a los labios. El rostro de ella estaba lleno de luz, las mejillas arreboladas, los ojos muy abiertos. Cuando ella se volvió, por supuesto él se puso de pie y la siguió.

¿A cuánta fortuna tiene derecho una persona en una sola noche? ¿Viene en cantidades limitadas, como la leche en las botellas, y cuando uno ha usado tanto sólo queda un tanto más? ¿O acaso la fortuna es cosa del día, y el día que uno tiene es ilimitadamente afortunado? En el primer caso, con seguridad Carmen había gastado toda su suerte llevando con bien al señor Hosokawa hasta la habitación de Roxane Coss. Pero en el segundo caso, y ella sentía en los huesos que ésa era la verdad, ésa era su noche. Si ahora la protegían todos los santos del cielo, su suerte tenía que durarle algunas horas más. Carmen tomó la mano de Gen y lo guió a través de la cocina hasta el porche trasero, donde nunca antes había estado. Ella abrió la puerta; tan sólo puso la mano sobre el pestillo, lo hizo girar, y ambos salieron juntos hacia la noche.

Y era una hermosa noche: la luna era un reflector gigante que barría lo que alguna vez había sido un jardín bien cuidado, su luz chorreando como agua sobre los elevados muros de estuco. El aire olía a las espesas ramas de jazmín y dondiegos aunque hacía mucho que éstos habían terminado su trabajo y estaban cerrados por ese día. El pasto estaba alto, les llegaba más allá de los tobillos, rozaba sus pantorrillas y producía un sonido sibilante cuando caminaban por lo que se detuvieron a contemplar las estrellas, olvidando por completo que se encontraban en medio de una manzana de casas de la ciudad. No se veía más de media docena de estrellas.

Carmen salía al jardín con frecuencia. Incluso cuando llovía ella salía todos los días, de guardia o para estirar las piernas, pero a Gen la noche le parecía milagrosa, el aire y el cielo, la suavidad del pasto al aplastarse bajo sus pies. Estaba de regreso en el mundo y el mundo, esa noche, se veía como un lugar incomprensiblemente bello. La vista que se le había concedido era muy limitada y, sin embargo, él estaba dispuesto a jurar que el mundo era bello.

Durante todo el resto de su vida Gen recordaría esa noche en dos formas por completo distintas.

Primero, imaginando lo que no hizo:

En esa versión él toma a Carmen de la mano y la guía hacia el portón de entrada al final del sendero del frente. Hay militares de guardia al otro lado del muro pero también ellos son jóvenes y están dormidos, y juntos pasan simplemente al lado de ellos hacia la capital del país anfitrión. Nadie se atreve a detenerlos. No son famosos y no le importan a nadie. Van a un aeropuerto, encuentran un vuelo de regreso al Japón y allá viven juntos, felices para siempre.

Después, rememora con exactitud lo que sucedió:

No se le ocurrió escapar, como no se le ocurre a un perro que ha sido entrenado para no salir del patio. Tan sólo agradece la libertad que le han dado. Carmen toma su mano y juntos caminan hasta el sitio donde Esmeralda solía organizar picnics con los hijos del vicepresidente, el lugar donde el muro se curva hacia atrás formando un claro de césped y árboles jóvenes medio oculto de la casa. Carmen lo besa, él la besa a ella y de ahí en adelante él nunca logrará separar el olor de ella del aroma de la noche. Están profundamente hundidos en el pasto alto, en una parte del jardín cubierta por las sombras que proyecta la pared, y Gen no logra ver nada. Más tarde recordará que su amigo el señor Hosokawa está dentro de esa casa, en el piso alto, en la cama con la cantante, pero esa noche no piensa en ellos para nada. Carmen se ha quitado su chaqueta a pesar de que sopla una brisa fresca. Le desabrocha la camisa mientras él le cubre los pechos con sus manos. En la oscuridad ya no son ellos mismos. Son personas confiadas. Gen la arrastra hacia abajo y ella lo arrastra a él. Desafían la gravedad en su lento derrumbe hasta el suelo. Ninguno de los dos lleva zapatos y sus pantalones se deslizan sin esfuerzo; de todos modos son demasiado grandes para ellos... y esa sensación, ese lujo inicial del contacto de piel con piel.

A veces Gen detiene el recuerdo allí.

La piel de ella, la noche, el pasto, estar afuera y después estar adentro de Carmen. Él no puede desear nada más porque nada en su vida ha sido tanto como esto. En el mismo momento en que podría haber estado llevándosela de allí está apretándola más contra él. El cabello de ella está enredado alrededor del cuello de él. Esa noche, él piensa que jamás nadie ha tenido más, y sólo más tarde sabrá que debería haber pedido más. Sus dedos se meten en las suaves depresiones entre las costillas de ella, delicados barrancos tallados por el hambre. Siente sus dientes, acaricia su lengua. Carmen, Carmen, Carmen, Carmen. En el futuro tratará de decir su nombre lo suficiente, sin lograrlo.

Adentro la casa dormía, rehenes y guardias, y nadie se dio cuenta de nada. El señor japonés y su amada soprano en la cama del piso alto; el traductor y Carmen afuera bajo la media docena de estrellas, nadie los echó de menos. El único que estaba despierto era Simon Thibault, que despertó después de soñar con Edith, su esposa. Cuando estuvo del todo despierto y vio dónde estaba, recordando que su mujer no dormía junto a él, se echó a llorar. Trató de contenerse, pero la veía tan claramente. En el sueño estaban juntos en la cama: habían hecho el amor y cada uno había dicho el nombre del otro con suavidad. Y cuando terminaron Edith se sentó entre las cobijas revueltas y colocó su chalina azul sobre los hombros de él para abrigarlo. Simon Thibault hundió su cara en esa chalina pero eso lo hizo llorar aún más. No podía detener el llanto por más que trataba, y después de un rato dejó de intentarlo.

Nueve

Por la mañana todo estaba bien. El sol se derramaba por las ventanas y mostró una serie de manchas irregulares en la alfombra. Afuera los pájaros silbaban y llamaban. Dos de los muchachos, Jesús y Sergio, rodeaban la casa con los rifles alzados y las botas cubiertas de rocío. En su casa podrían haberle disparado a algún pájaro, pero aquí los disparos estaban Estrictamente Prohibidos a Menos que Fueran Indispensables. Los pájaros pasaban al lado de ellos, los muchachos casi sentían en el cabello la brisa que producían sus alas. Mirando por una ventana vieron a Carmen y Beatriz juntas en la cocina, sacando panes de grandes bolsas de plástico, mientras un montón de huevos se cocía en la estufa. Se miraron una a la otra, Carmen sonrió ligeramente y Beatriz fingió no ver su gesto, lo que a Carmen le pareció una buena señal, por lo menos bastante buena. La habitación olía a café fuerte. Carmen desapareció en el cuartito de la porcelana y regresó con una pila de platos azul y oro con la palabra *Wedgwood* estampada en el centro de la parte posterior, ¿de qué servía tenerlos si nunca se usaban?

Todo estaba igual que cualquier otra mañana. Salvo que Roxane Coss no bajó al piano. Kato estuvo esperándola, y al cabo de un rato se puso de pie y estiró las piernas. Después, inclinándose, empezó a tocar una pieza de Schumann, una de las más sencillas que conoce todo el mundo; música para pasar el rato. Ni siquiera miraba las teclas: era como si estuviera hablando consigo mismo y no parecía darse cuenta de que todos podían oirlo. Roxane dormiría hasta más tarde. Carmen no le había subido el desayuno. No era nada tan extraordinario. Roxane cantaba todos los días. Después de todo ¿no merecía descansar alguna vez?

Pero ¿no era extraño que también el señor Hosokawa estuviera dormido? Allí sobre el sofá, con todos andando alrededor de él, seguía acostado bocarriba, con sus lentes plegados sobre el pecho y los labios entreabiertos. Nadie lo había visto dormido. Siempre era el primero en levantarse por las mañanas. Quizá estaba enfermo. Dos de los muchachos, Guadalupe y Humberto, guardias del interior por la mañana, se inclinaron por encima del respaldo del sofá y lo observaron para ver si todavía respiraba. Vieron que sí y lo dejaron tranquilo.

Eran las ocho y cuarto, Beatriz lo sabía porque tenía el reloj. Demasiado coger, pensó, pero no se lo dijo a Carmen. Prefería que ella pensara que se había olvidado, cosa que no era cierta. Beatriz aún no sabía cómo usar esa información, pero la saboreaba como al dinero sin gastar. Saber eso abría muchas posibilidades.

La gente se acostumbra a sus pequeñas rutinas. Tomaban su café, se cepillaban los dientes, después pasaban al salón y Roxane Coss cantaba. Eso era la mañana. Pero ahora miraban hacia las escaleras. ¿Dónde estaba ella? ¿No debería estar allí, si no estaba enferma? ¿Era demasiado pedir cierta consistencia? Ellos le daban todo su respeto, la gloria ¿no era justo pensar que ella los respetaría en correspondencia? Miraban a Kato, que estaba allí de pie como un hombre que, en la estación, mira la puerta abierta de un tren mucho después de que todos los pasajeros han bajado ya. Un hombre que ha sido abandonado mucho antes de darse cuenta. Tocaba las teclas con aire ausente, todavía de pie. Se preguntaba en qué momento podría sentarse y realmente tocar sin ella. Era la primera vez que Kato tenía que preguntarse qué era él sin ella, qué pasaría cuando todo esto hubiera terminado y ya no permaneciera días enteros al piano, y leyendo música por las noches. Ahora era un pianista. Para probarlo tenía hileras de finos tendones azules en los dedos. ¿Podría volver a aquella otra vida en la que se levantaba a las cuatro de la mañana para tocar el piano por una hora antes de irse a trabajar? ¿Qué pasaría cuando reasumiera su cargo como vicepresidente senior de Nansei y tuviera que convertirse de nuevo en el hombre de los números, el hombre sin una soprano? Todo eso sería. Recordaba lo ocurrido al primer acompañante, cómo prefirió morir antes que salir solo al mundo. El vacío helado del futuro hizo que los dedos de Kato se endurecieran y se deslizaran sobre las teclas sin sonido alguno.

Y entonces ocurrió algo notable:

Otra persona empezó a cantar, una voz *a cappella* que venía del otro extremo del salón, una voz adorable y familiar. La primera reacción fue de confusión, y después los muchachos, uno por uno, empezaron a reir. Humberto y Jesús, Sergio y Francisco, Gilberto, otros que venían por el pasillo, reían con grandes carcajadas, risas que los obligaban a echarse los brazos al cuello unos a otros sólo para mantenerse en pie, pero César siguió cantando "Vissi d'arte, vissi d'amore, non fecimai", de la ópera *Tosca*. Y *era* cómico porque imitaba a la perfección a Roxane. Era como si se hubiera convertido en ella mientras los demás dormían, la forma como extendía una mano cuando cantaba "siempre ferviente creyente, ponía flores en los altares". Era muy extraño, porque César, la verdad, no se parecía en nada a la diva. Era un muchachito flaco con la piel manchada y alrededor de dos docenas de sedosos bigotes negros, pero verlo era casi igual a verla a ella, el modo como inclinaba la cabeza a un lado y entonces, cómo cerraba los ojos en el momento en que ella lo habría hecho. Él no parecía oir las risas. Su mirada no estaba enfocada. No cantaba para alguien en particular. No estaba burlándose de ella sino tratando de llenar el espacio donde ella debería haber estado. Habría sido una burla si sólo estuviera repitiendo los gestos de ella, pero no era así: era su voz. La legendaria voz de Roxane Coss. Sostenía sus notas claras y prolongadas. Sacaba del fondo de sus pulmones la fuerza, el volumen que nunca se había permitido usar cuando cantaba solo en voz baja. Ahora estaba cantando una parte que era demasiado alta para él y, sin embargo, él saltaba, se agarraba del borde de cada nota, y se esforzaba hacia arriba para sostenerla. No tenía idea de lo que estaba diciendo, pero sabía que lo decía correctamente: había prestado demasiada atención como para equivocarse. Hacía girar la pronunciación de cada palabra en un arco perfecto sobre su lengua. No era una soprano ni sabía italiano, pero de alguna manera lograba dar la ilusión de ambas cosas y por un momento todo el salón le creyó. Las risas de los muchachos se disiparon y después cesaron por completo. Todos, los invitados, los muchachos, los generales, todos miraban ahora a César. Carmen y Beatriz salieron de la cocina aguzando el oído, sin comprender del todo si lo que ocurría era bueno o malo. El señor Hosokawa, que conocía la música mejor que todos los demás, despertó con la sensación de que despertaba al canto que conocía, que la voz de ella tenía algo raro esta mañana, y preguntándose si quizá ella estaría cansada; vaya, él mismo todavía estaba dormido. Pero despertó pensando que era su voz.

La pieza no era larga y cuando terminó César apenas tomó aliento y siguió adelante porque ¿qué tal si ésta era su única oportunidad de cantar? No se lo había propuesto, pero cuando vio que ella no bajaba y que todos estaban esperando, las notas crecieron en su garganta como una ola y no pudo hacer nada por contenerlas. ¡Qué brillante era cantar! Era maravilloso oir ahora su propia voz. Siguió con el aria de *La Wally*. Sólo podía cantar las piezas favoritas de Roxane, las que ella cantaba una y otra vez. Eran las únicas de cuyas palabras estaba absolutamente seguro, y si las falsificaba haciendo algún sonido parecido que quizá significara algo completamente distinto, todos lo verían como un fraude. César no sabía que en toda la casa sólo cuatro personas hablaban italiano. Habría sido más fácil cantar algo que no todos asociaran con ella, ¿cómo podría no salir perdiendo en la comparación?, pero no tenía alternativa, no tenía otro material para escoger. Él no sabía que había canciones para hombres y canciones para mujeres, que había diferentes piezas ajustadas a las capacidades de diferentes voces. Él sólo había oído partes para soprano, ¿por qué no habían de ser para él? No pretendía compararse con ella. No había comparación posible. Ella era la cantante, él era sólo un muchacho que la amaba por su canto. ¿O era el canto lo que amaba? Ya no podía recordarlo. Estaba en lo más profundo de su interior. Cerró los ojos y siguió su propia voz. Allá lejos, en alguna parte, oyó al piano que lo alcanzaba, lo seguía, lo guiaba. El final del aria tenía notas muy altas y él no sabía si podría lograrlo. Era como caer, no, como zambullirse, haciendo girar el cuerpo a través del aire sin pensar cómo aterrizaría.

Ahora el señor Hosokawa estaba de pie junto al piano en soñolienta confusión, con el cabello en desorden y la camisa arrugada que se le salía del pantalón. Simplemente no sabía qué pensar. Una parte de él consideró que debían detener al muchacho por si estaba cometiendo una falta de respeto, pero en realidad todo era demasiado extraordinario, en realidad adoraba *La Wally*. Y, sin embargo, había algo enervante en ver a ese muchacho que ahora juntaba las manos sobre su corazón igual que Roxane; lo que brotaba de su boca no era ella pero la evocaba misteriosamente, como si lo que estaba oyendo fuera sólo una mala grabación de ella. Cerró los ojos. Sí, había una diferencia considerable. Imposible confundirlos ahora, pero de alguna manera ese muchacho le provocaba la amenazante sensación del amor. El señor Hosokawa amaba a Roxane Coss. Tal vez el muchacho ni siquiera estuviera cantando. Quizá su amor era capaz de convertir los objetos más comunes en ella.

Roxane Coss estaba de pie entre ellos, escuchando. ¿Cómo es que nadie la vio bajar las escaleras? No se había detenido a vestirse y llevaba un conjunto pijama de seda blanca y la bata de alpaca azul de la esposa del vicepresidente, aun cuando era demasiado abrigadora para ese tiempo. Tenía los pies descalzos y el cabello le caía suelto por la espalda. Después de tantos meses las raíces le habían crecido y ahora se veía fácilmente que, en realidad, ese cabello era de un matiz más opaco que el castaño claro y estaba salpicado de hilos de plata. El muchacho estaba cantando. Era ese canto lo que la había arrancado de un sueño profundo. ¿Era una grabación? ¿*A cappella*? Pero entonces lo vio, era César, un muchacho que no había hecho hasta ahí nada que lo distinguiera de los demás. ¿Cuándo había aprendido a cantar? La mente de ella corría en todas direcciones. El chico era bueno. Era excelente. Si alguien se tropezara con un talento semejante en Milán, en Nueva York, el muchacho sería enviado a un conservatorio en un minuto. Sería una estrella, porque no había obstáculo de por medio, ¡ni un minuto de estudio y oigan la profundidad del tono! Escuchen esa fuerza que le agita los hombros flacos. Avanzaba hacia el final, hacia un Do muy alto para él que no podía estar preparado. Ella conocía esa música tan bien como su propio aliento y se precipitó hacia él como si fuera un niñito en medio de la calle, como si la nota fuera un automóvil que se acercaba él a toda velocidad. Lo tomó de la muñeca: "¡Deténgase! ¡Basta!". Ella no sabía español, pero oía esas dos palabras todos los días. Alto. Suficiente.

César paró de cantar pero dejó su boca tristemente abierta, en la forma de la última palabra que había cantado.

Y cuando ella no dijo "Empieza de nuevo", los labios dejaron ver un ligero temblor.

Roxane Coss le tocaba el brazo: estaba hablando muy rápido y él no entendía una palabra de lo que decía. La miró inexpresivo y pudo ver que ella estaba frustrada, incluso asustada. Y cuanto más se asustaba más fuerte y más rápido salían sus palabras sin sentido, hasta que al percatarse de que él no comprendía nada ella gritó: "¡Gen!".

Pero todo el salón los estaba mirando y era demasiado espantoso. Ahora César sentía el temblor en todas partes, y aun cuando ella estaba de pie junto a él, tocándolo, él se volvió y salió corriendo de la habitación. Todos quedaron inmóviles en un silencio embarazoso, como si el muchacho se hubiera desnudado de repente. Fue Kato el que pensó en juntar sus manos y los italianos Gianni Davansate y Pietro Genovese los que gritaron "¡Bravo!". Al instante todos los presentes estaban aplaudiendo y clamando por el muchacho, pero él se había ido, había salido por la puerta trasera y se había trepado a un árbol desde donde, con frecuencia, vigilaba los ires y venires del mundo. Podía oirlos, el apagado zumbido interior, pero ¿quién podía asegurar que no se estaban burlando de él? A lo mejor ahora ella estaba allá adentro haciendo su propia imitación, imitándolo a él imitándola a ella.

"¡Gen!" Roxane tomó la mano del traductor. "Ve tras él. Dile a alguien que vaya tras él."

Y cuando Gen se volvió, ahí estaba Carmen. Carmen siempre estaba allí, con sus brillantes ojos oscuros vueltos hacia él, lista para ayudarlo como una persona a quien uno le ha salvado la vida. Ni siquiera necesitaba decirlo. Así era como ellos se entendían. Ella se volvió y desapareció.

Después de haber permanecido en ese confinamiento por tanto tiempo, todos sabían lo que le gustaba a los otros. Ismael, por ejemplo, seguía al vicepresidente como un perro. ¿Buscas a Ismael? Busca al vicepresidente y probablemente Ismael estará enredado entre sus pies. Beatriz siempre estaría frente al televisor, a menos que una orden directa la obligara a estar en otro sitio. Gilberto enloquecía por la tina, en especial por la del baño del dormitorio principal que se agitaba como si estuviera hirviendo cuando uno apretaba cierto botón (¡vaya sorpresa les dio la primera vez!). A César le gustaba el árbol, un robusto roble reclinado contra el muro, un árbol con largas ramas bajas para subir con facilidad y altas ramas anchas para sentarse con comodidad. Los otros soldados pensaban que César era particularmente estúpido o valiente, porque a veces trepaba tan alto que quedaba por encima de la pared, donde cualquier militar podía haberlo derribado como a una ardilla. A veces los generales le pedían que echara un vistazo general sobre la ciudad y les informara, y él trepaba al árbol. Por lo tanto para Carmen no era ningún misterio dónde tenía que buscarlo. Salió al jardín, que le pareció distinto después de la noche anterior, tomó el camino más largo para pasar por el lugar donde se curvaba el muro para formar un rincón privado y ¡oh! el pasto todavía estaba aplastado, achatado y siguiendo la forma de su propia espalda. Sintió que hasta la última gota de sangre se le iba a la cabeza y apoyó los dedos en la pared, mareada. Dios mío ¿y si alguien se daba cuenta? ¿Debería detenerse ahora, tomarse tiempo para tratar de dejarlo todo en orden? ¿Era posible levantar el pasto de nuevo? ¿Se quedaría erguido? Pero entonces Carmen se dio cuenta de que se proponía aplastar la misma sección del pasto esa noche, de que quería achatar todas las hojas de hierba del jardín con sus caderas, sus hombros, las plantas desnudas de sus pies. Si hubiera sido posible habría querido tener a Gen allí, en ese mismo momento, para enrollar sus piernas alrededor de su cuerpo y trepar por él como por un árbol. ¿Quién iba a pensar que semejante hombre quisiera estar con ella? Estaba tan perturbada por la certeza del amor que, por un instante, olvidó para qué había salido y qué estaba buscando. Después vio, a la distancia, una bota que colgaba entre las hojas como un fruto grande y feo y el mundo se le reveló de nuevo precipitadamente. Carmen fue hasta el roble, se agarró de una rama sobre su cabeza y empezó a subir.

Ahí estaba César, temblando, llorando. Si cualquier otro hubiera tratado de subir al árbol, César lo habría arrojado al suelo de cabeza. Lo habría pateado con todas sus fuerzas bajo la mandíbula y habría salido volando. Pero la cabeza que ascendía hacia él era la de Carmen, y Carmen le caía bien. Creía que lo comprendía porque era evidente que ella amaba a Roxane Coss. Ella era la más afortunada de todos, porque le llevaba el desayuno y dormía frente a su puerta. (Como Carmen era muy discreta él no sabía nada del resto: que había dormido en la cama de Roxane, que le había cepillado el cabello, que, a medianoche, había metido a su amante de contrabando y tenía su confianza. De haber sabido todo eso tal vez hubiera sufrido una implosión debido a los celos.) Y si bien nadie debía verlo llorar como si fuera un niño pequeño, no sería tan terrible si la persona que lo veía era Carmen. Antes de enamorarse de Roxane Coss, antes de que vinieran a la ciudad, pensaba una y otra vez cuánto le habría gustado besar a Carmen, besarla y más, pero había desistido de la idea después de que el general Héctor le diera una fuerte bofetada. Tales cosas estaban absolutamente prohibidas entre los soldados.

"Cantas tan bonito", dijo ella.

César miró hacia otro lado, y una ramita le rozó la mejilla. "Soy un tonto", dijo entre las hojas.

Carmen brincó a una rama situada frente a él y enroscó sus piernas alrededor de ella. "¡No eres ningún tonto! Tenías que hacerlo. No podías hacer otra cosa." Desde donde se encontraba ahora ella podía ver el espacio de pasto achatado. Visto desde allí parecía diferente, más grande y casi redondo, como si se hubieran hecho girar mutuamente en grandes círculos, lo cual le parecía posible. Podía oler el pasto en su propio cabello. El amor era acción. Y llegaba de repente, no había alternativa.

Pero César no quería mirarla. Desde donde estaba ella podría haber visto por encima de la pared con sólo estirarse un poquito, pero no lo hizo.

"Roxane Coss me mandó por ti", dijo, sin apartarse mucho de la verdad. "Quiere hablar contigo sobre el canto. Ella piensa que cantas muy bien." Podía decir eso porque ella sabía que él cantaba muy bien y, por supuesto, Roxane se lo diría. No sabía suficiente inglés como para descifrar lo que se había dicho en el salón, pero empezaba a desarrollar la habilidad de entender sin tener que entender por completo todas las palabras.

"Tú no sabes eso."

"Sí lo sé. El traductor estaba allí."

"Ella dijo '*deténgase*', dijo '*basta*': yo entendí lo que dijo." Un pájaro pasó en picada junto al árbol, con esperanza de aterrizar, pero volvió a elevarse.

"Ella quería hablar contigo. ¿Y qué es lo poco que sabe decir en español? Tienes que pedirle a Gen que te ayude. Es la única manera de entender algo."

César moqueaba y se secó los ojos con la manga. En un mundo perfecto no sería Carmen quien estuviera en ese árbol. La propia Roxane Coss lo habría seguido hasta allí arriba. Estaría acariciándole la mejilla y hablándole en perfecto español. Cantarían juntos. Eso se llamaba *dúo*. Viajarían por todo el mundo.

"Bueno, tú no eres ardilla", dijo Carmen. "No te vas a quedar acá arriba para siempre. Tendrás que bajar cuando te toque guardia y cuando bajes te lo dirá ella misma a través del traductor. Te dirá que cantas muy bien y entonces te sentirás como un idiota por haberte quedado sufriendo aquí arriba. Todos quieren festejar contigo. Y tú te lo vas a perder todo."

César deslizó su mano sobre la áspera corteza. Carmen jamás le había hablado así. Cuando estaban juntos en el entrenamiento ella era demasiado tímida para hablar, ésa era una de las cosas que la hacían tan atractiva. Nunca la había oído hilar dos frases seguidas. "¿Y tú cómo sabes todo esto?"

"Ya te dije: el traductor."

"¿Y cómo sabes que te está diciendo la verdad?"

Carmen lo miró como pensando que estaba loco, pero no dijo ni una palabra. Extendió los brazos hacia una rama debajo de ella, se agarró bien, dejó colgar sus pies y después soltó las manos para saltar al suelo. Era una experta en saltos. Sus rodillas eran flexibles y apenas tocó el suelo se irguió. No perdió el equilibrio ni por un instante. Y echó a andar alejándose de César, sin siquiera echar una mirada por encima del hombro. Que se pudra ahí arriba. Regresando a la casa pasó junto a uno de los grandes ventanales que miraban al salón; qué extraño era verlo todo desde afuera. Se detuvo por un momento, al lado de un arbusto que había tenido una forma perfecta cuando llegaron y ahora era casi de su estatura. Podía ver a Gen al lado del piano, hablando con Roxane Coss y el señor Hosokawa. Ahí estaba Kato. Podía ver a Gen, su espalda erguida y sus labios tiernos, sus manos que la habían ayudado a quitarse la ropa y después la habían auxiliado con destreza para volver a ponérsela. Deseó poder llamarlo con golpecitos en el vidrio y saludarlo con la mano, pero poder contemplar a la persona que amaba sin ser vista ya era un milagro, como si fuera una desconocida que lo veía por primera vez. Podía ver su belleza como alguien que no daba nada por sentado. Miren a ese hombre tan guapo, a ese hombre brillante, me ama. Murmuró una plegaria a santa Rosa de Lima. Que Gen se salve. Que viva una larga vida. Que sea feliz. Protégelo y guíalo. Miró por la ventana. Ahora él estaba hablándole a Roxane; Roxane que había sido tan buena con ella, y a quien, por lo tanto, Carmen incluyó en su oración. Después inclinó la cabeza por un instante y se santiguó, apresurando así la oración en su camino.

"No debería haberle dicho que se detuviera", dijo Roxane, y Gen lo tradujo al japonés.

"El muchacho no tiene a donde ir", dijo el señor Hosokawa. "Tendrá que regresar. No debes preocuparte por eso." En Japón solía sentirse incómodo con esta moderna era de los afectos, hombres y mujeres tomados de la mano en público, besándose para despedirse en el metro. Nunca había entendido tales gestos. Siempre había creído que lo que un hombre siente en su corazón es asunto privado y no debería salir de él, pero la verdad es que nunca antes había tenido tanto en su corazón. No tenía espacio suficiente para tanto amor y experimentaba una sensación dolorosa en el pecho. ¡Le dolía el corazón! ¿Quién hubiera dicho que eso era verdad? Y ahora todo lo que quería era tomar la mano de ella o rodearle los hombros con su brazo.

Roxane Coss se inclinó hacia él y hundió la cabeza en su hombro, por un segundo, lo suficiente para que su mejilla tocara la camisa de él.

"Ah", dijo suavemente el señor Hosokawa, "tú eres todo en el mundo para mí."

Gen lo miró, ¿había que traducir esa tierna frase que acababa de murmurar su patrón? El señor Hosokawa tomó una de las manos de Roxane y se la llevó al pecho, tocando su camisa en un punto sobre el corazón. Después inclinó la cabeza. ¿Era una inclinación hacia Gen? ¿Quería decirle a Gen que tradujera? ¿O era hacia ella? Gen sentía un terrible malestar. Quería volverse hacia otra parte. Aquello era un asunto privado. Ahora lo sabía.

"Todo en el mundo", repitió el señor Hosokawa, y esta vez miró a Gen.

Y, por lo tanto, Gen lo tradujo. Trató de suavizar su voz lo más posible: "Con todo respeto", dijo, "el señor Hosokawa desea hacerle saber que usted es todo en el mundo para él". Recordaba haberle dicho algo muy similar de parte del ruso.

Hay que reconocerle a Roxane que nunca mirara a Gen. Mantuvo los ojos fijos en los del señor Hosokawa y recibió las palabras de él.

Carmen volvió. Estaba sonrojada y todos pensaron que tenía que ver con César, cuando ella ya casi lo había olvidado. Quería ir hacia Gen, pero primero fue hacia el general Benjamín. "César está arriba, en el árbol", le dijo. Empezó a decir algo más pero se dominó. Siempre era mejor esperar.

"¿Qué está haciendo ahí?", le preguntó el general. No pudo dejar de observar qué bonita se estaba poniendo esa muchacha. Si antes hubiera sido tan bonita nunca la habría alistado. Debía recordarle que se metiera el cabello debajo de la gorra. Y debía mandarla de vuelta a la vida civil en cuanto regresaran a casa.

"Está enojado."

"No entiendo."

"Está avergonzado."

Quizá había sido un error permitir que una chica bonita fuera a buscarlo. Debería haber mandado a un muchacho a que sacudiera el árbol hasta que César se cayera. El general Benjamín suspiró. El canto de César lo había impresionado. Se preguntó si sería el talento lo que hacía que el muchacho fuera tan tenso, del mismo modo que lo era una soprano. Si era así, también tendría que deshacerse de César, y con eso perdería dos soldados. Incluso mientras estaba pensando eso recordó dónde se encontraba, y la idea de regresar a casa, de tomar una decisión tan sencilla como deshacerse de alguien o conservarlo, le pareció imposible. ¿Para qué perdía el tiempo con eso? ¿César estaba trepado en un árbol? ¿Qué importancia tenía? "Déjalo allá arriba." El general Benjamín miró por sobre la cabeza de Carmen al otro extremo de la habitación, que era su forma de decir que había terminado la conversación.

"¿Puedo decirle a la señorita Coss?"

Él volvió los ojos de nuevo hacia ella y parpadeó. La chica era obediente y tenía buenos modales. Lástima que las cosas no hubieran salido mejor. Ciertamente habría lugar para las muchachas bonitas en una revolución. No tenía sentido ser duro con ella. "Creo que le gustaría saber."

Carmen, feliz y agradecida, inclinó la cabeza hacia él. "¡Saludar!", dijo en forma áspera el general Benjamín. Carmen lo saludó con la venia, tan seria como cualquier soldado, y después se alejó.

"César está en el árbol", dijo Carmen, de pie entre el señor Hosokawa y el señor Kato. Se había colocado enfrente de Gen para no sentir la tentación de tomarlo del brazo delante de todos. Adoraba oir el sonido de su voz cuando traducía.

"¿No va a entrar?", preguntó Roxane Coss. Sus ojos azules estaban sombreados de púrpura. Carmen nunca la había visto tan cansada, salvo los primeros días.

"Oh, ya entrará, está avergonzado. Piensa que hizo el ridículo. Cree que usted piensa que es un idiota por haber intentado cantar." Miró a Roxane, su amiga. "Yo le dije que usted no piensa nada de eso."

Gen tradujo sus palabras al inglés y al japonés. Los dos hombres y Roxane Coss asentían con la cabeza. Las palabras de Carmen traducidas al japonés tenían un sonido tan hermoso...

"¿Podría preguntarle al general si me permite ir afuera?", le dijo Roxane a Carmen. "¿Cree que me deje?"

Carmen escuchaba. Estaba incluida. Se consideraba que ella era la persona más indicada para hacer ese pedido. Se le preguntaba su opinión. Para ella era casi increíble: con todas las personas presentes en la habitación, con toda su preparación y sus talentos, ellos pensaban que ella era la más apropiada. Quería decirle a Roxane Coss con su voz más amable que no; jamás la dejarían salir, pero ella le agradecía mucho que se lo hubiera pedido. No tenía la menor idea de cómo decir eso en inglés. Los generales estaban ignorando su conversación; Héctor y Alfredo habían salido del salón y a ninguno de los muchachos le importaba, pero Beatriz estaba escuchando. Carmen podía verla con el rabillo del ojo. Ella quería confiar en Beatriz. Ya había confiado en ella. Y de todos modos ahora no estaba haciendo nada malo. "Dile que con mucho gusto preguntaré en su nombre", le dijo a Gen. Estaba consciente de su postura y trataba de mantener la espalda erguida como Roxane Coss. Trataba de acostumbrarse a echar los hombros siempre para atrás, pero el efecto casi se perdía dentro de esa camisa verde oscuro que colgaba sobre ella como un pedazo de lona.

Le agradecieron en inglés y en japonés, y después también en español. Gen estaba orgulloso de ella, se daba cuenta de eso. Si las circunstancias lo hubieran permitido, Gen le habría puesto la mano sobre el hombro y se lo habría dicho delante de sus amigos.

No había manera de que le permitieran a Roxane Coss salir de la casa para ir a hablar con César arriba del árbol. Mantener a los rehenes adentro era la máxima prioridad. Por supuesto nadie sabía eso mejor que Carmen, que había roto esa importante regla apenas la noche anterior. Pero no le correspondía a ella negarse al pedido. Nadie le había solicitado una respuesta, sólo que se acercara al general a pedir una respuesta. En realidad ella preferiría no hacerlo. ¿Qué sentido tiene pedir algo cuando uno sabe que se lo van a negar? Carmen se preguntó si podría pedirle otra cosa al general, por ejemplo si quería otra taza de café; así todos verían que le preguntaba algo sin poder escucharla. Y después podría regresar diciendo que él había dicho que no. Pero no quería mentirle a Roxane Coss y al señor Hosokawa, las personas que valoraban su opinión y la trataban como a una amiga, y tampoco no quería mentirle a Gen. Y tendría que preguntar, porque había dicho que lo haría. Sería mejor si pudiera esperar una hora o dos, porque a los generales no les gustaba que les fueran a hablar cuando acababan de pasar por una escena molesta. Pero no tenía una hora o dos para esperar. Para entonces César ya habría bajado del árbol. Carmen ya había pasado algunos ratos en ese mismo árbol y sabía que era adorable, pero incómodo. El tiempo que una persona puede pasar enojada arriba de un árbol tiene un límite, y lo importante era que Roxane Coss quería tener una oportunidad de convencer a César de que bajara. No tenía sentido tratar de explicar a sus rehenes favoritos cómo funcionaba la cabeza del general, así como tampoco tratar de explicar los motivos de Roxane Coss al general Benjamín, a quien eso no le hubiera importado. Sólo podía preguntar. Carmen sonrió y se alejó del grupo, regresando al cuarto donde el general Benjamín se hallaba sentado en un sillón de respaldo de mimbre junto a la chimenea vacía. Estaba leyendo unos papeles. Ella no sabía qué papeles eran ésos, aunque veía que estaban escritos en español. Ahora podía leer un poco, pero no tanto como para eso. Las cejas del general apuntaban hacia el puente de su nariz y sus ojos bizqueaban.

El herpes le cubría todo un lado de la cara y el ojo como un arroyo de lava derretida, pero ya no parecía tan infectado. De pronto alzó un dedo y se tocó la cara suavemente, hizo una mueca y siguió leyendo. Carmen habría preferido no interrumpirlo.

"¿Señor?", murmuró.

Habían estado hablando menos de cinco minutos antes pero ahora él la miró como si no la conociera, tenía los ojos rojos y llorosos, en especial el izquierdo, que estaba rodeado de ampollas no más grandes que cabezas de alfiler.

Carmen esperó a que él hablara pero no dijo nada. Ella tendría que iniciar la conversación. "Discúlpeme por molestarlo de nuevo, general, pero Roxane Coss me pidió que le pidiera a usted..." ahí se detuvo, pensando que seguramente él la interrumpiría, que le diría que se marchara, pero no lo hizo. No hizo nada. Si él hubiera vuelto de nuevo a sus papeles ella lo habría entendido. Habría sabido qué hacer si él le hubiera gritado, pero el general Benjamín tan sólo la miraba. Ella respiró hondo, enderezó los hombros y empezó de nuevo: "Roxane Coss quisiera salir al jardín a hablar con César. César el del árbol, ¿se acuerda? Quiere decirle que cantó muy bien." De nuevo esperó, pero no pasó nada. "Creo que el traductor también tendría que ir, para que César entienda lo que ella dice. Podríamos mandar algunos guardias con ellos. Yo podría llevar mi rifle." Se detuvo y esperó paciente a que él rechazara el pedido, pero él no dijo nada, y por un minuto cerró los ojos para no mirarla a ella. Carmen echó un vistazo a los papeles que él tenía en la mano y sintió un estremecimiento que la recorría: de pronto tuvo miedo de que el general hubiera recibido malas noticias, de que en esos papeles hubiera algo que arruinara su felicidad.

"General Benjamín", dijo, inclinándose hacia él para que la oyera. "Señor ¿está usted bien?" El cabello de ella, suelto, cayó de detrás de su oreja y rozó el hombro de él. Olía a limones, porque Roxane le había lavado el cabello con un champú de limón que Messner había hecho traer para ella desde Italia.

El olor de los limones. Él es un niño en la ciudad, con un cuarto de limón apretado entre los dientes, y corre hacia la escuela con el amarillo brillante de la cáscara del limón asomando entre sus labios abiertos, la acritud imposible, la claridad total del sabor al que era adicto. Su hermano, Luis, va a su lado, corriendo a su lado, un niño pequeño. Es menor que Benjamín y por lo tanto es responsabilidad de él. Su hermano también tiene un pedazo de limón en la boca, se miran uno al otro y se echan a reir, tanto que tienen que llevarse las manos a las bocas para agarrar las cáscaras, ahora limpias. El olor de los limones lo trae de regreso. Carmen quería algo más. Él todavía estaba en el salón. ¿Por qué sólo ahora comprendía que todo iba a terminar mal? No le parecía extraño saberlo, sino no haberlo sabido desde el comienzo, no haber ordenado a sus tropas dar media vuelta y marcharse directamente por los ductos del aire acondicionado en el mismo segundo en que supieron que el presidente Masuda no estaba en la fiesta. Ese error era casi imposible de comprender ahora. Y todo era culpa de la esperanza. La esperanza es una asesina.

"¿Quiere salir al jardín?", dijo él.

"Sí, señor."

"¿Y César todavía está allá?"

"Creo que sí, señor."

El general Benjamín asintió con la cabeza. "El tiempo es bueno ahora." Miró por la ventana un buen rato, para cerciorarse de que lo que le estaba diciéndole era verdad. "Llévelos a todos afuera. Dígales a Héctor y a Alfredo. Ponga a algunos soldados a lo largo del muro." Miró a Carmen. Si él hubiera sido un poco más sensato le habría prestado más atención. "Necesitamos un poco de aire aquí adentro ¿no le parece? Sáquelos a que les dé un poco el sol."

"¿A todos, señor? ¿Quiere decir la señorita Coss y el traductor?"

"Quiero decir a todos ellos", e indicó el salón entero con un amplio gesto de la mano. "Sáquelos de aquí."

Así fue como un día después de que Carmen llevó a Gen al jardín, todo el resto del grupo también pudo salir. Ella no quería ser la que avisara a los generales Héctor y Alfredo, pero como había recibido una orden directa lo hizo. Se detuvo en la puerta del estudio, todavía aturdida por la novedad. Afuera. Los generales estaban viendo un juego de futbol. Se habían sentado al borde del sofá, aferrándose las rodillas con las manos y gritándole al aparato de televisión. En la mesa frente a ellos había una partida de cartas abandonada y entre los cojines del sofá asomaban dos pistolas automáticas. Cuando logró que le prestaran atención, Carmen no les dijo que ella había pedido permiso para que algunos salieran al jardín, ni que Roxane Coss quería hablar con César en el árbol, sino sólo que el general Benjamín había tomado una decisión y le había ordenado a ella que se los comunicara. Usó el mínimo posible de palabras.

"¡Salir al jardín!", exclamó Alfredo. "¡Es una locura! ¿Y cómo vamos a controlarlos afuera?" Gesticuló con la mano a la que le faltaban dos dedos, cuya vista siempre causaba una gran piedad a Carmen.

"¿Y qué hay que controlar?", dijo el general Héctor, estirando los brazos por encima de su cabeza. "Como si se fueran a ir a alguna parte ahora."

Fue una sorpresa. Normalmente Héctor siempre estaba en contra de cualquier idea. Si se hubiera opuesto de verdad era probable que hubiera hecho cambiar de opinión a Benjamín, pero el sol entraba a raudales por todas las ventanas y alrededor de ellos había crecido una atmósfera de encierro y moho. ¿Por qué no abrir las puertas? ¿Por qué no hoy, si todos los días eran siempre iguales? Fueron al salón y los tres generales reunieron a toda la tropa y ordenaron a sus soldados que trajeran sus rifles y los cargaran. Aún después de tantos meses tumbados en sillones, los muchachos, así como Carmen y Beatriz, todavía sabían moverse con rapidez. No sabían por qué debían cargar sus fusiles; no preguntaron. Obedecieron las órdenes, y al hacerlo sus ojos adquirieron cierta frialdad. El general Benjamín no pudo evitar pensar: si en este momento les ordeno que los maten a todos, lo harán. Harán lo que les ordene hacer. La idea de sacarlos a todos al jardín era buena: pondría a los soldados a trabajar y recordaría a los rehenes tanto su poder como su benevolencia. Era hora de salir de la casa.

Roxane Coss tenía el brazo del señor Hosokawa para apoyarse, pero Gen se quedó solo viendo a su amada correr a través de la habitación con los demás soldados, sujetando el rifle contra el pecho.

"No entiendo esto", susurró el señor Hosokawa. Sentía a Roxane temblar junto a él y apretó una mano de ella entre las suyas. Era como si hubieran movido un interruptor y las personas que conocía se hubieran convertido de pronto en gente que nunca antes habían visto.

"¿Entiendes lo que están diciendo?", le susurró Roxane a Gen. "¿Qué ha pasado?"

Él por supuesto podía entender lo que estaban diciendo. Después de todo, lo estaban diciendo a gritos: *¡Cargar las armas! ¡Preparar formación!* Pero no tenía sentido decirle eso a Roxane. Ahora los otros rehenes estaban junto a ellos, se apretaban unos contra otros, como ovejas en un campo abierto bajo un fuerte chaparrón. Treinta y nueve hombres y una mujer, con un súbito nerviosismo que brotaba de ellos como vapor.

Entonces el general Benjamín se adelantó un paso y gritó: "¡Traductor!".

El señor Hosokawa tocó el brazo del traductor cuando éste se adelantó. Gen deseó ser un hombre valiente. A pesar de que Carmen no estaba con ellos ahora, deseaba que ella lo viera como un hombre valiente.

"He decidido que todos deben salir al jardín", dijo el general Benjamín. "Dígales que vayan afuera ahora."

Pero Gen no tradujo, ésa ya no era su profesión. En cambio, preguntó: "¿Con qué objeto?". Si iba a haber una ejecución, no quería ser quien guiara a esas ovejas para que las pusieran contra la pared. Traducir las palabras dichas no era suficiente, tenía que saber la verdad.

"¿Qué objeto?", dijo el general Benjamín. Dio un paso hacia Gen, quedando tan cerca que éste podía ver las líneas rojas, más delgadas que hilos de coser, que formaban una red sobre su cara. "Me dijeron que Roxane Coss pedía permiso para ir afuera."

"¿Y usted deja salir a todos?"

"¿Tiene algo en contra de eso?" El general Benjamín estaba a punto de cambiar de idea. Nunca había tratado a esa gente más que bien y ahora lo miraban como a un asesino. "¿Cree que los hago salir afuera para fusilarlos a todos?"

"Las armas..." Gen había cometido un error. Se daba cuenta de eso.

"Protección", dijo el general, con los dientes apretados.

Gen le volvió la espalda para enfrentar a las personas que consideraba "su gente". Observó cómo se suavizaban sus rostros al sonido de su voz. "Vamos a salir al jardín", dijo en inglés, japonés, ruso, italiano, y francés. "Vamos a salir", dijo en español y en danés. Tan pocas palabras y, sin embargo, en cada idioma logró comunicar que no iban a ser fusilados, no era ninguna estratagema. Los hombres rieron, suspiraron y se separaron entre ellos. El sacerdote se persignó con rapidez en agradecimiento por la respuesta a su oración. Ismael fue a abrir la puerta y los rehenes salieron uno por uno a la luz.

Gloriosa luz.

El vicepresidente Rubén Iglesias, que había pensado que no viviría para sentir de nuevo la sensación del césped bajo sus pies, dejó las piedras del sendero para hundirse en el muelle placer de su propio jardín. Lo había mirado todos los días desde la ventana del salón pero ahora que en realidad estaba allí le parecía un mundo nuevo. Se preguntó si alguna vez había caminado en su propio jardín al anochecer, si se había fijado en los árboles, en los milagrosos arbustos floridos que crecían contra la pared. ¿Cómo se llamaban? Hundió la cara en un nido de capullos de color morado e inhaló profundamente. Dios mío, si salía de esto con vida prestaría atención a las plantas. A lo mejor buscaría trabajo como jardinero. Las hojas nuevas eran de un color verde brillante y aterciopeladas al tacto. Las acarició entre el pulgar y el índice, cuidando de no lastimarlas. Eran demasiados los días en que llegaba a su casa después de oscurecer. Veía la vida de su jardín como una serie de sombras y siluetas. Si existía algo así como una segunda oportunidad él tomaría su café afuera por las mañanas. Volvería a casa para comer con su esposa y en los días lindos pondrían la mesa bajo los árboles. Sus dos niñas estarían en la escuela, pero sentaría al niño sobre sus rodillas y le enseñaría los nombres de los pájaros. ¿Cómo había llegado a vivir en un lugar tan bonito? Caminó por entre el césped hacia el lado oeste de la casa y el pasto era tan duro que supo que sería difícil cortarlo. Pero le gustaba así. Tal vez nunca más haría cortar el pasto. Cuando uno tiene un muro de tres metros de alto puede hacer lo que quiera con su jardín. Podría hacer el amor con su esposa ya entrada la noche, en el lugar donde el muro se curvaba formando una especie de refugio y tres esbeltos árboles crecían en semicírculo. Podrían salir después de que los niños estuvieran acostados, después de que los sirvientes estuvieran dormidos, ¿quién iba a verlos? La tierra sobre la que se tenderían tal vez fuera tan suave como su cama. Imaginó el largo cabello oscuro de ella suelto y extendido sobre el pasto. En el futuro sería un mejor esposo, un mejor padre. Cayendo de rodillas, metió las manos entre los altos iris amarillos. Arrancó una hierba tan alta como las flores, su tallo grueso como un dedo, y después otra, y otra. Se llenó las manos de tallos verdes, raíces y tierra. Había mucho trabajo por hacer.

Los soldados no empujaban a la gente ni los dirigían de forma alguna. Simplemente se pararon contra la pared, estacionándose a intervalos regulares. Apoyaban la espalda contra la pared y absorbían el sol. Era bueno hacer algo diferente, era bueno incluso estar de nuevo todos armados, ser una fila de soldados con sus rifles. Los rehenes alzaban las manos por encima de sus cabezas y se estiraban. Algunos se acostaban en la hierba, otros examinaban las flores. Gen no estaba mirando las plantas, sino a los soldados, y cuando encontró a Carmen ella le hizo una inclinación de cabeza casi imperceptible y con un levísimo movimiento de su fusil indicó el árbol de César. Todos se veían felices de estar afuera, a la luz del día. Carmen quería decir: Yo hice esto para ustedes, yo fui la que pidió permiso, pero se mantuvo en silencio. Tenía que apartar la vista de Gen para no sonreír.

Gen encontró a Roxane con el señor Hosokawa, caminando con las manos entrelazadas como si se tratara de otro jardín y estuvieran solos. Esa mañana se veían diferentes, una pareja no tan improbable, y Gen se preguntó si también él se vería diferente. Pensó que quizá no debería molestarlos, pero no tenía idea de cuánto tiempo les permitirían estar afuera.

"Encontré al muchacho", dijo Gen.

"¿Qué muchacho?", dijo el señor Hosokawa.

"El que cantaba."

"Oh, sí, claro, el muchacho."

Gen repitió lo mismo en inglés y los tres juntos fueron hacia un árbol cercano a la sección trasera de la pared.

"¿Está ahí arriba?", preguntó Roxane, pero apenas podía concentrarse, la brisa la distraía, las lujuriosas plantas entrelazadas. Sentía el sol curvarse sobre sus mejillas. Quería tocar la pared, quería meter los dedos entre la hierba. Hasta ese día, nunca en su vida había pensado un instante en la hierba.

"Ése es su árbol."

Roxane inclinó la cabeza hacia atrás y vio las suelas de dos botas colgando de las ramas. Pudo divisar la camisa del muchacho, la parte inferior de su mandíbula. "¿César?"

Una cara miró hacia abajo entre las hojas.

"Dígale que canta maravillosamente", le dijo ella a Gen. "Dígale que quiero ser su maestra."

"Quiere engañarme", respondió César.

"¿Por qué crees que estamos todos en el jardín?", dijo Gen. "¿Crees que esto es engaño también? Ella quería salir a hablar contigo, y los generales decidieron que todos podríamos salir. ¿No te parece eso importante?"

Era verdad. Desde donde se encontraba César podía ver todo: los tres generales y todos los soldados, con excepción de Gilberto y Jesús, estaban afuera. Ellos debían haberse quedado de guardia en la casa. Todos los rehenes andaban caminando por el jardín como borrachos o ciegos, tocando y oliendo, zigzagueando y sentándose de repente. Estaban enamorados del lugar. Si derribaban la pared no se irían. Si los pinchaban en la espalda con un arma y les decían que se fueran, igual regresarían. "Así que están afuera", dijo César.

"No estará planeando quedarse en ese árbol para siempre ¿verdad?", dijo Roxane.

Incluso para César, el hecho de que no lo hubieran llamado para prestar servicio era extraordinario. Él habría ido. Sólo podía imaginar que en la agitación de decidir dejar salir a todo el mundo afuera se habían olvidado de él. Todos se habían olvidado de él, menos Roxane Coss.

"¿Ella no piensa que soy un tonto?"

"Quiere saber si usted no piensa que es un tonto", tradujo Gen.

Ella suspiró ante lo infantil de la idea. "Me parece medio tonto querer quedarse arriba de un árbol, pero no por el canto, en absoluto."

"Tonto por el árbol, no por el canto", informó Gen. "Baja y habla con ella."

"No estoy seguro", dijo César, pero sí lo estaba. Ya se había imaginado a los dos cantando juntos, sus voces elevándose, sus manos juntas.

"¿Y qué vas a hacer, vivir en ese árbol?", dijo Gen. Ya le dolía el cuello de tenerlo doblado así.

"¿Cómo haces para hablar igual que Carmen?", dijo César, al tiempo que se estiraba para alcanzar la rama situada debajo de él. Llevaba mucho rato ahí arriba. Tenía una pierna tiesa y la otra completamente dormida. Al tocar el suelo, sus pies no hicieron nada por sostenerlo y cayó como peso muerto a los pies de los otros, golpeándose la cabeza contra el tronco del propio árbol que lo había sostenido.

Roxane Coss cayó de rodillas y puso sus manos a ambos lados de la cabeza del muchacho. Podía sentir la sangre saltando en sus sienes. "Dios mío, no quería decir que se arrojara del árbol."

El señor Hosokawa vio pasar una sonrisa como un relámpago por la cara de César. Apareció y desapareció con la misma rapidez, aunque el muchacho nunca abrió los ojos. "Dígale a ella que el muchacho está bien. Y dígale al muchacho que ya puede levantarse."

Gen ayudó a César a sentarse y lo apoyó contra el árbol como a una muñeca de trapo. Aunque César tenía un terrible dolor de cabeza quiso abrir los ojos. Roxane Coss estaba agachada tan cerca de él que casi le parecía ver dentro de ella. ¡Mira el azul de sus ojos! son mucho más profundos, más complicados de lo que podría haberse imaginado desde cierta distancia. Todavía vestía su pijama blanco y su bata y a diez centímetros de su nariz las prendas de ella formaban una V donde él podía ver el lugar donde se juntaban sus pechos. ¿Quién era ese viejo japonés que siempre estaba con ella? Era muy parecido al presidente. En realidad, César sospechaba que ese hombre *era* el presidente, por más mentiras que pudiera haber dicho, y había estado todo el tiempo ahí, frente a ellos.

"Presta atención", dijo ella, y el traductor lo repitió en español. Roxane cantó cinco notas. Quería que él escuchara y repitiera, que siguiera las notas. Él podía ver el interior de su boca, como una húmeda cueva color rosa. Era lo más íntimo de todo.

Él abrió la boca e hizo algún ruido, pero después se tocó la frente con los dedos.

"Está bien", dijo ella. "Puedes cantar después. ¿Cantabas en tu casa, antes de venir aquí?"

Pues sí, cantaba como todo el mundo, sin pensar en ello mientras hacía cualquier otra cosa. Podía imitar a los cantantes que oía a veces, cuando funcionaba la radio, pero eso no era tanto cantar como hacer reir a los demás.

"¿Quiere aprender? ¿Está dispuesto a practicar y esforzarse mucho para ver si realmente tiene voz?"

"¿Practicar con ella?", le preguntó César a Gen. "¿Los dos solos?"

"Me imagino que también habría otras personas."

César tocó el brazo de Gen. "Dígale que soy muy tímido. Dígale que trabajaría mucho mejor si pudiéramos estar solos."

"Cuando aprendas inglés puedes decírselo tú mismo", dijo Gen.

"¿Qué es lo que quiere?", preguntó el señor Hosokawa. Estaba de pie al lado de ellos, tratando de proteger del sol los ojos de Roxane.

"Cosas imposibles", dijo Gen. Después se volvió hacia el muchacho y le dijo: "¿Quieres que ella te enseñe a cantar, sí o no?"

"Claro que sí", dijo César.

"Empezaremos esta tarde", dijo Roxane. "Empezaremos con escalas." Tomó la mano de César y le dio unas palmaditas. Él se puso pálido de nuevo y cerró los ojos.

"Dejémoslo descansar", dijo el señor Hosokawa. "El muchacho quiere dormir."

Lothar Falken apoyó la palma completa de las manos contra la pared y estiró los músculos de las piernas, apoyando un talón y después el otro. Se tocó los pies con las manos y balanceó las caderas a un lado y otro, y cuando sintió que sus piernas estaban calientes y ágiles empezó a correr descalzo por el pasto. Los soldados al principio se erizaron, se inclinaron hacia delante y apuntaron sin muchas ganas sus fusiles en dirección del alemán, pero él siguió corriendo. Era un jardín grande en términos de lo que son los jardines de las casas urbanas, pero como pista de carreras aún era pequeño, y en pocos minutos Lothar desapareció de la vista de todos por un lado de la casa y reapareció por el otro, con la cabeza alta y los brazos bombeando a los lados del pecho. Era un hombre delgado con piernas largas y elegantes, y si bien nadie podía haberlo notado cuando se pasaba los días tumbado en un sofá, aquí al sol, corriendo en círculos alrededor de la mansión vicepresidencial, era fácil ver que el fabricante de productos farmacéuticos había sido atleta alguna vez. Con cada paso sentía de nuevo su cuerpo, la relación de los músculos con los huesos, el oxígeno agitándole la sangre. Sus pies se apoyaban con fuerza en el suelo, a cada paso se hundían un poco más profundo en el pasto tupido. Después de un rato Manuel Flores, de España, empezó a correr a su lado, le siguió el paso por algún tiempo y después se quedó atrás. Simon Thibault echó a correr y demostró ser casi tan bueno como Falken. Victor Fyodorov entregó su cigarrillo a su amigo Yegor y corrió dos vueltas. El día estaba tan lindo que correr parecía lo apropiado. Se desplomó exactamente donde había comenzado, con un corazón que palpitaba con furia frenética entre las costillas.

Mientras los otros corrían, Rubén Iglesias arrancaba hierbas de uno de los muchos canteros de flores. Era un gesto muy pequeño frente a todo lo que había que hacer, pero lo único que podía hacer era empezar. Óscar Mendoza y el joven sacerdote se arrodillaron para ayudarlo.

"Ismael", le dijo el vicepresidente a su joven amigo. "¿Qué haces ahí parado deteniendo la pared? Ven aquí y ayúdame a trabajar. Podemos mover la tierra con ese rifle del que estás tan orgulloso."

"No se la tome con el muchacho", dijo Óscar Mendoza. "Es el único que me cae bien."

"Usted sabe que no puedo ir", dijo Ismael, pasándose el rifle al otro hombro.

"Ah, claro que podrías", dijo Rubén. "Es sólo que no quieres ensuciarte las manos. Quieres tenerlas limpias para jugar al ajedrez. No quieres trabajar." Rubén le sonrió al muchacho. Realmente deseaba que pudiera acercarse. Le enseñaría a distinguir entre las flores y las hierbas dañinas. Se descubrió pensando que Ismael podría ser su hijo, su otro hijo. Ambos eran más bien pequeños, y de todos modos la gente cree cualquier cosa que se les diga. Había abundante espacio para un muchacho más, un muchacho pequeño.

"Yo trabajo", dijo Ismael.

"Yo lo he visto", dijo Óscar Mendoza frotándose las manos para quitarse la tierra. "Él hace más que todos los demás. Quizá no sea tan grande, pero es fuerte como un buey, y listo. Hay que ser inteligente para ganar partidas de ajedrez."

El hombrón se volvió hacia el muro, hacia el muchacho: "Ismael, yo te daría un empleo si eso es lo que quieres. Cuando esto termine puedes venir y trabajar para mí."

Ismael estaba habituado a que se burlaran de él. Sus hermanos se habían burlado de él en forma cruel. Los otros soldados también se burlaban de él. Una vez decidieron que era un balde, le amarraron los pies y lo bajaron cabeza abajo a un pozo, hasta que su cabeza se sumergió en el agua fría. Pero le gustaba la forma en que el vicepresidente se burlaba de él porque le hacía sentir que lo distinguía como a alguien especial. En cambio de Óscar Mendoza no estaba seguro. En su expresión no había nada que indicara que hablaba en broma.

"¿No quieres un empleo?", dijo Óscar Mendoza.

"No necesita un empleo", dijo Rubén, arrancando un manojo de hierbas para reunirlas en su regazo. Vio su oportunidad. Óscar Mendoza le había dado el pie. "Ismael vivirá conmigo y tendrá todo lo que necesita."

Óscar miró a su amigo y los dos hombres vieron que el otro hablaba en serio. "Todo hombre necesita un empleo", dijo. "Puede vivir contigo y trabajar para mí. ¿No te gustaría eso, Ismael?"

Ismael colocó su rifle entre sus pies y los miró. ¿Él iba a vivir en esa casa? ¿A quedarse ahí? ¿Iba a tener un empleo y ganar su propio dinero? Sabía que debía reirse y decirles que lo dejaran en paz. O hacer una broma de todo ello por su cuenta. Ni muerto viviría en esa casa. Era la única forma de responder cuando se burlan de uno. Reirse de ellos. Pero no podía. Tenía demasiados deseos de creer que le estaban diciendo la verdad. "Sí." Fue todo lo que pudo decir.

Óscar Mendoza le tendió a Rubén Iglesias una mano sucia de tierra y los dos hombres se dieron un fuerte apretón. "Esto es por ti", dijo Rubén, y su voz traicionaba la felicidad. "Estamos sellando el trato." Iba a tener otro hijo. Adoptaría al muchacho legalmente, y después de eso el muchacho sería conocido como Ismael Iglesias.

El sacerdote, que sólo había estado observando, ahora descansaba en sus talones, las manos sucias sobre los muslos. Sintió que algo frío y sobrecogedor se movía en su corazón. No deberían estar hablando de Ismael en esta forma. Olvidaban las circunstancias. La única manera de que las cosas funcionaran sería que todo permaneciera exactamente así, que nadie hablara del futuro, pues hablar de éste podría traerlo consigo.

"El padre Arguedas te enseñará el catecismo aquí ¿verdad, padre? Puede volver a la casa para sus lecciones y comer con nosotros." Ahora Rubén estaba perdido en su historia, deseó poder llamar a su esposa y darle la noticia. Se lo diría a Messner y éste la llamaría. En cuanto conociera al muchacho lo querría tanto como él.

"Claro que sí", dijo el padre Arguedas. Su voz sonó débil, pero nadie se dio cuenta.

DIEZ

El senor Hosokawa podía encontrar su camino en la oscuridad. Algunas noches cerraba los ojos en lugar de forzarlos tratando de ver algo. Conocía los horarios y hábitos de cada guardia, sabía por dónde caminaban y dónde dormían. Sabía quién se acostaba en el suelo y cómo pasar por encima de él con mucho cuidado. Palpaba las esquinas de las paredes con la punta de los dedos, evitaba las tablas que crujían y era capaz de hacer girar el pestillo de una puerta tan silenciosamente como cae una hoja. Llegó a ser tan eficiente para andar por la casa que pensó que aun cuando no tuviera a donde ir podría sentir la tentación de levantarse a estirar las piernas, ir de cuarto en cuarto sólo porque podía hacerlo. Hasta se le ocurrió que ahora podría escaparse si quería, recorrer el sendero del frente hasta el portón y salir a la libertad. Pero no quería.

Todo lo que sabía lo había aprendido de Carmen, quien le enseñó sin ayuda de ningún traductor. No es necesario hablar para enseñarle a alguien a actuar en total silencio. En poco más de dos días Carmen le enseñó todo lo que necesitaba saber desesperadamente, él seguía llevando su libretita y agregaba diez palabras nuevas cada mañana, pero en cuanto a memorizarlas luchaba contra la corriente. Para el silencio, en cambio, tenía un don. Se daba cuenta por la aprobación que veía en los ojos de Carmen, por el contacto leve de sus dedos sobre el dorso de su mano. Ella le enseñó a ir de un lugar a otro por la casa a la vista de todos y sin que nadie lo viera: le enseñó a ser invisible. Así fue como aprendió a ser humilde, a no suponer que todos notan quién es uno y adónde va. El señor Hosokawa sólo vio el genio de Carmen cuando ella empezó a enseñarle, porque ese genio era el de no ser vista. Qué difícil debía resultar eso para una muchacha bonita en una casa llena de hombres inquietos, y sin embargo él descubrió que ella no llamaba la atención en absoluto. Se las había arreglado para pasar por un muchacho y después, lo que era aún más impresionante, había logrado hacerse por completo olvidable luego de haberse revelado que era una joven bonita. Cuando Carmen atravesaba una habitación sin querer ser vista casi no movía el aire a su alrededor. No es que anduviera con disimulo. No corría a ocultarse detrás del piano y después de un sillón. Caminaba por el medio del recinto sin hablar, con la cabeza erguida, sin hacer ningún sonido. En realidad había estado enseñándole esa lección al señor Hosokawa desde el día en que estuvieron juntos por primera vez en la casa, pero sólo ahora conseguía entenderla.

Ella podría haberlo acompañado arriba todas las noches, y así se lo dijo a Gen, pero era mejor que él supiera ir por su cuenta. Nada hace tan torpe a la gente cómo el miedo, y ella podía mostrarle cómo hacer para no tener miedo.

"Es una muchacha extraordinaria", le dijo a Gen el señor Hosokawa.

"Así parece", dijo Gen.

El señor Hosokawa le dirigió una sonrisa discreta, condescendiente, y fingió que no había más que decir. Eso también era parte de la historia. La vida privada. Ahora el señor Hosokawa tenía una vida privada. Siempre se había considerado a sí mismo un hombre privado, pero ahora veía que antes no había nada privado en su vida. Eso no significaba que antes no tuviera secretos y ahora sí, sino que esta vez había algo que era estrictamente entre él y una sola persona más, algo que era tan propio de ellos que habría sido inútil siquiera intentar hablarle de ello a otra persona. Ahora se preguntaba si todos tendrían una vida privada. Se preguntaba si su esposa la tenía. A lo mejor durante todos esos años él había sido el único que no sabía que existía todo un mundo del que nadie hablaba jamás.

Durante la primera parte de su cautiverio el señor Hosokawa dormía toda la noche, pero ahora sabía dormir y despertar en la oscuridad más densa sin ayuda de ningún reloj. Con frecuencia, cuando despertaba, Gen no estaba en su sitio. Entonces se levantaba y caminaba, tan apacible, tan por encima de toda sospecha, que si alguien se despertara y lo veía pensaría que sólo iba a tomar agua. Pasó por sobre sus vecinos, sus compatriotas, y fue hasta las escaleras del fondo, detrás de la cocina. Una vez vio luz por debajo de la puerta de un cuartito y creyó oir voces, pero no se detuvo a ver de qué se trataba. No lo preocupaba, y eso era parte de ser invisible. Ascendía los escalones flotando. Nunca se había sentido tan cómodo en su propia piel, pensaba que nunca había estado tan vivo, a la vez que nunca había parecido tanto un fantasma. Estaría bien ascender por siempre esa escalera, habría sido eternamente el amante en busca de su amada. En ese momento era feliz, y más feliz con cada escalón que subía. Deseó poder detener el tiempo. Por mucho que el amor lo abrumara, el señor Hosokawa nunca podía olvidar por completo la verdad: que cada noche que estaban juntos debía verse como un milagro por cien razones diferentes, entre ellas el hecho de que en cualquier momento terminarían esos días, otros los terminarían por ellos. Trató de no entregarse a la fantasía: divorciarse, seguirla de ciudad en ciudad, sentado en la primera fila de todos los teatros de ópera del mundo. Lo habría hecho con alegría, habría renunciado a todo por ella. Pero entendía que vivían momentos extraordinarios, y que si alguna vez les tocaba regresar a sus antiguas vidas, ya nada sería lo mismo.

La mayoría de las veces, cuando abría la puerta de la habitación de ella tenía los ojos llenos de lágrimas, y agradecía la oscuridad. No quería que Roxane pensara que algo andaba mal. Ella se acercaba y él apoyaba el rostro húmedo contra su cabello que olía a limones. Estaba enamorado, y nunca en su vida había sentido tanta ternura hacia otra persona. Nunca había recibido tanta ternura. Tal vez la vida privada no fuera para siempre. Tal vez cada quien tenía una por algún tiempo y después pasaba recordándola el resto de sus días.

En el cuartito de la porcelana, Carmen y Gen tomaron una resolución: debían estudiar dos horas enteras antes de hacer el amor. Carmen seguía igual de seria en su aprendizaje de la lectura y escritura en español, y en realidad había hecho grandes progresos. Con algunas vacilaciones, ahora podía leer un párrafo entero sin tener que pedir ayuda. Y estaba totalmente comprometida en aprender inglés. Ya sabía conjugar diez verbos y conocía por lo menos cien sustantivos y otras palabras.

Y tenía esperanzas acerca del japonés, para poder hablar con Gen en su propia lengua cuando estuvieran juntos en la cama, de noche, después que todo esto terminara. Y Gen también estaba decidido a continuar con las lecciones: no tendría sentido abandonarlas cuando habían llegado tan lejos, sólo porque estaban enamorados. ¿Acaso el amor no era eso? ¿Querer lo mejor para otra persona, ayudarse mutuamente como se ayudaban Carmen y Gen? No; ellos seguirían estudiando y practicando durante horas igual que antes. Después de eso quedaban libres y podían hacer con su tiempo lo que quisieran. Carmen había robado el reloj de la cocina y se pusieron a trabajar.

Primero el español. Carmen había encontrado una mochila llena de libros de la escuela en el clóset de la hija del vicepresidente, libros finos con imágenes en la portada de perritos jugando y otro libro más grueso, con líneas enteras y líneas punteadas para practicar la escritura. La niña sólo había usado cinco páginas. Había escrito el alfabeto y sus números. Había escrito una y otra vez su nombre, *Imelda Iglesias*, con letras de curvas delicadas. Debajo de eso Carmen escribió su propio nombre y después las palabras que Gen le dictaba: *pescado, calcetín, sopa*. Pero lo único que él deseaba era apoyar sus labios contra la piel de su cuello. No interrumpiría la clase. Ella estaba inclinada sobre el cuaderno, esforzándose por hacer sus letras tan lindas como las de la hija del vicepresidente, de ocho años. Dos espesos mechones de cabello cayeron sobre el cuaderno. Carmen los ignoró y en su concentración se metió todo el labio inferior en la boca. Él se preguntó si sería posible morir de desear tanto a alguien. En ese minúsculo cuartito lleno de platos lo único que él podía oler era a ella: limones, el olor a polvo y a sol de su uniforme, y el aroma más suave y más complicado de su piel. Treinta segundos para besarla en el cuello no era mucho pedir. Ni siquiera le importaría si ella seguía escribiendo. La besaría con tanta delicadeza que su lápiz nunca necesitaría dejar la página.

Cuando ella alzó la vista el rostro de él estaba muy próximo al suyo y ya no pudo recordar la palabra que él había dicho, y si él la hubiera dicho de nuevo ella sería incapaz de deletrearla y probablemente ni siquiera de trazar la curva de una letra sobre una línea recta. Todo lo que quería era un beso, un solo beso para aclararse la cabeza y después se dedicaría por entero al trabajo, no más distracciones. No conseguía reprimirse, ni parpadear. Estaba segura de que con un beso podría estudiar toda la noche. No por eso dejaría de ser estudiosa. Y de todos modos en ese momento no tenía cabeza para las letras, sólo podía pensar en el pasto, el pasto y los árboles y el oscuro cielo nocturno, el olor de los jazmines la primera vez que él le quitó la camisa por encima de la cabeza y cayó de rodillas para besarle el estómago, los pechos.

"Pastel", dijo Gen con voz insegura.

Quizá hubiera sido entrenada en formas que ni ella misma entendía, como un perro de policía, y *pastel* era la palabra que la liberaba, porque apenas él la dijo ella cayó sobre él, mientras el cuaderno y el lápiz se resbalaban por el piso. Lo devoró en grandes bocados, apretó su lengua contra la de él y rodaron juntos contra los armarios más bajos donde se apilaban los platos soperos, bien encajados uno en el otro.

Esa noche no volvieron a trabajar.

Por eso a la noche siguiente tomaron otra resolución: una hora de trabajo antes de ceder. Y se aplicaron con la mayor seriedad. Pero en realidad ese plan funcionó tres minutos menos que el de la noche anterior. Estaban desesperados, hambrientos, temerarios, y volvían a hacer todo lo que hacían.

Experimentaron con periodos más cortos pero todas las tentativas fracasaron hasta que a Gen se le ocurrió el siguiente plan: harían el amor de inmediato, apenas cerraran la puerta detrás de ellos, y después de eso estudiarían. Ése fue con mucho el plan que tuvo más éxito, a veces se dormían un rato, Carmen apretada contra el pecho de Gen, él dentro del anzuelo que era el brazo de Carmen. Como soldados vencidos en la batalla, quedaban tendidos donde caían. Otras veces tenían que hacer el amor de nuevo porque la primera vez se les olvidaba apenas terminaban, pero en general se las arreglaban para trabajar un poco. Mucho antes de que empezara a clarear se daban el beso de despedida y Carmen regresaba a dormir en el corredor frente a la puerta de Roxane y Gen a su sitio en el suelo, junto al sofá del señor Hosokawa. A veces detectaban algún levísimo sonido de su movimiento cuando bajaba las escaleras. A veces Carmen se cruzaba con él en el corredor.

¿Acaso los demás sabían? Era posible, pero no habían dicho nada. Sospechaban sólo del señor Hosokawa y Roxane Coss, quienes no vacilaban en tomarse de la mano e intercambiar algún breve beso durante el día. Si alguien desconfiaba de Carmen y Gen, quizá sólo sospechaba que ayudaban a la otra pareja a encontrarse. Por improbable que pudiera parecer a la mayoría de quienes los rodeaban, el señor Hosokawa y Roxane Coss pertenecían a la misma tribu, la tribu de los rehenes. Tantas personas estaban tan enamoradas de ella que, por supuesto, ella tenía que enamorarse de alguna. Pero Gen y Carmen eran otra cosa. Aunque los generales confiaran en las traducciones y pulidas calificaciones secretariales de Gen, aun cuando lo consideraban muy brillante y bastante agradable, nunca olvidaban quién era. Y aun cuando todos los rehenes sentían un afecto especial por Carmen, por el modo como mantenía los ojos bajos, por su indisposición para apuntar directamente a alguien con su rifle, cada vez que los generales llamaban, ella iba a pararse al lado de ellos.

No hacía mucho la vida había mejorado para todos los rehenes, no sólo para los que estaban enamorados. Después de abrirse una vez, la puerta del frente siguió abriéndose regularmente. Todos los días salían a disfrutar del fuerte sol. Lothar Falken alentó a los demás hombres a correr con él. Todos los días los guiaba en una serie de ejercicios y después salían como una jauría dando vuelta tras vuelta a la casa. Los soldados jugaban futbol con una pelota que habían encontrado en el sótano y algunos días hubo verdaderos partidos, terroristas contra rehenes, pero como los terroristas eran mucho más jóvenes y estaban en excelente forma gracias a su entrenamiento, casi siempre ganaban.

A menudo, cuando llegaba Messner los encontraba a todos en el jardín. Ese día el sacerdote levantó los ojos del trabajo que estaba haciendo con una azada y lo saludó con la mano.

"¿Cómo anda el mundo?", le dijo el padre Arguedas.

"Impaciente", dijo Messner. Su español era cada día mejor pero seguía pidiendo la presencia de Gen.

El padre Arguedas indicó la figura del traductor acostada debajo de un árbol. "Durmiendo. Es terrible lo que lo hacen trabajar. Y a usted también, a usted también lo hacen trabajar durísimo. Si me permite decirlo, parece usted cansado."

Era cierto que recientemente Messner había perdido

la sangre fría que tanto había tranquilizado a todos al principio. Había envejecido diez años en los cuatro meses y medio que ellos llevaban viviendo allí, y mientras que a todos los demás parecía importarles cada vez menos, a Messner evidentemente le importaba cada vez más. "No me hace bien tanto sol", dijo Messner. "Todos los ciudadanos suizos estamos hechos para vivir a la sombra."

"Hace mucho calor", dijo el sacerdote. "Pero las plantas están muy bien: lluvia, sol, sequía, nada las detiene."

"No quiero interrumpir su trabajo." Messner dio una palmada en el hombro al padre Arguedas, recordando que varias veces habían tratado de dejarlo ir y él no habia querido aprovechar una sola. Se preguntó si al final el padre Arguedas tendría que lamentar haberse quedado. Era probable que no. Las lamentaciones no parecían formar parte de su naturaleza, como formaban parte de la de Messner.

Paco y Renato acudieron corriendo desde la extensión de césped al lado de la casa, que ahora llamaban "la cancha", e hicieron un intento muy desganado de revisarlo que no pasó de algunas palmaditas a la altura de sus bolsillos. Después volvieron corriendo al juego, que se había detenido para ese fin.

"Gen", dijo Messner, tocándolo en el hombro con la punta del zapato. "Por el amor de Dios, despierte."

Gen dormía el sueño de quien ha tomado un tranquilizante muy fuerte. Tenía la boca floja y abierta y los brazos sueltos a los lados. De su garganta salía un leve ronquido.

"Hey, traductor", inclinándose, tomó uno de los párpados de Gen entre el pulgar y el índice. Gen lo apartó con un brazo y abrió los ojos lentamente.

"Usted habla español", dijo Gen con la lengua trabada. "Desde el principio podía hablar. Ahora déjeme tranquilo." Se volvió sobre un costado y alzó las rodillas hacia el pecho.

"Yo no hablo español. No hablo nada. Levántese." A Messner le pareció sentir un levísimo movimiento en la tierra. De seguro Gen tenía que sentirlo también, con la mejilla apoyada contra el pasto. ¿Era su imaginación que la tierra podría hundirse de pronto debajo de ellos? ¿Hasta dónde saben los ingenieros? Nadie podía asegurar que el suelo no iba a tragarlos, a la cantante de ópera y a los delincuentes comunes en el mismo y fatal bocado. Messner cayó de rodillas, apretó las palmas de las manos contra el suelo y después decidió que sólo estaba experimentando demencia temporal. Volvió a sacudir a Gen. "Escúcheme", le dijo en francés. "Tenemos que convencerlos de que se rindan. Hoy. Esto no puede seguir así. ¿Me entiende?"

Gen se volvió hasta quedar bocarriba, se estiró como un gato y luego dobló los brazos bajo su cabeza. "Y después convenceremos a los árboles de que les broten plumas azules. ¿No se ha dado cuenta de nada, Messner? No se van a dejar convencer. Mucho menos por gente como nosotros."

Gente como nosotros. Messner se preguntó si Gen quería insinuar que él no había hecho su trabajo lo suficientemente bien. Cuatro meses y medio viviendo en un hotel a medio mundo de distancia de Ginebra cuando él en un principio había venido aquí de vacaciones. Las dos partes eran intratables, y lo que la parte que estaba dentro de esas paredes no entendía era que los gobiernos *siempre* eran intratables, en cualquier país y en cualesquiera circunstancias. El gobierno no cede, y cuando decían que estaban cediendo mentían, eso era seguro. Desde el punto de vista de Messner, su trabajo no era encontrar una solución a golpes repetidos, sino evitar que aquello acabara en una tragedia. Y no le quedaba mucho tiempo para ese trabajo. A pesar del golpeteo rítmico de los corredores y los muchachos que jugaban al futbol, sentía sin lugar a dudas que algo estaba pasando debajo del suelo.

El símbolo de la Cruz Roja, igual que el propio símbolo de Suiza, significaba neutralidad pacífica. Messner había dejado de usar su brazalete hacía mucho tiempo, pero no por ello creía menos en esa neutralidad pacífica. Los miembros de la Cruz Roja llevaban alimentos y medicinas, a veces transportaban papeles para arbitrajes, pero no eran topos. No espiaban. No pasaban información de un lado a otro. Joachim Messner jamás les habría dicho a los terroristas lo que planeaban los militares, como tampoco les habría dicho a los militares lo que sucedía al otro lado de la pared.

"Levántese", dijo de nuevo.

Con torpeza, Gen se sentó y levantó un brazo para que Messner lo ayudara a ponerse de pie. ¿Acaso estaban de picnic? ¿Era posible que hubieran estado bebiendo tan temprano? Nadie parecía estar sufriendo en lo más mínimo. De hecho, todos se veían sonrosados y llenos de energía. "Es probable que los generales todavía estén por la cancha", dijo Gen. "A lo mejor están jugando."

"Tiene que ayudarme", dijo Messner.

Gen se alisó el cabello con los dedos hasta darle una apariencia de orden y después, por fin despierto, echó un brazo sobre los hombros de su amigo. "¿Y cuándo no lo he ayudado?"

Los generales no estaban jugando futbol pero sí estaban sentados al borde de la cancha en tres sillas de hierro forjado traídas del patio. El general Alfredo les gritaba instrucciones a los jugadores, el general Héctor observaba en concentrado silencio y el general Benjamín volvía la cara hacia arriba para recibir el sol. Los tres tenían los pies hundidos en el pasto alto.

Gilberto hizo un excelente tiro y Gen esperó a que la jugada terminara para anunciar al visitante. "Señor", dijo, dirigiéndose a quienquiera que lo mirase. "Aquí está Messner."

"Otro día", dijo el general Héctor. La otra patilla de sus lentes se había roto esa mañana y ahora los usaba como *pince-nez*.

"Necesito hablar con ustedes", dijo Messner. Si en su voz había una urgencia nueva, ninguno de los otros la percibió entre los gritos y las exclamaciones de los jugadores.

"Permiso para hablar", dijo el general Héctor. El general Alfredo nunca había apartado los ojos del juego y el general Benjamín no había abierto los suyos para nada.

"Necesito hablar con ustedes adentro. Tenemos que hablar de las negociaciones."

Entonces el general Alfredo volvió la cabeza en dirección a Messner. "¿Por fin están dispuestos a negociar?"

"La negociación de ustedes."

El general Héctor agitó ligeramente una mano hacia Messner como si nunca hubiera estado tan aburrido en toda su vida. "Usted nos está quitando el tiempo." Volvió de nuevo su atención al juego y gritó: "¡Francisco! ¡La pelota!".

"Escúchenme con seriedad", dijo Messner en francés y en voz baja. "Por una vez. Yo he hecho mucho por ustedes. Les he traído comida y cigarrillos. He llevado sus mensajes. Ahora les pido que se sienten a hablar conmigo." Aun bajo ese sol brillante la cara de Messner se veía descolorida. Gen lo miró y tradujo el mensaje, tratando de mantener el tono de voz de Messner. Gen y Messner estaban allí de pie, pero los generales nunca volvieron a alzar la vista. Normalmente Messner tomaba eso como una señal para marcharse, pero esta vez se quedó donde estaba, con los brazos cruzados sobre el pecho, y esperó.

"¿Es suficiente?", susurró Gen en inglés, pero Messner no lo miró. Esperaron así más de media hora.

Al final el general Benjamín abrió los ojos. "Muy bien", dijo, con una voz tan cansada como la de Messner. "Iremos a mi oficina."

César, que se había mostrado tan valiente al cantar el aria de *Tosca* delante de todos, en realidad prefería practicar por la tarde cuando todos los demás estaban afuera, sobre todo porque con frecuencia practicar significaba hacer escalas, que le resultaban degradantes. Y nunca estaba a solas con Roxane Coss, la intimidad no existía. Kato estaba allí para tocar el piano y el señor Hosokawa también porque siempre estaba allí. Hoy Ismael, que siempre acababa humillado en el futbol, había colocado el tablero de ajedrez en una mesita cerca del piano y jugaba con el señor Hosokawa. Tanto él como César tenían sus armas y si los dos preferían permanecer en la casa naturalmente quedaban de guardia. Si César se quejaba de que otros se quedaban para escuchar y si había alguien que pudiera traducir sus palabras al inglés y la respuesta de vuelta al español (había varias personas que podían hacerlo), Roxane Coss le diría que el canto era para ser escuchado por otros y más valía que se fuera acostumbrando. Él quería aprender canciones, arias, óperas enteras, pero ella casi sólo lo hacía cantar escalas y frases sin sentido. Lo hacía rugir y mover los labios y contener el aliento hasta que tenía que desplomarse en un asiento y meter la cabeza entre las rodillas. Él habría invitado a todo el mundo si Roxane le hubiera permitido cantar una canción con el piano, pero eso le había dicho ella, era algo que tenía que ganarse.

"¿Ahora hay un muchacho que canta?", preguntó Messner. "¿Ése es César?" Se detuvo en el salón para escuchar y el general Benjamín y Gen se detuvieron con él. Las mangas de la chaqueta de César eran muy cortas y sus muñecas colgaban como palos de escoba, con las manos flojas.

Era evidente que el general Benjamín estaba orgulloso del chico. "Ya hace semanas que canta. Es que usted siempre llega a las horas equivocadas. César siempre está cantando. La señorita Coss dice que tiene condiciones para llegar a ser grande, tan grande como ella."

"Recuerda la respiración", dijo Roxane, y aspiró profundo para mostrarle lo que quería decir.

César tropezó con una nota, súbitamente nervioso al ver allí al general.

"Pregúntele a ella qué tal va", le dijo el general a Gen.

Roxane colocó su mano sobre el hombro de Kato y él alzó los dedos de las teclas como si ella hubiera apretado un botón para apagar. César cantó tres notas más y se detuvo al percibir que la música se había ido. "En realidad llevamos muy poco tiempo, pero creo que tiene un enorme potencial."

"Déjelo que cante su canción para el señor Messner", dijo el general Benjamín. "Hoy Messner necesita una canción."

Roxane Coss estuvo de acuerdo. "Escuche esto", dijo. "Hemos estado trabajando en ello."

Cantó unas pocas palabras en voz baja para que César supiera lo que debía cantar. El muchacho no sabía leer ni escribir en español y tampoco conocía el italiano, pero tenía una capacidad extraordinaria para memorizar y repetir un sonido, y repetirlo con tal *pathos* que el oyente sólo podía imaginar que entendía lo que estaba diciendo. Después Kato empezó a tocar la introducción a "Malinconia, ninfa gentile" de Bellini, la breve primera canción de las *Sei ariette*. Gen reconoció la música. La había oído salir flotando por las ventanas por las tardes. El muchacho cerró los ojos y después miró al techo: "Oh Melancolía, ninfa gentil, a ti te consagro mi vida." Cuando olvidó una frase, Roxane Coss la cantó con una sorprendente voz de tenor: "Fuentes y colinas pedí a los dioses; me escucharon por fin". Después César repitió la misma frase. Era algo parecido a ver un ternero recién nacido ponerse de pie por primera vez sobre patas vacilantes, torpe y bello al mismo tiempo. Con cada paso aprendía a caminar, con cada nota cantaba con más seguridad. Era una canción muy breve y pareció terminar tan pronto había empezado. El general Benjamín aplaudió y Messner silbó.

"No lo elogien demasiado", dijo Roxane Coss, "o lo arruinarán."

César, con el rostro enrojecido por el orgullo o por la falta de aliento, inclinó la cabeza hacia ellos.

"Bueno, nadie lo diría al verlo", dijo el general Benjamín mientras recorría el pasillo trasero hacia su oficina con Messner y Gen. Y era verdad. La única cosa más torcida que los dientes de César era su nariz. "Da que pensar. Cuántas cosas notables podríamos haber hecho con nuestras vidas si sólo hubiéramos imaginado que sabíamos cómo."

"Yo sé que nunca cantaré", dijo Messner.

"Yo también lo sé", dijo el general Benjamín encendiendo la luz de la habitación. Los tres hombres tomaron asiento.

"Quiero decirle que pronto ya no me permitirán seguir viniendo aquí", dijo Messner.

Gen dio un respingo. ¿Cómo vivir sin Messner?

"Lo corren de su empleo", dijo el general.

"El gobierno considera que ya ha dedicado suficiente esfuerzo a las negociaciones."

"Yo no he visto esfuerzo alguno. No nos han hecho ninguna oferta razonable."

"Le estoy diciendo esto porque les tengo simpatía", dijo Messner. "No voy a fingir que somos amigos, pero deseo lo mejor para todos los que están aquí; desistan de esto. Háganlo hoy. Salgan caminando cuando haya mucha gente para verlos y ríndanse." Messner sabía que no sonaba convincente y, sin embargo, no tenía idea de cómo hacer que lo fuera. En su confusión iba saltando de una lengua a otra por todas las que conocía: el alemán que había hablado en su casa, de niño, el francés que había empleado en la escuela, el inglés de los cuatro años que había pasado en Canadá, en su adolescencia y el español que cada día hablaba mejor. Gen hacía lo posible por seguir esta costura de retazos, pero a cada frase tenía que detenerse a pensar. Esa incapacidad de Messner de permanecer en un mismo país era lo que asustaba a Gen, más que lo que estaba diciendo. No tenía tiempo de concentrarse en sus palabras.

"¿Y qué hay de nuestras demandas? ¿Les ha hablado a ellos de la misma manera? ¿Les ha hablado como amigos?"

"Ellos no van a ceder nada", dijo Messner. "No hay

ninguna esperanza, por mucho que ustedes esperen aquí. Tiene que confiar en mi palabra."

"Entonces mataremos a los rehenes."

"No, no lo harán", dijo Messner frotándose los ojos con los dedos. "Se lo dije la primera vez que los vi: ustedes son hombres razonables. Aunque maten a alguien, eso no cambiará el resultado. Al contrario, en ese caso el gobierno estará aún menos inclinado a tratar con ustedes."

Desde el salón, al otro extremo del largo corredor, podían oir que Roxane cantaba una frase y después César la repetía. La repasaban una y otra vez y esa repetición era hermosa.

Benjamín escuchó la música por un tiempo y después, como si hubiera oído una nota que no estaba de acuerdo con él, golpeó con el puño la mesa donde solían jugar ajedrez. No tenía importancia, porque el tablero estaba en otra parte. "¿Por qué nos toca a nosotros hacer todas las concesiones? ¿Esperan que renunciemos a todo sólo porque tenemos una historia tan larga de renuncias? Yo estoy tratando de liberar a hombres que conozco de la prisión. No estoy tratando de reunirme con ellos allá. No tengo intención de meter a mis soldados en esas cuevas. Antes preferiría verlos muertos y enterrados."

Es posible que los vea muertos, pensó Messner, pero no tendrá oportunidad de verlos enterrados. Suspiró. No había otro lugar como Suiza. En verdad, el tiempo se había detenido. Él siempre había estado allí y siempre estaría allí. "Me temo que ésas son sus dos opciones", dijo.

"La entrevista ha terminado." El general Benjamín se puso de pie. El curso de esa historia podía trazarse en su piel, que ahora ardía. Las lesiones del herpes lanzaban llamas con cada palabra que pronunciaba y con cada palabra que oía.

"No puede haber terminado. Tenemos que hablar hasta que lleguemos a algún acuerdo, es imperativo. Le ruego que piense en eso."

"Messner ¿qué otra cosa cree que hago todo el día?", dijo el general, y salió de la habitación.

Messner y Gen se quedaron solos en la suite para invitados, donde los rehenes no podían estar sin guardia. Escucharon dar el mediodía al pequeño reloj francés esmaltado. "Creo que no soporto más esto", dijo Messner después de varios minutos.

¿Soportar qué? Gen sabía que todo estaba cada vez

mejor, y no sólo para él. La gente estaba más alegre. Mírelos, ahí estaban ahora todos afuera; él podía verlos por la ventana, corriendo. "Es un empate", dijo Gen. "Quizá permanente. Si nos dejan aquí para siempre nos las arreglaremos."

"¿Está usted loco?", dijo Messner. "Usted era antes la persona más inteligente de aquí, y ahora está tan loco como todos ellos. ¿Piensa usted que van a dejar el muro ahí y tratar esto como si fuera un zoológico, traerles la comida todos los días y tal vez cobrar la entrada? 'Pasen a ver rehenes indefensos y malvados terroristas en coexistencia pacífica.' Esto no puede continuar indefinidamente. Alguien le va a poner fin, y tenemos que tomar una decisión sobre quién va a ser el que lo haga."

"¿Cree usted que los militares tienen algún plan?"

Messner lo miró con intensidad: "El hecho de que ustedes estén encerrados aquí no significa que el resto del mundo se haya detenido".

"¿Quiere decir que los arrestarán?"

"Si tienen mucha suerte."

"¿A los generales?"

"A todos."

Pero "todos" no podía incluir a Carmen. No podía incluir a Beatriz, ni a Ismael, ni a César. Recorriendo la lista, Gen no encontró alguno al que él estaría dispuesto a entregar, ni siquiera a los prepotentes o los tontos. Él se casaría con Carmen. Haría que el padre Arguedas los casara y sería legal, de modo que cuando vinieran por ellos él podría decir que era su esposa. Pero eso sólo salvaría a una persona, aunque era la más importante. Para los demás no se le ocurría nada. ¿Cómo había llegado a querer salvarlos a todos? Esos tipos que lo seguían por todas partes con armas cargadas. ¿Cómo había llegado a querer a tanta gente?

"¿Y qué hacemos?", dijo Gen.

"Puede tratar de convencerlos de que se rindan," dijo Messner. "Pero sinceramente, ni siquiera estoy seguro de que eso pueda servirles de algo."

Toda su vida, Gen se había esforzado por aprender: la *R* profunda del italiano, los racimos de vocales del danés. De niño, en Nagano, se sentaba en un banco alto en la cocina e imitaba el acento estadunidense de su madre mientras ella picaba verduras para la cena. Ella había ido a la escuela en Boston y hablaba francés e inglés. El padre de su padre había trabajado en China en su juventud y por lo tanto hablaba chino y había estudiado ruso en la universidad. En su infancia le parecía que a cada hora cambiaban de lengua, y Gen era perfectamente capaz de seguirles el paso. Él y sus hermanas jugaban con palabras en lugar de juguetes. Él estudiaba y leía, escribía sustantivos en tarjetas, escuchaba grabaciones en otras lenguas en el metro. Nunca paraba. Aun cuando era un políglota natural, nunca confiaba sólo en su talento: estudiaba. Había nacido para estudiar.

Pero esos últimos meses le habían dado vuelta y ahora Gen veía que olvidar lo que uno sabía podía ser tan meritorio como reunir información nueva. Se esforzaba por olvidar con la misma intensidad con que se había esforzado por aprender. Lograba olvidar que Carmen era un soldado de la organización terrorista que lo había secuestrado. Y eso no era fácil. Todos los días se obligaba a practicar hasta que lograba mirar a Carmen y verla únicamente como la mujer que amaba. Olvidaba el futuro y el pasado. Olvidaba su país, su trabajo y lo que sería de él cuando todo esto hubiera terminado. Olvidaba que la vida que llevaban allí tenía que terminar alguna vez. Y Gen no era el único. También Carmen olvidaba. No recordaba que había recibido órdenes directas de no formar vínculos emocionales con los rehenes. Cuando sentía que tenía que luchar para dejar que ese conocimiento tan importante se fuera de su memoria, otros soldados la ayudaban a olvidar. Ismael olvidaba porque quería ser el otro hijo de Rubén Iglesias y empleado de Óscar Mendoza. Podía imaginarse compartiendo una habitación con el hijo de Rubén, Marco, ayudando al niño como un hermano mayor. César olvidaba porque Roxane Coss le había dicho que podía ir con ella a Milán y aprender a cantar. Qué fácil era imaginarse en un escenario al lado de ella, con una lluvia de tiernos capullos derramados a los pies de ambos. Los generales los ayudaban a olvidar cerrando los ojos a todo el afecto y el ablandamiento de las reglas que los rodeaban, y podían hacerlo porque había mucho que ellos mismos también estaban olvidando, tenían que olvidar que ellos habían sido los que reclutaron a esos jóvenes, apartándolos de sus familias con la promesa de trabajo, oportunidades y una causa por la cual luchar. Tenían que olvidar que el presidente de la república no había asistido a la fiesta donde con tanto trabajo habían planeado secuestrarlo y que, por lo tanto, habían tenido que cambiar sus planes y secuestrar a todos los demás. Y sobre todo tenían que olvidar que aún no habían encontrado la manera de salir de allí. Debían pensar que si esperaban lo suficiente aparecería alguna. ¿Por qué iban a pensar en el futuro? A nadie más parecía importarle. El padre Arguedas se negaba a pensar en el asunto. Todos asistían a la misa dominical. Él realizaba los sacramentos: comunión, confesión, incluso hasta la extremaunción. Él había puesto en orden las almas de esa casa y eso era lo único importante, entonces ¿por qué iba a preocuparse por el futuro? Ni siquiera a Roxane Coss se le ocurría pensar en el futuro. Había llegado a ser tan experta en olvidar que ya nunca pensaba en la esposa de su amante. No le preocupaba en absoluto que él dirigiera una empresa en Japón ni que no pudieran hablar el mismo idioma. Hasta los que no tenían ninguna razón real para olvidar habían olvidado. Vivían sus vidas sólo para la hora siguiente. Lothar Falken sólo pensaba en correr alrededor de la casa. Victor Fyodorov sólo pensaba en jugar a las cartas con sus amigos y chismear sobre su amor por Roxane Coss. Tetsuya Kato pensaba en su responsabilidad como acompañante y olvidaba todo lo demás. Era demasiado trabajo estar recordando cosas que quizá uno nunca volviera a tener, y así uno por uno abrieron las manos y las dejaron ir, con excepción de Messner, cuyo trabajo consistía en recordar. Y Simon Thibault, que hasta en sueños no pensaba más que en su esposa.

De modo que aun cuando Gen comprendía que había algo real y peligroso esperándolos, empezó a olvidarlo apenas Messner salió de la casa esa tarde. Se ocupó copiando a máquina nuevas listas de demandas de los generales y más tarde ayudó a servir la cena. Esa noche se fue a dormir y despertó a las dos de la mañana para reunirse con Carmen en el cuartito de la porcelana y se lo dijo, aunque no con la urgencia que había sentido por la tarde. Ese sentimiento de urgencia era lo que había logrado olvidar.

"Me preocupa lo que dijo Messner", dijo Gen. Carmen estaba sentada sobre sus piernas, con las dos piernas de ella a la izquierda de él y sus brazos rodeándole el cuello. *Me preocupa.* ¿No debería haber dicho algo más fuerte que eso?

Y Carmen, que debería haberlo escuchado, que debería haberle hecho preguntas por su propia seguridad y la de los otros soldados, que eran sus amigos, sólo lo besó, porque lo importante era olvidar. Era su asunto, su trabajo. Ese beso fue como un lago largo profundo y claro y los dos se adentraron en él, olvidando. "Tendremos que esperar a ver qué pasa", dijo Carmen.

¿Deberían hacer algo, tratar de escapar? Debía haber un modo, todos estaban relajados. Casi nadie vigilaba a nadie. Gen se lo dijo, con las manos debajo de la camisa de ella, sintiendo cómo se flexionaban los omóplatos bajo sus dedos.

"Podríamos pensar en escapar", dijo ella. Pero el ejército la atraparía y la torturarían, eso era lo que los generales le habían dicho durante el entrenamiento, y bajo el dolor de la tortura ella quizá diría algo. No podía recordar qué era lo que no debía decirles, pero eso era lo que haría que mataran a todos los demás. En todo el mundo no había más que dos lugares a los cuales ir: adentro y afuera, y la pregunta era ¿dónde estarían más seguros? Nunca se había sentido tan segura en toda su vida como dentro de esa casa, en el cuartito de la porcelana. Era evidente que santa Rosa de Lima vivía dentro de esa casa. Allí ella estaba protegida. Sus plegarias eran recompensadas en abundancia. Siempre era mejor seguir con el propio santo. Besó la garganta de Gen. Todas las jovencitas soñaban con enamorarse así.

"Hablemos de eso entonces", dijo Gen, pero ella ya se había quitado la camisa y la había extendido como un tapete para que ambos yacieran sobre ella. Cerraron el ángulo entre sus cuerpos y el piso.

"Hablemos", dijo ella, cerrando los ojos dulcemente.

Tan pronto se enamoró Roxane Coss, se enamoró de nuevo. Las dos experiencias fueron diferentes por completo y, sin embargo, como sucedieron una inmediatamente después de la otra, no pudo evitar asociarlas en su mente. Katsumi Hosokawa fue a su habitación en mitad de la noche y durante largo tiempo no hizo otra cosa que estar allí, de pie del lado interior de la puerta, estrechándola en sus brazos. Era como si él regresara de algo a lo que nadie esperaba que sobreviviera, un accidente de avión, un naufragio, y no pudiera imaginar más que eso: tenerla en sus brazos. No había nada que pudieran decirse, pero Roxane estaba muy lejos de pensar que la única manera de comunicarse con otra persona era hablar el mismo idioma. Y además ¿en realidad qué había que decir? Él la conocía. Se inclinó hacia él, con los brazos rodeándole el cuello, las manos de él apoyadas en su espalda. A veces ella movía la cabeza o él la balanceaba hacia adelante y atrás. Por el modo como respiraba era posible que él hubiera estado llorando, y ella también entendía eso. Ella también lloraba, lloraba por el consuelo que significaba estar con él en esa habitación a oscuras, el consuelo que surge de amar a alguien y ser amado. Podrían haberse quedado toda la noche parados allí, él se habría ido sin pedir nada más si en algún momento ella no hubiera buscado la mano de él con la suya para guiarlo hacia la cama. Había tantas maneras de hablar. Él la besó cuando ella se reclinaba hacia atrás, las cortinas cerradas, el cuarto completamente a oscuras.

Por la mañana ella despertó por un instante, se desperezó, se dio vuelta y volvió a dormirse. No sabía cuánto había dormido cuando oyó cantar y, por segunda vez, la sorprendió el pensamiento de que no estaba sola. No es que se hubiera enamorado de César, pero se enamoró de su canto.

Era así: todas las noches el señor Hosokawa iba a su habitación y todas las mañanas César la esperaba para practicar. Si había otra cosa más que desear, ella la había olvidado.

"Aspira", le dijo. "Así." Roxane se llenó los pulmones al máximo y después aspiró un poco más, y retuvo el aire. No importaba que él no entendiera las palabras que ella utilizaba. Dando un paso Roxane se colocó detrás de él y apoyó su mano plana sobre el diafragma. Lo que estaba diciendo era claro. Empujó para hacer salir todo el aire del cuerpo de él y después lo hizo llenarse de nuevo. Ella cantó una frase de Tosti, moviendo una mano para adelante y para atrás como un metrónomo, y en respuesta él cantó la misma frase. Él no era un alumno de conservatorio convencido de que para agradar era preciso ser cuidadoso. No necesitaba superar una vida de instrucción mediocre. No tenía miedo. Era un chico, con toda la jactancia de un chico, y la frase llegó en respuesta fuerte y apasionada. César cantaba cada frase y cada escala como si el canto fuera a salvarle la vida. Estaba en el proceso de apropiarse de su propia voz, y a ella esa voz la asombraba. Esa voz habría vivido y muerto en la selva si ella no hubiese llegado a rescatarla.

Fue un periodo excelente, salvo por el hecho de que ahora Messner no se quedaba mucho rato. Ahora estaba más delgado. La ropa le colgaba de los hombros como de un gancho de alambre. Sólo dejaba las cosas que llevaba y siempre tenía prisa por irse.

César tenía su clase en la mañana, y por mucho que rogara a los demás que salieran al jardín, todos se sentaban a escuchar. Los progresos de él eran tan rápidos que hasta los otros muchachos se daban cuenta de que lo que veían allí era más interesante que la televisión. Ya no sonaba en absoluto como Roxane. Estaba encontrando su propia profundidad. Cada mañana él iba desplegando su voz delante de ellos como un raro abanico enjoyado, y cuanto más oían más intrincado se iba haciendo. La gente reunida en el salón siempre podía estar segura de que cada día cantaría mejor que el día anterior. Eso era lo más asombroso de todo. Hasta ahora no había mostrado el menor indicio de acercarse a los límites de lo que era capaz. Cantaba con pasión hipnótica, y después con apasionado deseo. Parecía imposible que esa voz saliera de un muchacho tan común. Y los brazos todavía le colgaban inútiles a ambos lados.

Cuando César soltaba la última nota todos gritaban enronquecidos, golpeando el suelo con los pies y silbando. "¡Ave, César!", gritaban rehenes y terroristas por igual. Era de todos ellos. No había nadie que no aclamara su grandeza.

Thibault se inclinó y dijo algo al oído del vicepresidente. "Me pregunto cómo estará tomando esto nuestra diva."

"Con gran valentía sin duda", susurró Rubén en respuesta, e inmediatamente se metió dos dedos en la boca y lanzó un silbido alto y prolongado.

César se inclinó varias veces, nervioso, y después el público empezó a clamar por Roxane: "¡Que cante! ¡Que cante!". Ella se negó con la cabeza varias veces pero la gente no lo aceptaba, y sólo gritaban más. Cuando al fin se puso de pie estaba riendo, porque ¿quién no podía sentir la alegría de esa música? Levantó las manos tratando de calmarlos.

"¡Sólo una!", dijo. "No puedo competir con él." Se inclinó para susurrar algo al oído de Kato y él asintió. ¿Qué le decía? Ni siquiera hablaban el mismo idioma.

Kato había hecho una transcripción para piano de la música de *Il Barbiere di Siviglia* y sus dedos se alzaban muy alto después de tocar las teclas, como si quemaran al tacto. Hubo una época en que ella sentía nostalgia por la orquesta, el dulce peso de tantos violines frente a ella, pero ahora nunca pensaba en eso. Se metió en la música como si fuera un arroyo fresco en un día caluroso y empezó a cantar "Una voce poco fa." Ahora la música le parecía perfecta, hasta pensó que sin duda Rossini siempre había querido que fuera exactamente así. Por mucho que murmuraran ella podía competir, y ganar. Su canto era melifluo, y cuando trinaba en las notas más altas se ponía las manos sobre las caderas y se balanceaba hacia atrás y adelante sonriendo con malicia al público. Ella también era actriz. Tenía que enseñarle esa parte a César. *Mil trucos tortuosos y astucias sutiles emplearé antes que doblegue mi voluntad.* Y ellos la aclamaban. Oh, cómo les gustaban esas notas ridículamente agudas, las acrobacias imposibles que ella desgranaba como si nada. Al final había logrado marearlos, y entonces alzó las manos y dijo en inglés "Fuera de aquí, todos", y aun los que no entendieron lo que decía obedecieron la orden y salieron a la luz del sol.

El señor Hosokawa se rio y la besó en la mejilla. ¿Quién podía creer que existía semejante mujer? Fue a la cocina a preparar una taza de té para ella, mientras César se sentaba junto a Roxane en el banco del piano con la esperanza de que su clase se prolongara ahora que todos se habían ido.

Los demás salieron a jugar futbol o a sentarse en el pasto a ver el juego. Rubén había logrado que le permitieran usar una azada y un pequeño rastrillo del cobertizo del jardinero, que estaba cerrado con llave, y empezó a remover la tierra de los canteros de flores, que antes había limpiado meticulosamente de pasto y hierbas. Ismael dejó de lado el juego para ayudarlo. No le importaba porque en realidad nunca le había gustado jugar. Rubén le dio una cuchara de mesa de plata para que escarbara. "Mi padre era un excelente jardinero", le confió Rubén. "Bastaba que dijera unas cuantas palabras amables al suelo y ahí venían. Quería ser agricultor igual que su padre, pero la sequía acabó con todo." Rubén se encogió de hombros y después enterró su azada en el suelo endurecido y volteó un pedazo.

"Ahora estaría orgulloso de nosotros", dijo Ismael.

Los muchachos que estaban de guardia se subieron a los terraplenes de hiedra al borde del patio, apoyaron sus rifles contra el muro de estuco y se unieron al juego. Los corredores dejaron de correr para también unirse al juego. "Una voce poco fa" todavía les daba vueltas en la cabeza, y aunque no eran capaces de tararearla pateaban la pelota al ritmo del aria. Beatriz consiguió quitarle la pelota a Simon Thibault y se la pasó a Jesús, quien tenía un tiro limpio para lanzarla hacia las dos sillas que marcaban la portería, y los generales le gritaron "¡Ahora! ¡Ahora!" La luz se había convertido en encaje a causa de los árboles que en estos meses se habían espesado mucho por las hojas, sin embargo, había luz en todas partes. Era temprano, faltaban horas para el almuerzo. Kato dejó el piano y salió a sentarse en el césped al lado de Gen, de manera que los únicos sonidos eran los golpes a la pelota y los nombres —Gilberto, Francisco, Paco— que los jugadores gritaban mientras corrían.

Cuando Roxane Coss gritó fue porque vio a un hombre desconocido entrar rápidamente a la habitación. No la sorprendieron ni el uniforme ni el arma porque estaba acostumbrada a esas cosas, pero el modo como el hombre avanzaba era aterrador. Caminaba como si no hubiera pared capaz de detenerlo. Lo que quiera que se propusiese hacer, estaba decidido, y todo lo que ella pudiera decir o cantar no haría ninguna diferencia. César saltó del banco del piano donde estaba sentado pero antes de llegar siquiera cerca de la puerta fue alcanzado por una bala. Cayó hacia delante sin extender las manos para protegerse ni gritar pidiendo ayuda. Roxane se agachó debajo del piano, dando la alarma con su voz. Se arrastró hacia el muchacho que tanto prometía como el mayor cantante de su época y cubrió su cuerpo con el suyo, para que no fuera a sucederle nada más. Sentía la sangre cálida de él empapar su blusa, mojarle la piel. Tomó su cabeza entre sus manos y le besó las mejillas.

Al sonido del disparo el hombre del arma pareció dividirse, primero en dos y después en cuatro, ocho, dieciséis, treinta y dos, sesenta y cuatro. Con cada explosión aparecían más y se desplegaban por la casa, saltaban por las ventanas y salían por las puertas al jardín. Nadie podía ver de dónde salían, sólo que estaban por todas partes. Sus botas parecían deshacer la casa, abrir todas las puertas. Cubrieron la cancha mientras la pelota todavía estaba rodando. Sus armas dispararon una y otra vez, y era imposible decir si los que caían lo hacían para protegerse o habían sido heridos. Todo ocurrió en un instante en el cual todo lo que se sabía sobre el mundo se olvidó y se volvió a aprender. Los hombres gritaban algo, pero con la sangre que se agolpaba en sus oídos, el mareo por la descarga de adrenalina, la sordera provocada por los disparos, ni siquiera Gen podía entenderlos. Vio al general Benjamín volver los ojos hacia la pared, quizá calculando la altura, y después hubo un disparo y Benjamín cayó, la bala lo alcanzó, limpia, en el centro de la frente. En un tiro perdió su vida y la de su hermano Luis, que poco después fue excarcelado y fusilado por conspiración. El general Alfredo ya había caído. Humberto, Ignacio y Guadalupe habían muerto. Entonces Lothar Falken alzó las manos y el padre Arguedas alzó las manos; Bernardo, Sergio y Beatriz hicieron lo mismo. "Ort und Stelle bleiben!", dijo Lothar, *¡quédense quietos!*, pero ¿dónde estaba el traductor? El alemán le era inútil ahora. El general Héctor empezó a levantar las manos pero una bala lo alcanzó antes que le llegaran al pecho.

Los extraños cortaron el grupo en dos como si conocieran íntimamente a cada uno de sus miembros. No vacilaban un minuto respecto de cuáles eran los que debían separar y entregar a la fila de hombres que los llevaban hacia atrás de la casa, de donde llegaba el sonido de armas que se disparaban sin pausa. En la casa no había tanta gente. Aunque se propusieran matar cien veces a cada uno no necesitaban disparar tantas veces. Renato se retorcía y chillaba como un animal salvaje cuando se lo llevaron entre dos, sujetándolo por los brazos. El padre Arguedas corrió en su ayuda pero también fue alcanzado de inmediato. Creyó haber llegado a su última hora, con una bala atravesada en el cuello, y en ese momento recordó a su Dios. Pero al caer sobre el pasto se dio cuenta de que se había equivocado. Estaba bien vivo. Abrió los ojos y se encontró frente a la cara de su amigo Ismael, muerto menos de dos minutos antes. El vicepresidente lloraba con la cara sobre el cuello del muchacho, los ojos cerrados, la boca muy abierta. Sostenía en las manos la hermosa cabeza de su hijo.

Ismael aún tenía en la mano la cuchara con la que estaba escarbando.

Beatriz levantó sus manos por encima de la cabeza y el sol dio en el cristal del reloj de Gen y arrojó sobre la pared un círculo perfecto de luz. Estaba rodeada por personas que conocía. Ahí estaba el general Héctor caído de costado, sin sus lentes y con la camisa empapada en sangre. Ahí estaba Gilberto, a quien una vez había besado de puro aburrimiento. Yacía acostado bocarriba, con los brazos bien abiertos como si fuera a salir volando. Después estaba alguien más, pero era horrible: no se podía saber quién era. Ahora tenía miedo de ellos, de esas personas que conocía. Tenía más en común con los desconocidos que estaban disparando, porque una y otros estaban vivos. Pero ella mantendría sus brazos bien extendidos. Ésa era la diferencia. Haría exactamente lo que le ordenaran y ellos la dejarían vivir. Cerró los ojos y buscó la negra pila de sus pecados, con esperanza de poder librarse de algunos más por su cuenta sin ayuda del cura, y pensando que con menos pecados tendría una levedad que reconocerían esos nuevos hombres. Pero los pecados se habían ido. Por más que miró detrás de la oscuridad de sus párpados, no quedaba ni uno solo y se asombró. Oyó a Óscar Mendoza llamarla por su nombre: "¡Beatriz! ¡Beatriz!", y abrió los ojos. Él venía hacia ella con los brazos abiertos, corría hacia ella como un amante, y ella le sonrió. Entonces oyó otro disparo, pero éste la derribó, y en su pecho estalló un gran dolor que la sacó de este mundo terrible.

Gen vio caer a Beatriz y gritó el nombre de Carmen. ¿Dónde estaba Carmen? No sabía si estaba afuera. No podía verla por ningún lado. No había nadie más listo que Carmen. No había nadie con más probabilidades de escapar, a menos que hiciera alguna estupidez. ¿No se le iría a ocurrir salvarlo a él? "¡Es mi esposa! ¡Es mi esposa!", gritó en medio de aquella locura, porque era lo único que se le había ocurrido, a pesar de que nunca le había pedido que se casara con él, ni le había pedido al sacerdote que los bendijera. Ella era su esposa en todos los sentidos que importaban, y eso debía salvarla.

Pero nada la salvaría. Carmen ya estaba muerta, había sido una de las primeras víctimas; estaba en la cocina guardando platos en el cuartito de la porcelana cuando llegó el señor Hosokawa para preparar el té. Él se inclinó hacia ella, gesto al que Carmen siempre respondía con una sonrisa tímida. Aún no había tomado la tetera cuando oyeron a Roxane Coss. No era una canción, sino un grito y después un largo alarido como de lobo. Corrieron juntos hacia la puerta, el señor Hosokawa y Carmen. Corrieron juntos por el pasillo, Carmen más joven, más ágil, delante de él. Ya habían atravesado el comedor cuando oyeron el disparo que derribó a César, entraron al salón justo cuando un hombre armado se volvía hacia ellos, en el mismo momento en que Roxane tomaba en sus brazos el cuerpo de su discípulo. El tiempo, que por tantos días había estado suspendido, ahora regresaba con tanta fuerza que todo coincidió y ocurrió simultáneamente. Roxane los vio al mismo tiempo que el hombre del arma; Carmen vio a César, y el señor Hosokawa vio a Carmen y la arrancó del espacio frente a él, pasándole su brazo por la cintura con la fuerza de un golpe. Él quedó delante de ella arrojándola a sus espaldas, en el instante en que el hombre del arma que la había visto, de pie delante del señor Hosokawa, separada de él, disparaba. Desde dos metros de distancia no podía errar salvo por la confusión, los disparos de tantas armas, el frenesí de voces, el hombre que estaba en la lista de los que debían salvar interpuesto delante de ella. Una sola bala los inmovilizó en una pareja que nadie hubiera imaginado: Carmen y el señor Hosokawa, la cabeza de ella asomando a la izquierda de la de él, como si estuviera mirando por encima de su hombro.

Epílogo

Terminada la boda, todo el grupo salió al sol del atardecer. Edith Thibault besó a la novia y después, por las dudas, a su propio esposo. Había en ella una luz de la que carecían los otros tres. Todavía creía ser una persona afortunada. Era ella quien había insistido en venir con Simon a Lucca para ser testigos de la boda de Gen y Roxane. Era justo llevarles buenos deseos. "Creo que estuvo muy bien", dijo en francés. Los cuatro hablaban en francés.

Thibault se agarraba del brazo de su esposa como si estuviera mareado. Habría sido lindo que a alguien se le hubiera ocurrido traer al padre Arguedas para celebrar la ceremonia, pero nadie pensó en ello y ahora ya era tarde. El gobierno francés esperaba que Thibault volviera a su puesto después de un periodo apropiado de reposo, pero cuando dejaron la casa para viajar a París los Thibault se llevaron consigo todas sus pertenencias personales. Simon y Edith jamás volverían a poner los pies en aquel país olvidado por Dios. *Quel bled*, decían ahora.

Estaban en los primeros días de mayo y en Lucca aún no había iniciado la temporada turística. Pronto las antiguas calles empedradas estarían atiborradas de estudiantes universitarios cada uno con una guía en la mano, pero por el momento estaban completamente vacías. Se sentían como si la ciudad fuera de su propiedad, que era lo que quería la novia: una boda muy tranquila en la ciudad natal de Giacomo Puccini. Vino una brisa y Roxane sujetó su sombrero con una mano.

"Soy feliz", dijo Roxane, y después miró a Gen y lo repitió. Él la besó.

"Los restaurantes todavía no están abiertos", dijo Edith, que recorría la plaza con la mirada, y se había puesto una mano sobre los ojos para hacer sombra. Era como una ciudad antigua abandonada, algo salido de una excavación arqueológica. Ninguna parte de París se veía nunca así. "Vayan a ver si hay algún bar por ahí, por favor. Deberíamos brindar con una copa de vino. Roxane y yo podemos esperar aquí. Estas calles no fueron hechas para tacones altos."

Thibault sintió un leve estremecimiento de pánico pero lo contuvo de inmediato. La plaza estaba demasiado abierta, demasiado tranquila. Adentro de la iglesia se había sentido mejor. "Una copa, sí, claro." Besó a Edith cerca de un ojo y después volvió a besarla en los labios. Era el día de la boda, después de todo, una boda en Italia.

"¿No te importa esperar?", preguntó Gen a Roxane.

Ella le sonrió: "A las mujeres casadas no les importa esperar."

Edith Thibault le tomó la mano y admiró el reluciente anillo nuevo. "Les importa muchísimo, pero también quieren una copa de vino."

Las dos mujeres se sentaron en el borde de una fuente, Roxane con un ramo de flores en el regazo, y observaron a los hombres alejarse por una de las estrechas callejuelas, todas idénticas. Cuando una curva los ocultó a su vista Edith pensó que había cometido un error: Roxane y ella debían haberse quitado los zapatos para ir con ellos.

Gen y Thibault cruzaron dos plazas antes de que alguno dijera una palabra, y su silencio hacía que el ruido de sus tacones resonara contra las altas paredes. "De modo que vivirán en Milán", dijo al fin Thibault.

"Es una hermosa ciudad."

"¿Y su trabajo?" Porque el trabajo de Gen había sido el señor Hosokawa.

"Ahora me dedico sobre todo a traducir libros. Eso me deja un horario más flexible. Me gusta ir a los ensayos con Roxane."

"Sí, claro", dijo Thibault con aire ausente, hundiendo aún más las manos en los bolsillos mientras caminaban. "Extraño oirla cantar."

"Debe venir a visitarnos."

Un muchacho montado en una brillante moto roja pasó velozmente al lado de ellos, y después dos hombres con sendos perros salchicha salieron de una panadería y echaron a andar hacia ellos. Después de todo la ciudad no estaba desierta "¿Extrañará usted Japón?"

Gen sacudió la cabeza. "Es mejor para ella estar aquí, y también es mejor para mí, con seguridad. Todos los cantantes de ópera deberían vivir en Italia." Señaló el edificio de la esquina: "Allí hay un bar abierto."

Thibault se detuvo. Él no lo habría visto. No había estado prestando atención. "Bien, entonces ya hemos cumplido. Regresemos en busca de nuestras esposas."

Pero Gen no se volvió. Se quedó largo rato mirando el bar, como si fuera un lugar donde había vivido años antes.

Thibault le preguntó si le pasaba algo. Él también solía quedarse así, congelado, de vez en cuando.

"Quería preguntarte una cosa", dijo Gen, pero tardó otro minuto para hallar las palabras. "Los periódicos nunca mencionan a Carmen y Beatriz. Todos los que he leído dicen que había cincuenta y nueve hombres y una mujer. ¿También es lo que dicen en Francia?"

Thibault dijo que nunca había oído mencionar a las muchachas.

Gen asintió. "Supongo que la noticia queda mejor así, cincuenta y nueve y una." Llevaba una pequeña rosa blanca en el ojal de su traje de boda. Edith la había traído para él en una cajita de cartulina, junto con el ramo de rosas blancas para Roxane. Ella misma le había prendido la flor en la solapa. "Llamé a varios periódicos y les pedí que publicaran la corrección, pero nadie estaba interesado. Es casi como si nunca hubieran existido."

"Nada de lo que uno lee en los periódicos es verdad", dijo Thibault. Pensaba en la primera vez que tuvieron que cocinar su cena, todos aquellos pollos, las muchachas e Ismael que llegaban con los cuchillos.

Gen seguía sin mirarlo. Hablaba como si estuviera contándole la historia al bar. "Llamé a Rubén ¿le dije eso? Lo llamé para decirle de la boda. Dijo que en su opinión deberíamos esperar un poco, que sería un error precipitarse. Fue muy amable al respecto, ya sabes cómo es Rubén. Pero nosotros no queríamos esperar. Amo a Roxane."

"No", dijo Thibault. "Hicieron lo correcto. Casarme fue lo mejor que hice en toda mi vida." Pero ahora estaba pensando en Carmen. ¿Cómo no se había dado cuenta antes? Los recordaba claramente siempre juntos, vez tras vez los dos de pie al fondo del salón, hablando en susurros, y cómo se iluminaba el rostro de ella cuando se volvía hacia Gen. Thibault no deseaba volver a recordar ese rostro.

"Cuando oigo cantar a Roxane todavía consigo pensar bien acerca del mundo", dijo Gen. "Éste es el mundo en el que alguien fue capaz de escribir esa música, el mundo donde ella todavía puede cantar esa música con tanto sentimiento. Eso tiene que ser prueba de algo ¿no? Creo que ahora no duraría un solo día sin eso."

Aunque cerrara los ojos y se los frotara con el pulgar y el índice, Thibault seguía viendo a Carmen. Su cabello en una trenza detrás del cuello esbelto. Está riendo. "Es una muchacha hermosa", dijo. Habían encontrado el bar. Ahora él necesitaba volver con Edith. Pasó un brazo sobre los hombros de su compañero y lo guió de regreso a la Piazza San Martino. Sentía que se quedaba sin aliento, y tenía que concentrarse en los músculos de sus piernas para no echar a correr. Estaba seguro de que Gen y Roxane se habían casado por amor, el amor que sentían el uno por el otro y por todas las personas que recordaban.

Al doblar la esquina la calle se abrió en la luminosa plaza y allí estaban las esposas, todavía sentadas en el borde de la fuente. Miraban hacia la catedral, pero cuando Edith se volvió y lo descubrió ¡cuánta alegría había en su rostro! Se pusieron de pie y caminaron hacia los hombres, Edith con su cabello oscuro y brillante, Roxane todavía con su sombrero. Cualquiera de ellas podría haber sido la novia. Thibault estaba seguro de que nunca había habido mujeres tan hermosas, y entonces las hermosas mujeres fueron a su encuentro y les tendieron sus brazos.

Mi amor y gratitud para mi editor,
Robert Jones

Con sus graves y sus agudos
bel canto, escrito por Ann Patchett,
es una fábula sobre la felicidad
inesperada, y su inesperado final.
La edición de esta obra fue compuesta
en fuente palatino y formada en 10:11.
Fue impresa en este mes de febrero de 2004
en los talleres de Acabados Editoriales Incorporados, S.A. de C.V.,
que se localizan en la calle de Arroz 226,
colonia Santa Isabel Industrial, en la ciudad de México, D.F.
La encuadernación de los ejemplares se hizo
en los talleres de Dinámica de Acabado Editorial, S.A. de C.V.,
que se localizan en la calle de Centeno 4-B,
colonia Granjas Esmeralda, en la ciudad de México, D.F.